'Als *De stad waar je ten slotte aankomt* verkiesbaar was voor de Man Booker Prize, dan zou ik mijn best doen het op de shortlist te krijgen. Het heeft alle kwaliteiten die tegenwoordig in literaire kringen ondergewaardeerd worden: *understatement* en humor, met een gewone natuurlijkheid gedoseerd.'   *The London Times*

'Een stel personages [...] wordt gedwongen hun onderlinge relaties te herzien door de komst van een buitenstaander. Het is een beproefd scenario voor Cameron die briljant weet te spelen met de kleine nuances in veranderende menselijke verhoudingen. Net als [Elizabeth] Bishop geeft Cameron nooit teveel weg in eens, observeert liever zijn subjecten nauwkeurig van dichtbij, en beloont zo zijn lezers met de voortdurende oprechtheid van elke opmerking die hij ondertussen maakt.'   *Time Out New York*

'Henry James zou van Cameron hebben gehouden. Dit betoverende nieuwe boek [...] perst vraagstukken over identiteit, verbintenissen en verhoudingen tussen verschillende mensen samen in een klein Uruguayaans gehucht.'
                                      Publishers Weekly met ster

'een Engelse huiskamerkomedie, ofschoon gesitueerd in Uruguay. [...] Cameron is sterk in het verwarren van verlangen met angst, in fysieke beleving en het probleem je goed te gedragen als de dingen niet volgens de regels verlopen. Zijn personages lossen dit op met een prikkelende welwillendheid en een algeheel gebrek aan sentimenteel gedoe, waardoor dit unieke boek tot een subtiel georkestreerd slot komt.'   *The New York Times Book Review*

'Camerons heerlijke toon stuwt het verhaal voort, zijn schitterende zinnen en geestige scènes, het gemak waarmee hij zijn personages elegant en sober neerzet, zijn grappige dialogen. Het zal niet gemakkelijk zijn om een betere komische roman te vinden, of een lekkerder en grappiger

verhaal over de menselijke ziel en hoe die reageert op lief-desdrang.'   *The Raleigh News & Observer*

'Een ongelooflijk ontroerend en overtuigend relaas over de odyssee van een jonge student. Geestig, intelligent, span-nend: Cameron geeft je een ontspannen en ouderwets on-derhoudend verhaal dat zich niettemin spoedt naar een verrassend maar geloofwaardig eind.'

Kirkus Reviews met ster

'"Net een magische roman, *De stad waar je ten slotte aan-komt*, uitgelezen en nu kan ik hem niet meer lezen," schreef ik in mijn notitieblok. Ik miste het boek zo erg dat ik de an-dere boeken van de schrijver in huis haalde, ze las en koes-terde en toen terugging naar *De stad*, om het te herlezen. [...] in *De stad* overtreft Cameron, een schrijver wiens ster met ieder boek scherper en helderder wordt, zichzelf in zijn lichte toets, de vaart van zijn verhaal en in zijn talent om subtiele aanwijzingen te geven, die persoonlijkheid en emotie blootleggen.'

Gail Godwin in zijn lofrede bij de uitreiking van de PEN/Faulkner Award

'een prikkelende, luchtige, serieuze en meeslepende *com-media dell'arte* [die] subtiel, ontroerend en erotisch het be-gin, de twijfels en de vorderingen van een liefdesgeschiede-nis in kaart brengt.'   *The New York Times*

'Cameron heeft een boeiend huiselijk drama geschapen [...] met het effect van een *comedy of manners* die de draak steekt met literaire carrièrejagers en zich vermaakt met mensen die niet gelukkig zijn en die het niet zouden toege-ven als ze het wel waren.'   *Los Angeles Times*

'Een goed gecomponeerde roman die tot op de laatste bladzijden blijft verrassen.'   *The Washington Post*

'Cameron beschikt over een vlotte en subtiele humor, maar hij let er goed op het hier niet te overdrijven. Terwijl de gevatte antwoorden en machtsspelletjes van zijn spelers *De stad waar je ten slotte aankomt* tot een *good read* maken, komen er belangrijkere dingen aan de orde dan alleen maar lol. We kunnen ons eigen geluk niet bewerkstelligen, lijkt Cameron heel subtiel te willen zeggen, omdat de liefde ons naar onverwachte zijpaden leidt. Cameron [...] eindigt deze prachtige roman met een van de meest bevredigende ontknopingen van de laatste jaren'. *San Francisco Chronicle*

'Heerlijk, vol verrassingen, magisch, romantisch en vol met geweldige verwikkelingen'. *USA Today*

Peter Cameron

De stad waar je ten slotte aankomt

Vertaald door Marion Op den Camp

AILANTUS

Amsterdam 2009

Oorspronkelijke titel *The City of Your Final Destination*
Copyright © 2002 Peter Cameron
Copyright Nederlandse vertaling © 2009 Marion Op den Camp /
Uitgeverij Ailantus
Omslag Studio Matusiak
Omslagbeeld Martin Johnson Heade, Cattleya orchid and three
humming birds (1871), National Gallery of Arts Washington
Binnenwerk 508 Grafische Producties, Valkenburg a/d Geul
Foto auteur Florent Morellet
ISBN 978 90 895 3021 9 / NUR 302
www.ailantus.nl
www.clubvaneerlijkevinders.nl

Voor Norberto

DEEL EEN

We zijn ongelukkig omdat we niet zien hoe er een eind aan ons ongeluk kan komen, maar wat we eigenlijk niet zien is dat ongeluk niet eeuwig kan duren, want ook als dezelfde situatie voortbestaat, zal de gemoedstoestand veranderen. Om dezelfde reden kan geluk niet eeuwig duren.

William Gerhardie, *Of Mortal Love*

HOOFDSTUK EEN

13 september 1995

Mevr. Caroline Gund
Mevr. Arden Langdon
Dhr. Adam Gund
Ochos Rios
Tranqueras, Uruguay

Geachte mevrouw Gund, mevrouw Langdon en meneer Gund,

Ik schrijf u omdat ik heb vernomen dat u de literaire nalatenschap van Jules Gund beheert. Ik zou graag toestemming willen hebben voor het schrijven van een geautoriseerde biografie van de heer Gund.

Ik ben promovendus aan de Universiteit van Kansas. Op grond van mijn masterscriptie: 'Weet je nog? Nou, vergeet het maar: De verwoording van culturele verdringing en linguïstische versnippering in het werk van Jules Gund', is mij de Dolores Faye en Bertram Siebert Petrie-prijs voor biografische studies toegekend. Aan deze prijs, die bestaat uit publicatie van de biografie van Gund door de University of Kansas Press plus een royaal onderzoeksstipendium, is de voorwaarde verbonden dat ik toestemming krijg van de erven van mijn subject. U zult het hoop ik met me eens zijn dat een door mij geschreven, gedegen biografie van Jules Gund in het belang van de erven is. De biografie die ik van plan ben te schrijven zal, zeker gezien de groeiende belangstelling voor Holocaust-studies en Latijns-Amerikaanse literatuur, de aandacht voor het thans onderbelichte werk van Jules Gund aanzienlijk doen toenemen. Dit zal de reputatie van de heer Gund bevestigen en veiligstellen, wat weer zal leiden tot een stijging van de verkoop van zijn boek.

Ik sluit één hoofdstuk en de inhoudsopgave van mijn scriptie bij deze brief bij, om u in staat te stellen mijn verzoek serieus in

overweging te nemen. (Natuurlijk stuur ik u graag de volledige scriptie, mocht u die willen inzien.) Ik sluit ook een curriculum vitae bij, en de brief waaruit blijkt dat de Universiteit van Kansas mijn project steunt. Ik hoop dat u na lezing van een en ander zult beamen dat ik uniek gekwalificeerd ben om het vereiste onderzoek te verrichten en de uitvoerige en invoelende biografie te schrijven die de heer Gund zonder enige twijfel verdient.

Aangezien ik het bewijs van toestemming uiterlijk 1 november aan de commissie moet overleggen zodat voor het eind van het jaar de eerste betaling kan worden gerealiseerd, zou ik het op prijs stellen zo spoedig mogelijk antwoord van u te ontvangen. Ik ben zo vrij geweest een toestemmingsformulier bij te sluiten, mocht u nu al bereid zijn uw toestemming te verlenen. Aarzelt u niet contact met mij op te nemen in verband met eventuele vragen of bedenkingen die u over dit project hebt. U kunt me, op mijn kosten, bellen op het bovenstaande nummer.

Dank u dat u dit verzoek in overweging wilt nemen. Ik kijk uit naar uw antwoord.

Met vriendelijke groeten,
Omar Razaghi

HOOFDSTUK TWEE

Adam stond voor de spiegel en probeerde zijn vlinderdasje te strikken. Hij had het er moeilijk mee. Het probleem was deels te wijten aan het feit dat zijn handen trilden, maar het leek ook wel of hij vergeten was hoe je een strik moest maken. Toch hield hij vol; hij haalde de mislukte, lelijke knopen die hij legde weer los, trok de stoffen vleugeltjes recht en begon opnieuw. En nog eens en nog eens. Hij scheen niet ontstemd te raken door zijn gebrek aan succes; hij scheen te geloven dat er op een gegeven moment, bijna zijns ondanks, vanzelf een strik zou ontstaan.

Pete, die twee verdiepingen hoger over de balustrade van de overloop leunde, zag het met een onbewogen gezicht een minuut of vijf aan en daalde toen de trap af. Zodra Adam hem hoorde aankomen staakte hij de strijd met het vlinderdasje, maar hij keek niet op.

Pete kwam achter Adam staan, op zo'n manier dat ze elkaar bijna raakten, reikte om hem heen en greep het vlinderdasje. Terwijl ze samen in de spiegel toekeken, legde hij een volmaakte strik in de eerst zo weerbarstige stof. Hoewel de strik al volmaakt was, verschikte Pete er nog iets aan en daarna weer iets (om het volmaakte karakter te herstellen), gaf er een klopje op en zei: 'Ziezo.'

'Dank je,' zei Adam. Hij hield Petes hand even tegen het dasje aan. 'Waar zou ik zijn zonder jou?'

'Gewoon hier, denk ik,' zei Pete.

'Ja. Maar zonder das. Of in elk geval zonder strikje.'

'Dan zou je dus beter af zijn. Ik snap niet waarom je een das draagt.'

'Ik heb geleerd dat je altijd een das moet dragen als je deelneemt aan het sociale verkeer.'

'Is een etentje bij Arden en Caroline sociaal verkeer?' vroeg Pete.

'Het is zo'n beetje het enige sociale verkeer dat we heb-

ben,' zei Adam. 'Of dat ik heb, kan ik beter zeggen. Misschien heb jij sociaal verkeer waar ik geen weet van heb. Is dat zo?'

'Nee,' zei Pete. Ze keken allebei nog in de spiegel en spraken tegen hun spiegelbeeld. Pete leunde een beetje opzij en legde zijn kin op Adams schouder. Adam stak zijn hand uit en streelde Petes donkere haar. Hij had mooi lang haar, Pete. Ze bekeken hun spiegelbeeld: een oude man van Europese komaf, een jonge man van Aziatische afkomst.

En toen lichtte Pete zijn hoofd op en liep een eindje weg, zodat zijn gezicht verdween uit de kleine wereld van de spiegel.

'Ben je zover?' vroeg Adam.

'Ja,' zei Pete. 'Wil je lopen, of zullen we de auto nemen?'

'Het is een mooie avond,' zei Adam. 'Ik wil wel lopen.'

'Maar hoe gaan we terug? Wil je dan ook lopen?'

'Dat weet ik nog niet,' zei Adam.

'Want als je terug met de auto wilt, moeten we hem nu meenemen.'

'Waarom?'

'Zodat we hem daar hebben, voor de terugweg.'

'Maar jij kunt altijd nog teruglopen en mij met de auto komen halen.'

'Ja, maar het is gemakkelijker om hem nu mee te nemen.'

'Ik kan je niet helemaal volgen,' zei Adam. 'Als we naar huis lopen, dan lopen we. En als we besluiten met de auto te gaan, dan loop jij terug om hem te halen. Dus jij loopt toch hoe dan ook terug?'

'Niet als we nu met de auto gaan.'

'O, maar nu wil ik lopen. Dat weet ik zeker.'

'Weet je het echt zeker? Hoe is het met je been?'

'Hetzelfde als altijd.'

'Waarom ga je niet naar de dokter?'

'Omdat het een vreselijke man is en ik in feite niets mankeer.'

'Je handen trillen. En je benen doen pijn.'

'En ik ben oud. Dat heeft allemaal met elkaar te maken.'

'Dan moeten we met de auto gaan.'

'Nee. Ik ben wel oud, maar ik kan best naar het grote huis lopen, en wellicht, afhankelijk van hoe laat het wordt en hoeveel ik eet en drink en in wat voor stemming ik ben, ook weer terug. We zien wel.' Hij keek weer in de spiegel. 'Bedankt voor het strikken van mijn dasje. Het staat me erg goed, vind ik. Ik heb dit altijd een mooi dasje gevonden. Ik heb het in Venetië gekocht, in vijfenvijftig. Je moet mooie dingen kopen als je gelukkig bent, dat is belangrijk. Als ik naar dit dasje kijk' – Adam raakte de strik bij zijn hals aan – 'herinner ik me hoe gelukkig ik ooit was.'

'Waarom was je gelukkig?'

'Dat ben ik vergeten. Wie zal het zeggen? Het is voldoende dat je je herinnert dat je gelukkig was. Ik weet zeker dat ik gelukkig was. Anders had ik nooit zo'n mooi dasje gekocht.'

'Nu is het niet zo mooi meer,' zei Pete. 'Er zitten vlekken op.'

'Ja?' Adam boog zich naar zijn spiegelbeeld. 'Voor mij ziet het er nog prima uit. Ik ben echt blij dat mijn gezichtsvermogen afneemt. Alles ziet er prima uit. Dat is voor mij het beste bewijs dat God bestaat.'

'Wat?'

'Dat onze ogen zwakker worden met het klimmen der jaren. Anders zou het ondraaglijk zijn. Vooral voor degenen die mooi waren in hun jeugd.'

'Was jij mooi in je jeugd?'

'Ik was nog niet stokoud toen wij elkaar ontmoetten. Ik dacht dat ik toen nog wel iets van mijn schoonheid bezat. Dat moet wel. Hoe had ik anders ooit bij jou in de smaak kunnen vallen?'

Pete gaf geen antwoord. Adam wendde zich van de spiegel af en keek naar zijn vriend. Pete had de deur opengedaan. Het avondlicht viel op zijn knappe gezicht. Hij stond naar het kleine, met keien bestrate erf voor het molenhuis te kijken. Onder aan de stoep zat een kat.

'Chuco wil eten,' zei Adam.

'Chuco kan wel wachten. Als we gaan lopen, moeten we nu weg, anders komen we te laat,' zei Pete.

Adam besefte dat Pete boos was. De laatste tijd leek hij voortdurend boos, maar het was een merkwaardige, verhulde, onderhuidse boosheid. Hij moest wel heel boos zijn om zijn dierbare Chuco geen eten te geven. Hij geeft Chuco geen eten om mij te straffen, dacht Adam. 'We kunnen wel met de auto gaan,' zei Adam. 'Misschien ben ik toch te moe om te lopen.'

Pete draaide zich om en keek hem aan. 'Nee,' zei hij. Hij bukte zich en tilde de kat op. De kat wendde zijn kop af. 'Alleen even deze kleine schrokop eten geven.'

Portia zat aan de ronde tafel op de binnenplaats en was bezig een kaart van Zuid-Amerika te tekenen en in te vullen. Het was een opdracht voor school. Ze ging naar de kloosterschool in Tranqueras, als externe leerling. De binnenplaats werd aan drie kanten begrensd door het grote huis, en aan de vierde door een stenen muur. Midden in de muur zat een poort, en midden op de binnenplaats stond een kleine ronde fontein. Arden, Portia's moeder, kwam door de keukendeur naar buiten, haar handen vol met servetten, tafellaken en bestek, en bleef even achter Portia staan om te kijken hoe ze Uruguay goud kleurde. De rest van Zuid-Amerika was groen, allerlei verschillende tinten groen, zoals een landschap dat je vanuit een vliegtuig ziet.

'Waarom maak je het goud?' vroeg Arden.

Portia gaf niet meteen antwoord. Ze was acht jaar en had onlangs ontdekt dat het achterhouden van informatie een soort macht geeft. 'Daarom,' zei ze ten slotte.

'Maar het past niet bij de rest van Zuid-Amerika,' zei Arden.

'Dat hoeft ook niet,' zei Portia.

Het maakte Arden blij om te zien hoe Portia Uruguay zorgvuldig goud kleurde. 'Het is heel mooi,' zei ze.

'Het hoeft niet mooi te zijn,' zei Portia.

'Nee, maar het mag wel,' zei Arden. 'En ik vind het mooi. En jou ook.' Ze bukte zich en kuste de kruin van haar dochter. 'Je haar ruikt naar benzine,' zei ze. 'Wat heb je gedaan?'

'Niks,' zei Portia.

'Heb je in de garage gespeeld?'

'Nee,' besloot Portia, na even te hebben nagedacht.

'Nou, ik ga het vanavond wassen,' zei Arden. 'Ook als er geen warm water is. Kun je dat weghalen, schat? Even maar, terwijl ik de tafel dek?'

'Waarvoor hebben we een tafelkleed nodig?' vroeg Portia.

'Omdat Adam en Pete komen eten en ik wil dat de tafel er mooi uitziet. En eigenlijk moet je altijd een tafelkleed gebruiken. Er is geen reden om het niet te doen. Maar als we alleen met ons tweetjes zijn, word ik lui.'

'Moet ik samen met jullie eten?'

'Wil je dat niet?'

'Nee. Ik eet liever in de keuken.'

'Waarom?'

'Omdat jullie te veel praten.'

'Maar dat doen mensen nu eenmaal als ze samen eten: praten.'

'Maar dan verveel ik me. Vooral met oom Adam.'

'Goed dan. Maar help even met het tafelkleed.'

'Ik snap niet waarom je altijd een tafelkleed moet gebruiken. Er komen vlekken in en dan moet het gewassen worden en dat veroorzaakt vervuiling,' zei Portia. 'Als je gewoon van de tafel eet, kun je de kruimels opvegen en aan de vogels geven. Dat is veel elogischer.'

'Ecologischer, bedoel je,' zei Arden. 'Maar het leven is niet altijd – nou ja, sommige leuke dingen in het leven zijn niet altijd het meest praktisch of milieuvriendelijk, toch? En een tafelkleed gebruiken kan weinig kwaad, dus het mag best.'

'Zuster Domina zegt dat juist de kleine dingen, de kleine zonden, er het meest toe doen, omdat het er zoveel zijn. God telt ze allemaal bij elkaar op.'

'Je zult wel gelijk hebben, maar we gebruiken toch het

tafelkleed. Als je wat ouder bent, mag je bij de nonnen gaan wonen en net zo sober leven als zij.'

'Je hoeft niet bij de nonnen te wonen om sober te leven,' merkte Portia op.

'Maar het is wel gemakkelijker, denk ik, als je buiten de wereld leeft.'

'Zuster Domina zegt dat hun wereld de echte wereld is. En daar leven wij buiten.'

'Tja, het is maar hoe je het bekijkt,' zei Arden. 'Wil je nu de kaart en de potloden weghalen?'

Portia gehoorzaamde en hielp haar moeder met tafeldekken. Even later hoorden ze stemmen uit het huis komen 'Luister,' zei Arden. 'Dat zullen oom Adam en oom Pete zijn. Ga maar zeggen dat we buiten zijn.'

Portia verdween door de terrasdeuren en kwam even later terug met Pete, die Arden goedenavond wenste en zoende. 'Waar is Adam?' vroeg ze.

'Binnen,' zei Pete. 'Hij wilde de kranten inzien.'

'Kan ik iets te drinken voor je halen?' vroeg Arden aan Pete.

'Ja,' zei Pete. 'Graag.'

'Gin?'

'Ja, graag,' zei Pete.

Arden ging naar binnen via de terrasdeuren, die uitkwamen op een grote hal met een hoog plafond dat werd bekroond door een koepel. Tegenover de terrasdeuren was de grote houten voordeur; langs de achterwand liepen twee galerijen met deuren die naar de gangen op de eerste en tweede verdieping leidden, en aan weerskanten van de hal voerde een gebogen trap omhoog naar de eerste galerij. In de hal zaten deuren die toegang gaven tot de gang naar de voorraadkamer en de keuken, een klein toilet en twee grote, vierkante kamers aan de voorkant van het huis: een bibliotheek en een zitkamer. Arden bleef bij de deur van de bibliotheek staan. 'Goedenavond, Adam,' zei ze. 'Ik kom alleen vragen of je iets wilt drinken, verder zal ik je niet storen. Pete en ik nemen gin.'

'O, een lekker glaasje gin lijkt me verrukkelijk,' zei Adam.

'Met limoen?' vroeg Arden.

'Ja, uiteraard,' zei Adam. 'Heel veel limoen, als je het kunt missen.'

Arden kwam even later terug met een dienblad met glazen. Ze zette Adams glas op het tafeltje naast zijn stoel. 'Dank je, schat,' zei hij, zonder op te kijken van de krant.

Arden ging terug naar de binnenplaats, maar Pete en Portia waren verdwenen. Ze zette het blad op tafel, pakte haar glas, liep naar de fontein en ging op de rand zitten. Het donkere water zat vol plompenbladeren en dikke, lusteloze karpers. Ze kwamen naar de oppervlakte en hingen rond in haar buurt, maar ze had niets om ze te voeren. Na een poosje zonken ze nonchalant omlaag, alsof ze nooit echt hadden verwacht dat ze gevoerd zouden worden.

Arden stak haar hand in het water en een paar vissen kwamen terug om aan de luchtbelletjes te knabbelen die aan haar vingers kleefden. Jules knabbelde vroeger ook aan haar vingertoppen, als een – wat? Geen vis. Een kind misschien. En hij sabbelde erop.

Na een tijdje kwamen Portia en Pete door de poort. Ze gingen naast Arden op de fontein zitten. Een moment lang zei niemand iets, maar het was een prettige stilte. Toen zei Arden: 'Je glas staat op tafel, Pete. Portia, ga jij het voor hem halen?'

'Ik haal het zelf wel,' zei Pete.

Portia knielde naast het bassin en liet de uiteinden van haar lange haar door het water zwieren, om de vissen te lokken.

'Niet doen,' zei Arden.

'Waarom niet? Je gaat vanavond toch mijn haar wassen,' zei Portia.

'Ja,' zei Arden.

Pete kwam terug met zijn glas.

'Waar zijn jullie geweest?' vroeg Arden.

Portia keek Pete aan. 'Nergens,' zei ze.

'Geheimpje,' zei Pete.

Adam kwam het huis uit en ging aan tafel zitten, de krant netjes in vieren gevouwen. 'Kom me eens helpen met de puzzel,' riep hij naar Portia.

Portia stond op en ging bij haar oom aan tafel zitten. Arden en Pete bleven bij de fontein achter. Ze dronken hun gin en zagen de vissen traag door het donkergroene water glijden.

Caroline keek op hen neer vanuit haar studio in de toren. Het was niet echt een toren, maar een kamer die boven de zolder was gebouwd, met aan weerskanten een dakkapel. Jules had die voor haar gebouwd, omdat de rest van het huis zo donker was: in een poging een tweede Beieren te creëren hadden Jules' ouders duizenden bomen geplant – Noorse sparren, Oostenrijkse dennen, jeneverbessen, lariksen – en het resulterende bos zette het grote huis nu permanent in de schaduw. Caroline zag Pete en Arden op de fontein zitten zonder met elkaar te praten. Daarna draaide ze zich om en bekeek haar doek. Sinds ze jaren geleden had beseft – of erkend – dat ze nooit iets oorspronkelijks of goeds zou schilderen, maakte ze alleen nog kopieën van beroemde schilderijen. Dat was verstandiger. Anders zou ze met schilderen zijn gestopt, en ze hield van schilderen. Ze was nu Bellini's *Madonna van de weide* aan het naschilderen. Ze liep de kamer door en keek aan de andere kant naar buiten, over de boomtoppen heen. Daarna keek ze omhoog: de lucht was nog heel lichtblauw, een oud, verpieterd blauw. Er waren geen wolken. Ze hoorde grind knerpen en zag Diego weglopen over de oprijlaan. Hij was uit het dorp gekomen om de boiler te repareren. Misschien zou er vanavond warm water zijn. Dan kon ze een bad nemen. Ze keek hem na tot hij het eind van de lange oprijlaan had bereikt. Daar ging hij een sigaret staan roken, wachtend op zijn zoon. Ze liep de kamer door en bekeek haar schilderij alsof er tijdens haar korte aanwezigheid iets aan veranderd kon zijn. Dat was niet zo. Ze hoorde een auto,

keerde terug naar de ramen aan de voorkant en zag Diego in de auto van zijn zoon stappen. De auto reed weg. Ze liep weer naar de andere kant en keek door het raam naar de binnenplaats. Ze zaten nu allemaal aan tafel te eten. Kaarsen en een tafelkleed. Hoewel ze was uitgenodigd en had geweigerd om mee te eten, voelde ze zich buitengesloten. Dat zij hen buitensloot in plaats van andersom, maakte het gevoel niet minder intens.

'Eet Caroline niet mee?' vroeg Adam toen ze begonnen.

'Nee,' zei Arden. 'Ze is aan het werk en wilde niet gestoord worden.'

'Ik moet straks maar even naar boven gaan,' zei Adam. 'Na het eten.'

'Ze wil je vast graag zien,' zei Arden.

'Ze werkt erg hard,' zei Adam. 'Nog steeds, na al die jaren.'

Arden beaamde dit.

'Ze schilderde vroeger best aardig, hoor. Het was absoluut niet origineel, maar best aardig. Vrouwelijke kunstenaars zijn natuurlijk zelden origineel.'

Arden liet zich niet op de kast jagen. 'Ik vind haar schilderijen mooi,' zei ze. 'Althans, degene die ik gezien heb.'

'Ja, dat zal best,' zei Adam. 'Jij hebt toch helemaal geen verstand van kunst?'

'Nee.' Arden lachte. 'Totaal niet.' En om van onderwerp te veranderen zei ze: 'Ik kreeg vandaag een interessante brief.'

'O ja? Wat leuk voor je,' zei Adam. 'Het is een eeuwigheid geleden – misschien wel jaren – dat ik correspondentie heb ontvangen die je interessant zou kunnen noemen. Van wie kwam die interessante brief?'

'Van een student. Een student die gaat promoveren aan een universiteit in de VS. Hij heeft een soort scriptie over Jules geschreven en daar wil hij een biografie van maken. Hij heeft een beurs gekregen om zijn onderzoek te financieren en de universiteit zorgt voor publicatie.'

'En waarom heeft hij jou geschreven?'

'Nou, hij wil dat ik – dat wij de biografie autoriseren. Hij heeft onze toestemming nodig om verder te kunnen.'

'Wil iemand een biografie van Jules Gund schrijven?'

'Ja,' zei Arden. 'Kennelijk.'

'Is het een betrouwbaar iemand?' vroeg Adam.

'Dat weet ik niet,' zei Arden. 'Ik neem aan van wel. Hij is verbonden aan een universiteit.'

'Welke?'

'Dat weet ik niet meer. Een staatsuniversiteit. Kansas, denk ik. Of Nebraska.'

'Mag ik de brief eens zien?' vroeg Adam.

'Natuurlijk,' zei Arden. Ze ging naar binnen en kwam terug met de brief. Ze gaf hem over de tafel heen aan Adam, die hem dicht bij de kaars hield en begon te lezen. Arden en Pete sloegen hem gade.

Na een moment legde Adam de brief op tafel neer. 'Een biografie zou heel goed voor ons kunnen zijn,' zei hij.

'Ja? In welk opzicht?'

'Dan komt er meer belangstelling voor Jules. En dat bevordert de verkoop.'

'Ja, dat noemt hij in zijn brief. Maar dat is toch geen reden om een biografie te autoriseren... alleen om de verkoop te bevorderen. En het is niet gezegd dat het zo werkt, toch?'

'Nee,' zei Adam, 'maar het kan ook geen kwaad.'

'Nee?' zei Arden.

'Ik zou niet weten hoe,' zei Adam.

'Het zou Jules kunnen schaden,' zei Arden.

'Jules is dood.'

'Zijn reputatie, bedoel ik.'

'Ik denk dat je bedoelt dat het jou zou kunnen schaden,' zei Adam.

'Nee, dat bedoelde ik niet,' zei Arden. 'Hoe zou het mij kunnen schaden?'

'Je zou in de publiciteit komen; jouw leven was tenslotte verbonden met het zijne.'

'Ja, inderdaad, en daar schaam ik me niet voor. Dus hoe zou het mij dan kunnen schaden? Trouwens, ik denk niet aan mezelf. Ik denk aan Jules. Zou Jules dit willen? Zou hij een biografie willen? Ik denk het niet.'

'Jules is dood. Ik denk niet dat hij tegenwoordig nog veel wil of niet wil.'

Arden fronste haar voorhoofd, maar zei niets.

'Heb je met Caroline gepraat?'

'Ja,' zei Arden. 'Die zei nee. Ze is niet bereid om een biografie te autoriseren. Ze wil er niets van weten.'

'Waarom niet?'

'Dat zei ze niet.'

'Typisch Caroline.'

'Ik denk dat ik het met haar eens ben.'

'Hoe kun je het met haar eens zijn als je haar redenen niet kent?'

'Ik ben het eens met haar beslissing. En wij zijn in de meerderheid, dus jij wordt weggestemd.'

'Moeten we de blijvende reputatie van Jules Gund laten afhangen van zoiets stoms als democratie?'

'Hoe kunnen we anders een beslissing nemen? Dit is wel de gemakkelijkste manier.'

'De gemakkelijkste manier! Wil je niet datgene doen wat het beste is voor de erven?'

'Jawel,' zei Arden. 'Natuurlijk, maar ook wat het beste is voor Jules.'

'Nogmaals, Jules is dood.'

'Dat weet ik. Maar dat is nog geen reden om geen rekening meer met hem te houden.'

'Nee? Het lijkt me juist een heel goede reden. Ik zal wel harteloos zijn.'

Arden gaf geen antwoord. Ze stond op en begon de borden op te stapelen.

Adam leunde achterover in zijn stoel en zei: 'Mag ik je nogmaals vragen waarom je deze biografie niet wenst aan te moedigen? Misschien kun je me je redenen uitleggen.'

'Ik zie niets in biografieën,' zei Arden.

'Je ziet niets in biografieën?'

'Nee,' zei Arden. 'Tenminste, niet over kunstenaars. Of schrijvers. Ik vind dat hun werk voor zich moet spreken. Ik vind dat hun werk hun leven is, althans in het openbaar. Een biografie is alleen maar storend – die bederft het werk op de een of andere manier.'

'Hoe dan?'

'Door een alternatief verhaal te bieden. Als dat verhaal naar buiten komt, naast zijn werk, als we dat goedkeuren, en er misschien van profiteren – dat vind ik verkeerd.'

'Verkeerd? Hoezo verkeerd?'

'Gewoon verkeerd. Ik weet het niet, ik kan het niet uitleggen. Ik ben geen intellectueel. Het spijt me dat ik niet duidelijker kan zijn. Ik voel het nu eenmaal zo, heel sterk.'

'Ik begrijp en waardeer je gevoel,' zei Adam. 'Maar denk even na. Je mag dan geen intellectueel zijn, je bent wel een bedachtzaam en intelligent mens. Denk eens na: we hebben hier een verzoek voor het schrijven van een geautoriseerde biografie.' Hij raakte de brief op tafel aan. 'Begrijp je wat dat betekent?'

'Het betekent dat hij die niet mag schrijven zonder onze toestemming,' zei Arden.

'Nee,' zei Adam, 'dat betekent het niet. Het betekent dat wij, in ruil voor onze toestemming en medewerking, in ruil voor het beschikbaar stellen van Jules' papieren en onze herinneringen aan hem, zeggenschap krijgen over de inhoud van het boek. Alle informatie die we om wat voor reden dan ook niet opgenomen willen hebben, kunnen we achterhouden of laten achterhouden. Deze jongeman schrijft weliswaar het boek, maar de inhoud wordt volledig door ons bepaald en gekeurd. Dat is een geautoriseerde biografie. Dat is wat deze jongeman voorstelt. Als we besluiten, zoals jij voorstelt, niet met hem samen te werken, geen toestemming te verlenen, staat niets hem in de weg om de biografie toch te schrijven. Het wordt natuurlijk moeilijker zonder onze hulp, maar hij mag in dat geval alles schrijven wat hij wil. Wij geven hem dan in feite carte

blanche. Wij offeren Jules dan op uit trots, uit koppigheid, uit pure domheid.'

'Ik denk niet dat hij een biografie kan schrijven zonder onze medewerking,' zei Arden. 'Hoe zou hij dat kunnen?'

'Dat is zijn vak. Biografen zijn slimme, rancuneuze, meedogenloze mensen. Als wij geen toestemming geven, werpen we hem als het ware de handschoen toe, zo moet je het zien. Het is veel beter als hij aan onze kant staat.'

'Ik ben misschien naïef,' zei Arden. 'Dat weet ik trouwens wel zeker. Maar zo bekijk ik de wereld niet. Ik ga er niet bij voorbaat van uit dat mensen meedogenloos of rancuneus zullen handelen. Ik denk dat mensen redelijk zijn en andermans privacy respecteren. Het is een aardige brief die hij heeft geschreven. Beleefd en vol respect.' Ze stak haar hand uit en raakte de brief aan. 'Je bent te cynisch vind ik, Adam.'

'Nou, één ding klopt in elk geval.'

'Wat dan?'

'Je bent naïef.'

Arden pakte de opgestapelde borden en bracht ze naar binnen. Pete stond op, stak de binnenplaats over en verdween door de poort de nacht in. Adam zat een moment alleen. Hij keek omhoog naar het licht in Carolines kamer. Hij kon Arden en Portia in de keuken horen praten. Hij ging op zoek naar Pete. Die stond in de buurt van de tuin een sigaret te roken. Ze bleven even zwijgend naast elkaar staan, en toen zei Pete: 'Je was erg onaardig, vond ik.'

Adam pakte hem de sigaret af en nam een trekje. Gaf hem terug. Blies de rook uit. 'O ja?' zei hij.

'Ja,' zei Pete. 'Ik denk dat ze eerder van gedachten verandert als je een beetje aardiger doet.'

'O, hou toch op,' zei Adam. 'Arden weet dat ik niet aardig ben.'

Pete gooide zijn sigaret op de grond en trapte hem uit. Daarna raapte hij de peuk op en stopte die in de zak van zijn overhemd. 'Ik neem niet aan dat je naar huis wilt lopen?' vroeg hij.

'Nee,' zei Adam. 'Ik ben moe. En ik moet met Caroline praten.'

'Zal ik de auto dan gaan halen?'

'Ja,' zei Adam. 'Graag.'

Pete liep om het huis heen, in de richting van de oprijlaan.

'Wacht!' riep Adam. 'Wil je dat ik een zaklantaarn voor je haal?'

'Nee,' zei Pete.

'Het is donker,' zei Adam.

'Geeft niet,' zei Pete. 'Ik weet de weg.'

Adam liep langzaam de trap op naar Carolines studio. Ze zat voor de ezel te werken en keek niet om toen hij binnenkwam. Hij had de indruk dat ze niet echt aan het werk was, dat ze deze houding pas had aangenomen toen ze zijn voetstappen op de trap hoorde; gezien zijn trage tempo had ze in elk geval ruimschoots de tijd gehad. Hij ging achter haar staan en keek hoe ze schilderde. Haar concentratie deed gemaakt aan. Hij zocht een stoel en ging zitten.

'Het ziet er best goed uit,' zei hij. 'Al deugt er niets van de kleuren.'

'Goedenavond, Adam,' zei Caroline. Ze draaide zich niet om.

'Goedenavond,' zei Adam.

'Zeg alsjeblieft niets meer over mijn schilderij,' zei Caroline.

'Oké,' zei Adam. 'Alleen die kleuren, dat is –'

'Alsjeblieft,' zei Caroline. Ze draaide zich om en lachte stralend naar hem. 'Kom je iets drinken?'

'Nee,' zei Adam. 'Ik was alleen achtergebleven en zag je licht branden.'

'En dus kwam je naar boven voor een borrel,' zei Caroline.

'Ik zou een borrel niet afslaan,' zei Adam.

Caroline schonk twee glazen whisky in en gaf er een aan Adam.

'Ik zou willen dat jij en Arden de drank op elkaar afstemmen,' zei Adam. Hij nam een slok whisky en keek weer naar het schilderij. 'Het is Bellini, hè?' zei hij.

'Ja,' zei Caroline. 'Maar kijk er alsjeblieft niet naar.'

'Je kunt erg goed tekenen,' zei Adam.

'Ja,' zei Caroline. 'Ik kan tekenen. Maar ik kan niet schilderen.'

'Ja, dat kun je wel,' zei Adam. 'Of dat kon je in elk geval. Ik zei net nog tegen Arden dat je zo'n goede schilder was.'

'Ja,' zei Caroline. 'Was. Zullen we het niet over het schilderij hebben?'

Het bleef even stil, en toen zei Caroline: 'Heeft Arden je de brief laten zien?'

'Ja,' zei Adam.

'En wat vind je?'

'Ik vind dat ik oud en moe ben. Ik vind deze whisky voortreffelijk. Waar heb je die vandaan?'

'Sebastian bracht hem mee. Wat vind je van de brief?'

'Ik vind wat ieder verstandig mens zou vinden,' zei Adam.

'En dat is?'

'Het is voor ons een prachtige kans. We zouden wel gek zijn als we die jongeman niet aanmoedigden.'

'Aha,' zei Caroline.

'Ik begrijp dat jij er anders over denkt.'

'Ja,' zei Caroline. 'Ik ben niet zo verstandig als jij.'

'Blijkbaar is niemand dat,' zei Adam. 'Of in elk geval niemand wie dit aangaat.'

'Arden ook niet?'

'Arden ziet dit als een romantische kans: de nobele treurende weduwe uithangen die de goede naam van haar echtgenoot wil beschermen. Het is absurd.'

'Waarom?'

'Om diverse redenen. Ten eerste, als iemand die rol zou moeten spelen – wat niet moet – ben jij het. Ten tweede is het dom en onpraktisch. En egoïstisch. Zo kan ik nog wel even doorgaan.'

'Daar twijfel ik geen moment aan.'

'En ik denk dat ze, om een vreemde reden die ik niet kan doorgronden, één lijn met jou wil trekken in deze kwestie. En dus hoop ik dat jij verstandig zult zijn.'

'Je hebt het steeds over verstandig zijn, alsof jij bepaalt wat dat is. Dat bepaal jij niet, Adam. Ieder is op zijn eigen manier verstandig. Jij kunt dat niet aan anderen opleggen. Althans niet aan mij.'

'Waarom wil je die biografie niet?'

'Het kan me weinig schelen. Het is niet iets wat ik wil of niet wil.'

'Waarom zei je dan tegen Arden dat je het niet wilde?'

'Ik zei dat ik geen toestemming zou verlenen.'

'Waarom zei je dat?'

'Omdat Jules geen biografie wilde. Dat heeft hij me ooit verteld.'

'Wanneer?'

'Jaren geleden. Toen *De gondel* net verschenen was.'

'Dat is meer dan twintig jaar geleden.'

'Ja. Lang geleden. Een eeuwigheid. Maar wanneer hij het zei doet er niet toe.'

'En vanwege iets dat Jules twintig jaar geleden misschien tegen je heeft gezegd, weiger je nu een biografie te autoriseren die ongetwijfeld in het voordeel van ons allemaal is?'

'Ja,' zei Caroline. 'Dat lijkt me logisch. Verstandig zelfs.'

'Ik denk dat Jules twintig jaar geleden van alles en nog wat tegen je heeft gezegd,' zei Adam. 'Hij heeft bijvoorbeeld gezegd dat hij altijd van je zou houden, is het niet, toen jullie trouwden?'

'Ja,' zei Caroline.

'En daar heb je hem niet aan gehouden,' zei Adam.

'Dat hoefde niet. Jules is altijd van me blijven houden. Hij is met me getrouwd gebleven.'

'Wat jullie aan het eind hadden, was geen huwelijk,' zei Adam.

'O nee? Wat weet jij daarvan? Ook dat bepaal jij niet. En

wat heeft dit allemaal met de biografie te maken? Niets, denk ik. En jij hebt er ook niets mee te maken.'

'Ik vind van wel,' zei Adam. 'Ik was zijn broer. Ik was niet zijn vrouw, of zijn minnares. Onze relatie was vrij nuchter, en ik denk dat ik de huidige situatie een stuk helderder zie dan jij of Arden. En volgens mij is het een situatie die je helder moet bekijken. Nuchter.'

'En jij bent de enige die dat kan,' zei Caroline.

'Het spijt me als ik je beledigd heb,' zei Adam. 'Dat was niet mijn bedoeling.'

'Ik ben niet beledigd,' zei Caroline. 'We denken er alleen verschillend over, dat is alles.'

Ze hoorden een auto en zagen de lichten naderen over de oprijlaan.

'Daar is Pete,' zei Adam. 'En het is laat. Misschien moeten we hier met ons drieën nog eens over praten, en tot een besluit komen. We zullen toch moeten reageren op de brief.'

'Nou, mijn besluit staat vast.'

Adam stond op. 'Zeg dat alsjeblieft niet, Caroline. Wees op z'n minst zo beleefd om te luisteren naar wat ik te zeggen heb, en het te overwegen. Zo'n starre houding verwacht ik van Arden, maar niet van jou.'

'Natuurlijk zal ik naar je luisteren,' zei Caroline. 'Zo bedoelde ik het niet.'

'Morgen dan. Kom je lunchen? En breng je Arden mee? Dan kunnen we hier rustig en rationeel over praten.'

'Ik kom lunchen,' zei Caroline. 'En ik breng Arden mee, maar of we hier rustig en rationeel over kunnen praten is een tweede.'

'We kunnen het proberen,' zei Adam.

'Ja,' zei Caroline.

'Zeg jij het tegen Arden?'

'Ja. Ga nu maar. Pete wacht op je. Hoe is het met Pete?'

'Pete is ongelukkig. Humeurig. Hij begint er genoeg van te krijgen om met een nare oude man midden in de rimboe te wonen.'

'Ik geloof er niets van,' zei Caroline. 'Pete houdt van je.'

'En ik houd van Pete. Maar desondanks is hij ongelukkig. Welterusten.'

Adam kuste haar. Ze sloot de deur en luisterde hoe hij langzaam de trap afdaalde. Ze hoorde het portier open- en dichtgaan en daarna hoorde ze de auto wegrijden. Het werd weer stil. Toen hoorde ze, ergens beneden in huis, een bad vollopen. Mooi, dacht ze, er is zeker warm water.

Arden bracht Portia naar bed. Ze zat op de rand van het bed en kamde Portia's haar, dat nog vochtig was van het wassen. 'Waar ben je geweest met Pete?' vroeg ze.

'Wat?' vroeg Portia.

'Voor het eten. Jij en Pete waren ineens verdwenen. Waar gingen jullie heen?'

'Nergens,' zei Portia. 'Een eindje wandelen.'

'Ja, maar waarheen?'

'Naar de bijenkast,' zei Portia.

'Je moet uit de buurt van de kast blijven,' zei Arden. 'Je kunt wel gestoken worden.'

'Weet ik. Maar ik dacht dat het met Pete erbij wel mocht. We wilden de bijen naar huis zien vliegen. Ze komen terug bij zonsondergang.'

'Ja,' zei Arden, 'dat weet ik.'

'En daarna hebben we naar de kast geluisterd. We stonden er niet vlakbij. We stonden achter de waterput. Van daaraf konden we het horen. Het gezoem.' Ze maakte diep in haar keel een snorrend geluid. 'Pete zegt dat de bijen met elkaar praten, en dansen.'

'Ja,' zei Arden. 'Ik heb gehoord dat ze dat doen. Zo. Je haar is mooi droog. En het ruikt heerlijk. En nu naar bed.'

'Eerst moet ik nog bidden,' zei Portia.

'O ja, dat vergat ik. Bid maar als je wilt.'

Portia knielde naast het bed, maar keek over haar schouder naar haar moeder. 'Ga weg,' zei ze. 'Je mag niet luisteren. Bidden is privé. Dat is iets tussen God en mij.'

'Oké,' zei Arden. 'Maar God kan je niet instoppen. Roep me maar als je klaar bent.'

Ze ging de gang op en hoorde haar dochter een heel lang en ingewikkeld gebed prevelen, waarvan ze, ondanks haar pogingen, de bijzonderheden niet kon onderscheiden.

Hoewel Arden en Caroline in hetzelfde huis woonden, zagen ze elkaar niet dikwijls. Zonder dat het ooit was afgesproken of openlijk erkend, hadden ze een regeling getroffen om zich door het huis te verplaatsen, zich op bepaalde tijden in bepaalde kamers te bevinden, op te staan, te eten, te slapen en in bad te gaan op een manier die weinig of, op sommige dagen, geen contact toeliet.

Caroline had de gewoonte een groot deel van de nacht op te blijven en lang uit te slapen. Na Adams vertrek dronk ze nog een whisky en bekeek haar versie van de *Madonna van de weide*. Ze schilderde het na van een grote kleurenfoto in een boek over Bellini dat in 1920 in Dresden was verschenen. Het was een van de vele boeken die Jules' ouders hadden meegebracht. Natuurlijk deugde er niets van de kleuren; waarschijnlijk waren ze om te beginnen al slecht afgedrukt en inmiddels nog valer geworden. Zij had in haar versie geprobeerd de kleuren te reproduceren die volgens haar op het oorspronkelijke schilderij stonden – de stralende kleuren van vroeger – maar ze wist dat ze had gefaald.

Ze wachtte tot alle lichten in huis uit waren voor ze van de zolder naar beneden ging en de donkere binnenplaats overstak. De fontein was uitgezet, maar de vissen gleden slapeloos door het water. Ze stond er een tijdje naar te kijken en ging toen het huis in.

Alles was stil en donker. Haar kamers waren op de eerste verdieping en ze had de trap al bijna bereikt toen ze zich plotseling omdraaide en naar de schaduwen aan de andere kant van de hal tuurde. Een vrouw zat in het donker naar haar te kijken.

'Ik ben het,' zei Arden. 'Het spijt me als ik je liet schrikken.'

'Ik schrok inderdaad,' zei Caroline. 'Ik dacht dat je al naar bed was.'

'Dat was ik ook,' zei Arden, 'maar ik kon niet slapen.'

Ik kan welterusten zeggen en naar boven gaan, dacht Caroline. Of ik kan naast haar gaan zitten. Maar die denkpauze gaf op de een of andere manier de doorslag, en maakte het eerste alternatief onmogelijk. 'Misschien moet je een borrel nemen,' zei ze. 'Dan val je gemakkelijker in slaap.'

'Ik heb er al een,' zei Arden. Ze tilde haar handen op van haar schoot, zodat te zien was dat die een klein glas omvat hielden.

Caroline ging aan de andere kant van de hal zitten, op de onderste traptree. Even zwegen ze allebei.

Toen vroeg Caroline: 'Heeft Diego de boiler gemaakt? Hebben we warm water?'

'Nee,' zei Arden. 'Hij zegt dat hij nog een onderdeel nodig heeft. Hij zou morgen terugkomen, als hij het in de stad kan krijgen.'

'Ik verlang zo naar een warm bad,' zei Caroline.

'Ja,' zei Arden. 'Ik weet het.'

Het was even stil, en toen vroeg Arden: 'Lukt het met je schilderij?'

Caroline maakte een geluid dat zowel ongeduldig als afwijzend klonk.

Arden nipte aan haar glaasje.

Wat drinkt ze? vroeg Caroline zich af. Is ze aan de drank? Is Arden alcoholiste geworden? Ze bukte zich en maakte de riempjes van haar sandalen los. 'Adam heeft ons morgen voor de lunch uitgenodigd. Hij wil over de biografie praten.'

'Ik dacht dat jij het niet wilde,' zei Arden.

'Ik wil het ook niet,' zei Caroline. 'Maar we kunnen op z'n minst naar Adam luisteren. Daar heeft hij recht op.'

'Waarom?' zei Arden. 'Hij luistert ook niet naar anderen.'

Caroline stond op. 'Nou ja, ik heb gezegd dat we kwamen lunchen. Jij hoeft niet mee als je geen zin hebt.'

'Natuurlijk ga ik mee,' zei Arden. 'Ik wou alleen dat hij niet zo'n tiran was.'

'Dat is een vrij zinloze wens,' zei Caroline. 'Zullen we er samen heen lopen?'

'Ja,' zei Arden.

'Dan zie ik je rond twaalf uur. Welterusten.'

'Welterusten,' zei Arden.

Caroline draaide zich om en liep de trap op. Arden bleef nog een tijdje zitten, tot haar glas leeg was. Toen ging zij ook naar bed.

HOOFDSTUK DRIE

Arden en Caroline liepen aan de beschaduwde kant van de weg. Ze droegen allebei een mouwloze jurk en sandalen; Caroline droeg een strohoed met een brede, schuin aflopende rand. Ze kon hem met linten vastmaken onder haar kin, maar de linten hingen los en fladderden aan de rand van haar blikveld.

Het was zo'n anderhalve kilometer heuvelafwaarts van het grote huis in Ochos Rios naar het molenhuis. De weg was rustig, er kwamen zelden auto's. Ze liepen langs een veld met wilde bloemen waarboven een tere wolk van vlinders zweefde. Daarna sloegen ze de onverharde weg in die, overschaduwd door bomen, omlaag liep naar het kleine dal waar het molenhuis stond, en de lucht voelde plotseling fris.

Uit het raam van zijn studeerkamer zag Adam twee vrouwen over de weg lopen. Rond hun voeten steeg een kleine stofwolk op. Idioten, dacht hij. In deze hitte. Hij keek opnieuw naar de vrouwen, die intussen dichterbij gekomen waren. Een van hen droeg een punthoed met loshangende linten. En toen dacht hij: Verdraaid, het zijn Caroline en Arden die komen lunchen. Helemaal vergeten.

Het molenhuis was een rond stenen gebouw dat op vrij primitieve wijze tot woonhuis was omgevormd, met beneden een grote woonkamer en een kleine keuken en badkamer, en op de eerste verdieping een grote, onafgewerkte ruimte waar Pete de afgedankte en tweedehandsmeubels opsloeg die hij verzamelde en aan een handelaar in New York verkocht. De tweede verdieping had een slaapkamer en een studeerkamer. Adam ging de overloop op en riep Pete.

'Wat?' riep Pete naar boven.

'Ik vergat het je te zeggen. Caroline en Arden komen lunchen.'

'Wanneer?' vroeg Pete.

'Nu,' zei Adam.

'Wat?' Pete verscheen in de open ruimte beneden en tuurde omhoog.

'Ik was vergeten te vertellen dat ik Caroline en Arden voor de lunch heb uitgenodigd. En ze komen er nu aan. Hebben we iets te eten in huis?'

'Nee,' zei Pete.

'Er moet toch iets zijn,' zei Adam. 'Wat waren je plannen voor onze lunch?'

'Ik wist niet dat ik plannen had voor onze lunch.'

'Natuurlijk wel. Die heb je altijd. Terg me niet.'

'Ik dacht aan soep. Een blik soep. Maar dat is niet genoeg voor vier personen,' zei Pete.

'Er is vast nog wel een blik,' zei Adam.

'Nee,' zei Pete.

'Kunnen we er niet meer van maken?'

'Wat bedoel je?'

'Aanlengen met water tot er genoeg is voor vier. Wat voor soep is het?'

'Kippensoep,' zei Pete. 'Met rijst.'

'O, dat is prima,' zei Adam. 'Doe er gewoon wat water en wat melk bij. Je kunt er een soort kippencrèmesoep van maken. Soep in blik moet je altijd aanlengen. En we hebben toch wel brood?'

'Een beetje,' zei Pete.

'Nou, dan snijd je het dun.'

'Waarom heb je ze voor de lunch uitgenodigd? We zijn er gisteravond nog geweest.'

'Om die kwestie van de biografie te bespreken. Ik dacht dat het misschien zou helpen als ze hier waren, op mijn terrein zogezegd. Anders gaan ze thuis plannen zitten beramen. En dat willen we niet, hè, dat Arden en Caroline achter onze rug om plannen gaan beramen?'

'Dat zou best interessant kunnen zijn,' zei Pete. 'Ik zou het niet zo erg vinden.'

'Nou, ik wel,' zei Adam. 'En vergeet niet dat jij aan mijn

kant staat. Jij moet ze inpakken met je charme. Ik kan dat niet, dus ik reken op jou.'

'Moet ik voor of na de lunch charmant zijn?' vroeg Pete.

'Wat?'

'Ik wil alleen even weten of ik je orders goed begrijp: de lunch verzorgen en charmant zijn. Verder nog iets?'

Er werd op de deur geklopt.

'Niet zo moeilijk doen,' zei Adam. 'Doe open.'

'De lunch verzorgen, charmant zijn, niet moeilijk doen, opendoen. Verder nog iets?'

Adam lachte. 'Op het moment niet,' zei hij.

Pete deed open. De twee dames kwamen binnen en werden begroet. Adam kwam de trap af, en ze gingen de woonkamer in en zochten een plaatsje, niet te dicht bij elkaar. Het nam enige tijd in beslag voor ze goed en wel zaten, en daarna viel er een stilte. Toen zei Adam: 'Ik moet tot mijn spijt bekennen dat Pete het eten heeft laten aanbranden. Dus ik vrees dat we alleen nog soep voor jullie hebben.'

'Soep lijkt me heerlijk,' zei Caroline. 'Ik heb geen trek in een uitgebreide maaltijd.'

'Ik ook niet,' zei Arden. En daarna zei ze: 'Het is hier beneden bij de rivier veel koeler. Jullie boffen maar.'

Caroline zei: 'Ik ben altijd weg geweest van deze kamer en ik begrijp nu voor het eerst waarom. Een kamer met ronde muren, zonder hoeken, heeft iets waardoor ik me veilig en prettig voel. Het zal wel iets met de baarmoeder te maken hebben.'

Adam was niet gediend van dit gepraat over baarmoeders. 'Kan ik jullie een aperitief aanbieden?' vroeg hij. 'Ik denk dat we nog wat Cinzano hebben.'

'We hebben geen Cinzano,' zei Pete.

'*Yes, we have no Cinzano,*' zong Adam. Toen vroeg hij: 'Nou, wat hebben we dan wel?'

'Er is natuurlijk wijn, en tomatensap.'

'Tomatensap lijkt me heerlijk,' zei Caroline.

'Ja,' zei Arden. 'Graag.'

Pete stond op.

Arden zei: 'Ik help je even.' Samen gingen ze door de klapdeur de piepkleine keuken in, een soort schuurtje dat in een ver verleden aan het molenhuis was gebouwd; het had geen ramen, alleen een roestige muurventilator die niet meer werkte maar wel een beetje frisse lucht doorliet. Een plaat leisteen boven op een oud bureau diende als aanrecht. Een kleine, stokoude, lawaaierige koelkast nam de ruimte onder het bureau in beslag. Een kookplaat en een elektrisch oventje stonden op het aanrecht. Een kraan in de stenen muur hing boven een oude porseleinen gootsteen die op een ijzeren standaard stond. Het porselein was zo versleten dat je de iriserende onderlaag zag, glad en parelmoerachtig als de binnenkant van een schelp, dooraderd met roest.

Pete rommelde in een bureaula en haalde er een blikje zonder etiket uit. 'Dit is óf tomatensap óf reuzel,' zei hij, en begon met een priem een gat in de bovenkant te prikken.

Arden sloeg hem gade. 'Heb je geen blikopener?' vroeg ze.

Pete keek haar aan, maar gaf geen antwoord.

'Wat scheelt eraan?' vroeg Arden.

'Hoe bedoel je, wat scheelt eraan?'

'Ik merk het als er iets mis is tussen jou en Adam. Is hij nog boos over gisteravond?'

'Nee,' zei Pete. 'Of misschien wel, dat weet ik niet. Hij is vooral boos over de lunch.'

'Omdat jij het eten hebt laten aanbranden?'

Pete kon goed koken, en dit verzinsel stak hem. 'Ik heb het niet laten aanbranden! Er was niks om aan te laten branden. Hij was vergeten te vertellen dat jullie zouden komen, hij dacht er pas aan toen jullie al bijna hier waren. En om hem te straffen heb ik dus gezegd dat er geen eten in huis was. Alleen een blik soep.'

'Waarom wil je hem straffen?' vroeg Arden.

Het antwoord sprak vanzelf en was niet uit te leggen, dus Pete haalde slechts zijn schouders op.

'Heb je echt maar één blik soep?'

'Nee. Er is meer dan genoeg soep. Maar ik wil dat het een wonder lijkt.' Pete slaagde erin de metalen huid van het blikje te doorboren. Hij snoof aan het dikke roodbruine sap dat uit het gat gulpte. 'Het stinkt,' zei hij. Hij doopte zijn vinger erin en proefde. 'Het smaakt smerig,' zei hij. 'Wil je niet liever een glas wijn?'

'Ja,' zei Arden, 'graag.'

'Wij allemaal, denk ik,' zei Pete. Hij haalde een fles wijn uit de koelkast, trok hem vaardig open en zette de fles en drie glazen op een klein zilveren dienblad. 'Als jij dit meeneemt, wijd ik me aan de soep.'

'Kan ik je echt niet helpen?'

'Nee. En niet verklappen hoor. Er was maar één blik soep, denk erom.'

Arden mocht Pete graag. Soms was het Arden en Pete tegen Adam en Caroline. 'Ik heb geen blik gezien,' zei ze met een lach, en duwde de deur open.

Adam en Caroline stonden bij het raam te fluisteren. Arden zette het blad op de lage tafel voor de bank en schonk wijn in de drie glazen. 'Het tomatensap was niet goed meer,' deelde ze mee, 'dus toen hebben we maar wijn genomen. Wil jij een glas, Caroline?'

'Ja, graag,' zei Caroline.

'Adam?'

'Ik had hem wel kunnen vertellen dat het tomatensap bedorven was. Het ligt daar al minstens honderd jaar.'

'Waarom zei je dat dan niet?' vroeg Caroline.

'Omdat hij dan gezegd zou hebben dat ik mijn bek moest houden,' zei Adam.

'Maar je weet dat hij gelijk heeft,' zei Caroline. 'Je moet soms echt je bek houden.'

'Natuurlijk weet ik dat,' zei Adam. 'Het probleem is dat ik geen zelfbeheersing heb. Dat wijt ik aan mijn ouders. Ik ben goed genoeg opgevoed om te weten wat ik niet moet zeggen, maar niet streng genoeg om de verleiding te weerstaan om het toch te zeggen. Ik werd vertroeteld en verwend. Schaamteloos. Tot op zekere leeftijd, toen er een ze-

ker broertje werd geboren en ik onhandelbaar werd, en daarna negeerden ze me gewoon. "Ga maar buiten spelen," zei mijn moeder dan, en ze duwde me naar buiten en deed de deur achter me op slot. Ik mocht soms urenlang het huis niet in. Weer of geen weer. Kun je je dat voorstellen?'

'Ja,' zei Caroline. 'Dat kan ik me best voorstellen.'

'Dan ging ik naar de garage en liet me onzedelijk betasten door de chauffeur. Klinkt leuk, hè? Het zou het goed doen in een verhaal. Of als titel: *De handtastelijke chauffeur*.'

Arden nam een glas wijn van het blad en ging op de bank zitten. Ze had meer zin om zelf te drinken dan om de anderen hun glas te serveren. Het zal wel egoïstisch van me zijn, dacht ze, maar dat moet dan maar. Ze nam een slokje. De wijn smaakte heerlijk: koud en zuiver. Ze rilde even bij de gedachte aan het bedorven tomatensap en nam nog een slok.

Pete verscheen uit de keuken. Hij begon de ronde tafel af te ruimen, die vol lag met stapels boeken, oude kranten en tijdschriften.

'Mag ik helpen?' vroeg Arden.

'Nee, bedankt,' zei Pete.

'Hoe gaat het met de soep?' vroeg Adam.

'Heel goed,' zei Pete, en ging terug naar de keuken.

'Tja,' zei Adam, na een korte stilte. 'Misschien moeten we eens over die biografie praten.'

'Jules wilde geen biografie,' zei Caroline.

'Dat idee had ik ook,' zei Arden.

'Ofschoon ik het heel nobel van jullie vind om rekening te houden met Jules' gevoelens, lijkt het me toch tamelijk irrelevant.'

'Waarom?' vroeg Caroline.

'Jules is dood,' zei Adam, 'iets waar ik je blijkbaar constant aan moet herinneren.'

'Daar hoef je me niet aan te herinneren,' zei Caroline. 'Ik weet heel goed dat hij dood is.'

'Mooi. Ik ben blij het te horen, want ik begon het me al af te vragen. En omdat hij dood is, vind ik dat we moeten

ophouden met piekeren over wat Jules wel of niet gewild zou hebben.'

'Maar is dat niet juist onze taak als executeurs?' vroeg Arden. 'Ik dacht het wel.'

'Nee, schat. Jouw taak als executeur is het beheren van zijn literaire nalatenschap.'

'En hoe kunnen we dat doen zonder rekening met hem te houden?'

'Jules en zijn literaire nalatenschap zijn twee verschillende dingen. Het is niet één ondeelbaar geheel. Hij heeft een boek geschreven. Hij was niet zijn werk. Dat boek is Jules niet. Het is een product.'

'Ik vind dat het meer is dan een product,' zei Arden.

'Maar je geeft wel toe dat het los van hem staat?'

'Natuurlijk, in de meest letterlijke zin.'

'Leg ons dan eens uit waarom jij deze biografie wilt,' zei Caroline.

'Waarom ik deze biografie wil? Dat is heel simpel! Dat is geen groot mysterie. Laat ik proberen het simpel te stellen: deze biografie, deze geautoriseerde biografie, waarvan al vaststaat dat die zal worden gepubliceerd door een degelijke, zij het misschien een beetje… nou ja, een beetje tweederangs universitaire uitgeverij, deze biografie zal er in hoge mate toe bijdragen dat Jules' werk niet verloren gaat of wordt genegeerd. Wil een werk voortbestaan, dan moet het worden gelezen in samenhang met het leven van de schrijver. Dat Jules tijdens zijn leven buiten de publiciteit bleef, dat hij daarvoor koos, prima, maar als wij niet toestaan dat er enig onderzoek wordt verricht naar zijn leven, vrees ik dat zijn werk met hem zal sterven. Verdwijnen. En daar wens ik niet verantwoordelijk voor te zijn. Ik vind dat ik dat verplicht ben aan mijn broer. Dat is iets wat ik nog voor hem kan doen.'

'Ook al gaat het in tegen zijn wensen?' vroeg Caroline.

'Hij heeft mij tot zijn executeur benoemd. Evenals jou en Arden. Niet erg voor de hand liggend, natuurlijk, maar zo heeft hij het nu eenmaal geregeld. Hij heeft ons een taak

toevertrouwd en ons gemachtigd. Dat hij zich tijdens zijn leven niet veel aan zijn reputatie gelegen liet liggen, oké. Dat was zijn keuze, en die respecteerde ik. Maar hij is dood. De beslissing is nu aan ons. Wij moeten doen wat ons het beste lijkt.'

'Ik wou dat ik de brief kon vinden die hij me hierover heeft geschreven,' zei Caroline. 'Hij las toen een biografie – ik ben vergeten van wie, misschien wel van Maugham – en hij zei dat hij het niet zou kunnen verdragen om, nou ja, hoe hij het precies formuleerde weet ik niet meer, maar hij vergeleek het met een lijk dat publiekelijk werd opgegraven.'

'Maar je begrijpt het niet!' riep Adam uit. 'Hij hoeft het niet te verdragen. Hij is dood! Hij voelt niets meer!'

'Ja, ik snap wat je bedoelt,' zei Caroline. 'Je zult het wel onzinnig vinden, maar ik vrees dat ik niet akkoord kan gaan. Er is zo weinig wat we voor de doden kunnen doen, behalve het eerbiedigen van hun wensen. Het is zelfs het enige wat we kunnen doen. Het is het enige wat ik kan doen, en dat wil ik doen ook.'

'En jij, Arden?'

'Ik zie beide kanten,' zei Arden. 'Ik begrijp het standpunt van jullie allebei, tenminste, dat denk ik. En als het gevaar bestaat dat we een fout maken, denk ik dat het negeren van Jules' wensen de grootste fout zou zijn. Als jij gelijk hebt, Adam, en we begaan een fout door niet te profiteren van wat een biografie kan bieden, maak ik die fout het liefst. Die schaadt in feite niemand, en kan in de toekomst weer ongedaan worden gemaakt. Maar de andere fout is wel schadelijk, en kan niet ongedaan worden gemaakt. Je kunt iets niet terughalen als het eenmaal op de wereld is gezet, maar je kunt later wel dingen toevoegen als je wilt.'

Ze waren alle drie even stil, en toen kwam Pete binnen met dampende, geurige kommen soep. Ze stonden alle drie op.

'Het ruikt verrukkelijk, Pete,' zei Caroline.

Ze gingen aan tafel zitten en begonnen aan de kippen-

soep met rijst, waaraan Pete citroen en koriander en wijn had toegevoegd. Het was verrukkelijk. Daar waren ze het allemaal over eens.

De terugweg naar het grote huis duurde langer, omdat het steeds heuvelopwaarts ging. En de twee vrouwen waren suf van de hitte en de wijn die ze voor, tijdens en na de lunch hadden gedronken. Ze zouden een dutje doen als ze thuiskwamen, allebei, doezelend op grote oude bedden in slaapkamers aan verschillende kanten van het huis. Ze deden vaak op hetzelfde moment dezelfde dingen, zonder het te weten, want ze leken meer op elkaar dan ze wilden toegeven, en ze hadden samen iets, een gemeenschappelijk ritme, zoals in de liefde, dat hen in staat stelde zo vreedzaam samen te leven.

Ze liepen in stilte, met de zon op hun blote armen en benen. Caroline hield haar hoed in haar hand, de linten sleepten over de grond. Ze passeerden het veld met de wilde bloemen, maar de vlinders waren verdwenen. De bloemen waren er nog wel, als een spiegelbeeld dat zichtbaar blijft nadat de eigenaar is doorgelopen.

'Ik ben blij dat we eruit zijn,' zei Arden.

Caroline mompelde iets.

'Ik denk dat we de juiste beslissing hebben genomen,' zei Arden. 'Ik denk trouwens niet dat een biografie veel verschil zou maken. Ik geloof dat niet zo. We kunnen beter voorzichtig te werk gaan. Ik zal hem laten weten dat we op dit moment niet geïnteresseerd zijn in een biografie.'

'Ja,' zei Caroline. 'Doe dat maar.'

'Ik schrijf hem meteen als we thuis zijn,' zei Arden. 'We moeten hem niet laten wachten.' Terwijl ze dit zei maakten haar gedachten een sprongetje, en er doemde een nieuwe mogelijkheid op: ze kon zelf de biografie schrijven. Niemand kon haar tegenhouden. En wat moest ze anders met haar leven doen? Het was het project dat ze nodig had, dat haar een richting en een doel zou geven, een eind zou maken aan dit zinloze getob. Ze dacht dat ze het wel zou kun-

nen. Het was tenslotte gewoon een formule: informatie verzamelen, lege plekken invullen, feiten bijeenbrengen en rangschikken. Het leek onmogelijk maar dat kon het niet zijn, want er werden zo vaak biografieën geschreven. En met Adam en Caroline in de buurt zou het niet moeilijk zijn om te vinden wat ze moest weten. Met hun drieën wisten ze eigenlijk alles. Of alles wat thuishoorde in een biografie. Adam kende Jules' jeugd en verleden, en Caroline wist de rest. En wie kon zo'n biografie beter schrijven dan zij? Een student uit Kansas die Jules nooit had gekend en nooit een voet in Uruguay had gezet? Geen wonder dat hij ons nodig heeft, dacht ze. We moeten het niet aan een wildvreemde overlaten. Ik moet hem meteen schrijven en nee zeggen.

'Ik ga hem meteen schrijven en nee zeggen,' zei Arden.

'Ja,' zei Caroline.

Ze waren nu bij de oprijlaan en zagen Portia, die net uit school kwam, een eindje voor hen uit lopen. Haar vest sleepte over de stoffige grond en ze liep te huppelen en te zingen. De twee vrouwen vingen een paar schrille tonen op.

Arden riep haar.

Portia hield op met huppelen en zingen en draaide zich om. De twee vrouwen kwamen naar haar toe. Arden bukte zich en gaf haar een zoen.

'Waar zijn jullie geweest?' vroeg Portia.

'We hebben geluncht bij oom Adam en Pete,' zei Arden. 'Hoe was het op school? Til je vest op, schat. Laat het niet over de grond slepen. Kom, geef het maar aan mij.'

'Wat zong je?' vroeg Caroline.

'Hoorde je me?' vroeg Portia.

'Ja,' zei Caroline. 'Het klonk mooi.'

'Het was gewoon een liedje,' zei Portia. 'Nou ja, geen echt liedje. Ik deed maar wat. O ja, voor ik het vergeet. Ik moet morgen wol mee naar school nemen. Zuster Domina gaat ons leren breien.'

'Breien?'

'Ja. Je kunt breien of figuurzagen. Maar zuster Julian doet figuurzagen, dus iedereen koos breien. En toen moesten we aftellen omdat er niet genoeg breinaalden waren en ik had een even getal, en even is breien. Ana Luz en Paloma mogen ook breien. Marta moet figuurzagen, maar ze gaat net doen of ze misselijk wordt van de vernis zodat ze mag overstappen. Ana Luz heeft haar geleerd hoe ze moet overgeven.'

'Je moet mij leren breien,' zei Caroline. 'Ik wil graag een lekker warm grijs vest breien voor als het regent.' Ze sloeg haar armen om haar bovenlijf alsof ze het koud had. 'Ik had vroeger een prachtig grijs vest. Het was van mijn zus. Ik droeg het als ik schilderde, wat natuurlijk dom was, maar het zat zo lekker. Het moet doordrenkt zijn geweest met terpentine, want op een dag liet ik mijn sigaret vallen en toen vloog het in brand. Gelukkig kon ik het uittrekken voor ik verbrandde. Toen ben ik gestopt met roken. Al had ik beter kunnen stoppen met drinken. Ik liet die sigaret alleen maar vallen omdat ik dronken was, begrijp je. Maar je kunt niet alles opgeven.'

'We gaan een sjaal breien, denk ik,' zei Portia. 'Geen vest.'

HOOFDSTUK VIER

De hond stond boven op de picknicktafel, wat betekende dat het etenstijd was. De hond communiceerde op vreemde manieren. Als ze naar buiten wilde, kieperde ze een prullenmand om. De hond keek nu in de richting van de keuken, alsof ze wist dat Omar bij het raam stond. Ik moet haar eigenlijk binnenlaten en voeren, dacht Omar, maar eerst moet ik Deirdre bellen. Ik moet Deirdre bellen. Hij had het al de hele middag uitgesteld. Hij moest Deirdre bellen voor hij de hond voerde. Hij pakte de telefoon die aan de wand hing en draaide haar nummer. Zoals gewoonlijk leek ze een beetje buiten adem toen ze opnam.

'Met mij,' zei Omar. 'Hoor eens, ik moet met je praten.'

'Ik haat die formulering: ik moet. Waarom niet ik wil? Ik wil met je praten? Dit klinkt zo dwingend.'

'Ik wil met je praten,' zei Omar. 'Het is belangrijk. Ik wil je zien. Kunnen we afspreken?'

'Wanneer?'

'Nu. Zo meteen.'

'Ik wilde eigenlijk naar het college van Lucy Greene-Kessler over de rol van kril in *Mrs Dalloway*.'

'De rol van wat?'

'Kril, geloof ik. Maar ik kan me ook vergissen.'

'Er komt geen kril voor in *Mrs Dalloway*,' zei Omar.

'Natuurlijk wel. Je kunt alles vinden bij Virginia Woolf. Lucy Greene-Kessler in elk geval wel. We zouden om half negen kunnen afspreken. Maar waar gaat het over? Wat is er gebeurd? Het klinkt alsof je met een probleem zit.'

'Dat is ook zo,' zei Omar. De hond sprong van de picknicktafel en sprong er daarna meteen weer bovenop. Dat betekende: ik wil nú gevoerd worden.

'Je hebt toch niet iets in de fik gestoken, hè?'

'Nee,' zei Omar.

'Wat dan?'

'Ik vertel het je straks wel. Ik moet het uitleggen. Het is ingewikkeld.'

'Een ingewikkeld probleem. Dat klinkt niet zo best. Gaat het wel goed met je? Kan dit wachten tot half negen?'

'Ja,' zei Omar. 'Het zal wel even duren voor ik in de stad ben. Aangenomen dat de auto wil starten.'

'Je zou een nieuwe auto moeten kopen.'

'De auto is momenteel wel het minste waar ik mee zit.'

'O jee. Is dat ingewikkelde probleem iets medisch?'

'Nee,' zei Omar.

'Je gaat toch niet dood of zo, hè?'

'Nee. Nou ja, uiteindelijk wel. Maar niet eerder dan ik dacht. Denk ik.'

'Gelukkig. Waar wil je afspreken? Wat dacht je van Kiplings?'

'Oké. Prima. Alleen heb ik geen geld.'

'Ik wel. Ik zie je daar om half negen. Misschien iets eerder. Ik zal proberen ertussenuit te knijpen. Als Lucy eenmaal op dreef is, kijkt ze niet meer op of om.'

Omar parkeerde achter de bank op het voor klanten gereserveerde terrein. Hoewel het helemaal leeg was, want het was avond en de bank was gesloten, werd hij zenuwachtig van het bord waarop werd gedreigd dat auto's van nietcliënten op hun kosten zouden worden weggesleept. In het openbare leven was hij meestal erg gehoorzaam, dat lag in zijn aard en daar was hij trots op. Twee meisjes waren aan het hinkelen op haastig met krijt getekende vakken in de verste hoek van het verlaten terrein. Omar stapte uit de auto. De meisjes knielden op de grond en bekeken hem argwanend toen hij het parkeerterrein overstak, alsof hij hun kwaad zou kunnen doen. Hij glimlachte en zwaaide, maar ze bleven op hun knieën naar hem zitten staren. Sinds wanneer vertrouwden kinderen hem niet meer? Hoe kwam dat?

Hij liep door het steegje naar de straat. Bij de boekhandel bleef hij staan om in de doos met gratis boeken te neuzen, maar hij hield het niet lang vol: hij werd er altijd neer-

slachtig van, al die boeken buiten op straat die smeekten om te worden meegenomen, als honden in een asiel, boeken die langzaam in het economische systeem omlaag waren gezakt en ten slotte onherroepelijk op de bodem waren beland, in een doos op het trottoir. Hij passeerde de schoenwinkel die op raadselachtige wijze nog steeds bestond, hoewel de schoenen in de etalage nooit veranderden. De winkel werd gedreven door een oud echtpaar, en een van de twee zat altijd binnen te roken. Vanavond was het de vrouw. Omar bekeek de schoenen achter het doorzichtige gele rolgordijn dat permanent was neergelaten, zodat je de schoenen door een soort gelig waas zag. Het waren voornamelijk schoenen die oude vrouwtjes droegen als hun voeten misvormd raakten door artritis, maar de meeste oude vrouwtjes die Omar in de supermarkt zag droegen tegenwoordig sportschoenen.

Iets voorbij de gedateerde schoenwinkel zat Kiplings. Kiplings was een Indiaas restaurant voor mensen die buitenlands eten wantrouwden. Het was de Indiase keuken, gefiltreerd door het Britse imperialisme en aangepast aan de Amerikaanse smaak. Het was een vrij troosteloos, naargeestig etablissement, maar sommige curry's waren best lekker en het bier was goedkoop, en als je er genoeg van dronk leek het minder troosteloos en naargeestig. Deirdre zat aan de bar een Bass Ale met limoen te drinken, een combinatie die zij lekker vond en waar Omar altijd lichtelijk van walgde. Als hij er alleen maar aan dacht, voelde hij zijn mond vanbinnen al samentrekken. Hij ging naast haar zitten. Ze zoende hem op de wang en legde haar hand op zijn schouder. 'Hoe is het ermee?' vroeg ze.

'Gaat wel,' zei hij. 'En met jou?'

'Slecht. Ik ging bij de boekhandel langs en toen bleek dat ze de verkeerde vertaling van Toergenjev hadden besteld voor mijn literatuurcolleges volgend semester. Ze beweerden dat de vertaling die ik wilde niet leverbaar was, dus toen hebben ze die van Constance Garnett maar besteld. Ik kan Constance Garnett niet uitstaan, ze is zo Brits en victo-

riaans, bij haar klinkt alles als Dickens. Daar kan ik bij mijn studenten niet mee aankomen. Ik ben woedend. En het zijn zulke sukkels in die winkel. Ze begrijpen niet dat niet alle vertalingen hetzelfde zijn.'

'Vervelend hoor,' zei Omar.

'Sorry. Ik weet dat het een kleinigheid is, maar ik word er razend van. Constance Garnett! O ja, en voor ik het vergeet: het waren invloeden van de Krim in *Mrs Dalloway*. Ik heb er zo'n hekel aan als boeken in een historische context worden geplaatst.'

'Waarom?'

'Omdat het niet eerlijk is voor mensen zoals ik, die niets van geschiedenis weten. Een tekst moet bestaan buiten de geschiedenis. De Krim, nou vraag ik je! En waarom is het altijd dé Krim? Leg me dat eens uit?'

'Net als de Balkan, denk ik,' zei Omar.

'Ja, maar dat is logisch,' zei Deirdre. 'Dat is volkomen logisch: dé Balkan. Want dat zijn meerdere landen, dat zijn een heleboel landen. Maar de Krim is één land. Denk ik.'

Omar zei niets.

'Sorry,' zei Deirdre. 'Ik word er alleen zo razend van. Sorry.' Ze schudde haar hoofd. 'Maar wat is er met jou? Wat is er mis? Vertel.'

'Zullen we aan een tafeltje gaan zitten?' vroeg Omar.

'Heb je honger? Wil je hier eten?'

'Ja,' zei Omar. 'Laten we gaan zitten.'

Ze gingen zitten en bestelden hetzelfde als altijd: een kip madras, een groentecurry en een karaf bier. 'Wat is er aan de hand?' vroeg Deirdre. 'Vertel.'

'Het gaat over de beurs,' zei Omar.

'Wat is daar dan mee?'

'Er is een kink in de kabel,' zei Omar.

'Hoe kan dat nou? Je hebt hem al.'

'Weet ik,' zei Omar. 'Maar er is iets gebeurd. Of liever gezegd, er is iets niet gebeurd.'

'Wat dan? Vertel.'

'Ik heb geen toestemming gekregen.'

Het bier werd gebracht en Deirdre schonk zorgvuldig twee glazen in, telkens wachtend tot het schuim was gezakt voordat ze verder ging met schenken. Als ze boos was op Omar probeerde ze een time-out te nemen. Het was een techniek waarover ze had gelezen in een vrouwenblad dat ze stiekem las. Je moest je boosheid laten zakken zodat de conversatie er niet door werd vertroebeld. En dus werden hun gesprekken dikwijls onderbroken door dit soort stiltes, als Deirdre weer eens buitensporig in beslag werd genomen door een onbenullige bezigheid. Zoals zorgvuldig bier inschenken.

Toen de twee glazen eindelijk allebei vol waren, zei ze: 'Wat?'

'Ik kreeg vandaag een brief van de erfgenamen. Ze verlenen me geen toestemming.'

'Ik dacht dat je allang toestemming had. Ik dacht dat je geen beurs kon aanvragen tenzij je toestemming van de erven had en verzekerd was van hun medewerking.' Ze nam een slokje bier.

'Dat kan ook niet. Daarom heb ik in de aanvraag gezet dat ik wel toestemming had. Ik realiseerde me niet dat je die ook echt moet hebben, ik dacht dat je er alleen om gevraagd moest hebben. En ik had me in de datum vergist en blijkbaar doet een brief naar Uruguay er langer over dan ik dacht. En ik was ervan overtuigd dat ze ja zouden zeggen. Ik bedoel, waarom zouden je geen ja zeggen? Ik heb uitstekende referenties en het is nou ook weer niet zo dat de hele wereld aan een biografie van Jules Gund werkt. Mensen racen echt niet massaal naar Uruguay om de deur bij ze plat te lopen. Daarom heb ik Gund gekozen. Niemand kent hem.'

'Doe niet zo raar, Omar. Natuurlijk zijn er mensen die hem kennen. Hij heeft de Americas Prize gewonnen. Hij is de jungle in getrokken en heeft zich door het hoofd geschoten.'

'Ik denk niet dat het de jungle was.'

'Wat bedoel je?'

'Ik bedoel dat er volgens mij geen jungle is in Uruguay.

Ik denk dat het meer een savanne is. Of een open vlakte. Of misschien een pampa.'

'Wat dan ook. Mensen kennen hem. En de mensen die hem kennen zijn juist degenen die biografieën schrijven. En naar Uruguay racen. Wat zeiden ze?'

'Wie?'

'De erfgenamen! Hebben ze iemand anders toestemming gegeven?'

'Nee,' zei Omar.

'O, goed zo. Dus het kan nog in orde komen. Wat zeiden ze? Precies.'

'Dat ze geen noodzaak zien voor een biografie, nu of op enig tijdstip in de toekomst.'

'Je zegt steeds ze. Wie zijn die ze?'

'Er zijn drie executeurs. Dat is een deel van het probleem, denk ik. Gunds vrouw, zijn broer, en die Amerikaanse met wie hij aan het eind samenleefde. Zij heeft me geschreven.'

'En die wonen allemaal bij elkaar in Uruguay?'

'Ja.'

'Lijkt me gezellig.'

'Het is vast heel verwrongen en incestueus allemaal. Prachtig materiaal voor een boek. En nu ziet het ernaar uit dat ik dat boek nooit zal schrijven omdat ik de beurs terug moet geven omdat ik heb gelogen in de aanvraag.'

'Maar je weet zeker dat er geen andere geautoriseerde biografie komt?'

'Ja. Tenminste, dat stond in de brief.'

'Dus er is een kans dat je toch nog toestemming krijgt?'

'Ja, ik denk het wel: theoretisch is er een kans. Al klonk die brief erg definitief.'

'Ja, maar het is je enige kans. Anders zul je de beurs terug moeten geven, en dat betekent – nou ja, je weet wat dat betekent.'

'Wat dan?'

'Het betekent dat je het boek niet schrijft, dat het boek niet wordt uitgegeven, dat je contract niet wordt verlengd,

dat je je baan kwijtraakt en dat je geen andere baan zult krijgen, in elk geval niet als docent. En wat kun je anders?'

'Niets,' zei Omar.

'Precies. Dus je moet zorgen dat dit lukt. Anders eindig je als schoenverkoper in een winkelcentrum. En in zekere zin heb je niet echt gelogen in je aanvraag.'

'Hoe bedoel je?'

'Nou, zoals je zei, als je je in de datum hebt vergist en als je echt eerlijk dacht dat je toestemming zou krijgen, is er vast wel een mouw aan te passen. En als je ervoor zorgt dat ze van gedachten veranderen en toch toestemming verlenen, dan heb je niet gelogen. Ik bedoel, je hebt wel gelogen, maar alleen tijdelijk, en dat hoeven ze nooit te weten. De erven hebben toch geen cc'tje gestuurd naar de commissie die de beurzen toekent of zoiets geniepigs, hè?'

'Niet voor zover ik weet.'

'Nou ja, het is echt je enige kans. Als ze nu geen noodzaak zien voor een biografie, moet jij ze duidelijk maken dat het wel nodig is. Geef ze het idee dat het nodig is.'

'Is het nodig? Ik denk niet dat de wereld vol spanning zit te wachten op een biografie van Jules Gund.'

'Rot op man! Jij hebt het nodig. Wil je die beurs houden, Omar? Wil je die biografie schrijven?'

'Ja, natuurlijk.'

'Omdat het soms lijkt of je het niet echt wilt. Soms lijkt het wel of...'

'Wat?'

'Ik weet het niet. Ik snap gewoon niet hoe je het zo kunt verknallen. Ik bedoel, hoe kon je je nou in de datum vergissen? En natuurlijk duurt het een eeuwigheid voor een brief in Uruguay aankomt! Daar heb je Federal Express voor.'

'Gaat Federal Express naar Uruguay?'

'Federal Express gaat overal heen, als je maar betaalt. Als je wilt dat iets lukt, Omar, dan moet je zorgen dat het lukt. Wil je dat dit lukt?'

'Ja,' zei Omar. 'Dat zei ik al: ja.'

'Dan moet je zorgen dat het lukt,' zei Deirdre.

Hoewel Deirdre maar een paar straten bij Kiplings vandaan woonde, bracht Omar haar met de auto naar huis.

'Wil je blijven slapen?' vroeg Deirdre.

'Nee,' zei Omar. 'Ik moet naar huis. Ik ben vergeten Mitzie te voeren.'

'Die stomme hond,' zei Deirdre.

'Ze is niet stom,' zei Omar.

'Wel waar. Het is de stomste hond die ik ken.'

'Ik ga geen ruzie met je maken over de intelligentie van Mitzie,' zei Omar.

'Sorry,' zei Deirdre. 'Ik weet dat ik chagrijnig ben. Het spijt me. Alleen…'

'Wat?' vroeg Omar

Deirdre liet haar vinger over de beslagen autoruit glijden. Ze wilde niet gemeen zijn. Even wachten, dacht ze. Even wachten tot het gemene gevoel over is. Niets zeggen zolang je boos bent. Ze draaide het raampje omlaag en wiste haar sporen uit. 'Alleen, nou ja, ik vind dit op de een of andere manier zo vreselijk symbolisch.'

'Wat?'

'Dit gedoe met je beurs.'

'Wat bedoel je?'

Ze wendde zich af van het raampje en keek hem aan. Ze legde haar hand op zijn been. 'Ik bedoel, ik schrik er een beetje van. Als je iets wilt, moet je zorgen dat het lukt, vind ik. Je moet het in elk geval proberen. En soms denk ik dat jij niet echt wilt. Je laat dingen gewoon mislukken, je probeert het niet eens, en dan denk ik: Nou ja, misschien wil hij het niet echt, wat wil hij dan, wat wil hij eigenlijk?'

'Waar heb je het over? Heb je het over de beurs?'

'Ja, maar het is niet alleen de beurs. Het is – nou ja, het is praktisch alles wat je doet.'

'Dat is niet waar,' zei Omar.

'En de auto dan?' zei Deirdre. 'En je flat? Stel dat je Yvonnes huis niet had mogen gebruiken? Wat was er dan gebeurd?'

'Dan had ik wel een andere flat gevonden.'

'Ja, en die had je waarschijnlijk ook laten afbranden!'

'De flat is niet afgebrand,' zei Omar. 'Trouwens, het was een ongeluk.'

'Ik denk dat ik bedoel dat ik niet echt in ongelukken geloof,' zei Deirdre. 'Ongelukken gebeuren omdat iemand niet oplet of fouten maakt. Ik bedoel, er was een reden voor die brand. Je flat is niet spontaan in de fik gevlogen. En jij hebt er water op gegooid.'

'Het was een brand, oké? Ik raakte in paniek. En ik wist niet dat je geen water mag gooien op brandend vet.'

'Maar Omar, dat zou je moeten weten! Er zijn gewoon dingen die je hoort te weten. Dingen die je moet weten om de wereld aan te kunnen. Ik vraag me wel eens af of het komt doordat je in Canada bent opgegroeid. Dat het sociale vangnet je heeft belet om een verantwoordelijke, autonome volwassene te worden.'

'Dus jij vindt dat de brand mijn schuld is?'

'Dit gaat niet over de brand! Hou op over de brand.'

'Maar je zei het zelf. Je zei dat het alles was wat ik deed.'

'Ik overdreef, oké? Ik overdreef omwille van het effect. Dat doe ik nou eenmaal. Dat weet je.'

'Dat weet ik, ja. Maar soms, als je zulke dingen zegt, vraag ik me af…'

'Wat?'

'Of je wel echt van me houdt. Ik denk, hoe kan ze zoiets tegen me zeggen, zoals: Jij verknalt alles wat je doet, hoe kan ze dat tegen me zeggen als ze van me houdt? Of niet hoe, maar waarom? Hoe én waarom.'

'Luister,' zei Deirdre, 'ik hou van je. Je weet dat ik van je hou. Daar gaat het niet om. Ik zeg dit soort dingen juist tegen je omdat ik van je hou.'

'Het lijkt niet op liefde. Het klinkt boos.'

'Natuurlijk klinkt het boos! Ik ben ook boos! Ik ben boos, Omar, maar daarom hou ik nog wel van je. Die twee dingen kunnen naast elkaar bestaan. Ik ben in staat verschillende emoties tegelijk te voelen. Ik ben een complex

mens. Het leven is complex. De liefde is complex. Het is niet simpel. Het is geen kwestie van één ding per keer.'

'Waarom ben je zo boos?'

'Ik ben boos omdat jij die beurs verknald hebt! Ik bedoel, hoe kan je nou een eenvoudige aanvraag verknallen? Waarom heb je geen toestemming gekregen? Waarom heb je gelogen?'

Omar zweeg. Het leek wel of hij ging huilen. Maar toen zei hij: 'Weet je, jij bent extreem capabel. Je werkt hard, je hebt alles onder controle en je krijgt altijd je zin. Zo ben jij. Zo iemand ben jij. Maar zo ben ik niet.'

'Maar Omar, je doet net of capabel zijn een soort aangeboren talent is. Dat is het niet. Capabel zijn is een kwestie van capabel wíllen zijn. Je best doen om capabel te zijn. Doorzetten. We hebben het niet over het beschilderen van de Sixtijnse Kapel. We hebben het over het inschakelen van een koeriersdienst als dat nodig is.'

'Oké, ik heb het inderdaad verknald,' zei Omar. 'Zoals ik blijkbaar altijd doe.'

'En nu heb je medelijden met jezelf en je wilt dat ik ook medelijden met je heb. Nou, vergeet het maar. Als je echt die beurs wilde hebben en dat boek wilde schrijven, als je alles wilde bereiken wat daarvan afhangt – en ik wil niet vervelend zijn, maar er hangt verdomd veel van af – als je dat echt zou willen, dan zou je het doen ook. Dan zou je je niet door zoiets laten weerhouden. Dan zou je zorgen dat je toestemming kreeg. Dan zou je naar Uruguay gaan en niet terugkomen voor je toestemming had. Jij geeft het zo gemakkelijk op.'

'Dat is niet waar,' zei Omar. 'Ik weet alleen niet wat ik moet doen.'

'Ga naar Uruguay! Je hebt het geld van de beurs toch?'

'Jawel. Maar dat moet ik teruggeven.'

'Nee! Gebruik het. Als je het teruggeeft, is het over en uit. Zorg dat je toestemming krijgt: ga erheen en maak kennis met de broer en de zus en de echtgenote.'

'Het is de broer en de echtgenote en de minnares.'

'Wie dan ook. Hoe dan ook: doe charmant tegen ze. Zorg dat ze van gedachten veranderen. Je zou in de collegevrije periode kunnen gaan. Als het volgende semester begint, kan alles geregeld zijn.'

'Of ik word gearresteerd omdat ik het geld van de beurs onder valse voorwendsels heb uitgegeven.'

'Ze arresteren je niet, Omar. Ze ontslaan je gewoon. Maar als je het niet doet, ontslaan ze je ook. Ik denk echt dat je geen keus hebt.'

'Ik vraag me af wat het kost om naar Uruguay te vliegen. En waar moet ik logeren?'

'Tja, dat zijn vragen waar een antwoord op is. Bel de luchtvaartmaatschappijen. Koop een gidsje.'

'Als ik erheen ging, zou ik ter plaatse al onderzoek kunnen doen.'

'Laten we niet op de zaken vooruitlopen,' zei Deirdre. 'Hoor eens, ik ga naar binnen. Ik heb vijfentwintig zogenaamde werkstukken die ik voor morgen moet lezen. Ga naar huis en denk erover na. Bel me morgenochtend.' Ze opende het portier en stapte uit, en leunde toen door het open raampje weer naar binnen. 'En ik gedraag me zo omdat ik van je hou, Omar. Als ik niet van je hield zou ik me niet zo gedragen. Dan zou het me niet kunnen schelen. Ik geef om je en ik hou van je en ik wil dat je dit boek schrijft. Ik weet dat je het kunt. Ik wil dat je succes hebt. Ik wil niet dat je net zo wordt als die docenten die altijd maar door de gangen lopen te dwalen op zoek naar hun werkkamer, met gemorste eiersalade op hun overhemd. Oké? Is dat duidelijk?'

'Ja,' zei Omar.

'Zoen me dan,' zei Deirdre, en ze stak haar hoofd nog verder naar binnen.

Omar was uit zijn vorige flat gezet nadat de keuken was uitgebrand. Hij bofte dat Yvonne Mailer, een geschiedenisdocente, voor een sabbatical naar Turkije ging en iemand zocht om op haar huis en hond te passen, en omdat het een

vrouw was die niet naar lokale roddels luisterde, wist ze niets van Omars brandgevaarlijke verleden en liet ze haar sleutels graag bij hem achter zodat zij naar Istanbul kon vliegen. Ze woonde zo'n vijftien kilometer buiten de stad, in een voormalig vakantiedorp aan een meer, Hiawatha Woods, maar de dam die het meer tegenhield was in 1982 door een tornado in tweeën gespleten en inmiddels was het meer veranderd in een moeras waar traag een riviertje doorheen meanderde. Yvonnes huis was het enige dat geschikt was gemaakt voor de winter en het hele jaar werd bewoond, zodat Omar zich, tussen de leegstaande woningen, net een beheerder van een verlaten zomerkamp voelde.

Het was koud in huis toen hij terugkwam. Er stond een houtkachel in de woonkamer en Yvonne had Omar verzekerd dat die, mits goed onderhouden en veilig afgesloten, 's nachts of tijdens zijn afwezigheid aan mocht blijven, maar na zijn recente ervaring met vuur durfde Omar de kachel niet onbeheerd te laten branden. En dus verknoeide hij veel tijd en leed hij dikwijls kou, want hij was constant bezig het vuur te doven, om het een paar uur later weer aan te steken.

Toen de kachel brandde ging hij naar de keuken en gaf Mitzie te eten, een grotere portie dan anders als compensatie voor het lange wachten. Het droge voer viel als een waterval in de bak, met een rinkelend geluid dat Mitzie meestal prompt deed toesnellen van de plek waar ze lag te dutten. Maar toen de bak vol was en de stilte was weergekeerd, was de hond niet verschenen. Omar riep haar naam. Hij liep door de kleine kamers van het kleine huis en keek op alle plaatsen waar ze meestal sliep, maar ze was nergens te bekennen, en toen dacht hij: Heb ik haar misschien niet binnengelaten toen ik wegging? Heb ik haar buiten gelaten? Hij kon zich niet herinneren dat hij haar had binnengelaten, maar dat betekende niet dat hij het niet had gedaan. Maar ze was niet in huis. Hij deed de keukendeur open en knipte de spot aan die de door onkruid overwoekerde tuin verlichtte. Mitzie was er niet. De picknicktafel

waar ze graag bovenop stond was een verlaten podium. Hij riep haar naam en luisterde, maar hoorde niets dat geruststellend honds klonk: geen geblaf, geen getikkel van hondenpenningen, geen viervoetig getrippel. Hij ging weer naar binnen, trok zijn jas aan, pakte de zaklantaarn en liep toen naar buiten, het donkere bos in. Er waren geruchten dat er in het bos coyotes rondzwierven die schoothondjes aten. Keer op keer riep hij de naam van de hond terwijl hij in de lichtkring liep die de zaklamp voor zijn voeten wierp. Hij keek achterom of hij de lichten van het huis nog kon zien en realiseerde zich dat hij de kachel had laten branden. Moest hij teruggaan om het vuur te doven? Had hij het metalen deurtje van de kachel wel goed dichtgedaan? Natuurlijk. Maar hij kon het zich niet herinneren. Waarom herinnerde hij zich niet beter wat hij deed? Het deurtje was vast en zeker veilig dicht. Hij draaide zich weer om en liep verder het bos in.

Plotseling zakten zijn voeten weg in de zachte, natte aarde en hij kon ze niet meer optillen. Hij was blijkbaar naar het drooggevallen meer gelopen in plaats van eromheen. Drijfzand, dacht hij. Hij zat er tot aan zijn knieën in. Mijn nieuwe schoenen! Hij probeerde één voet uit de blubber te trekken en dat lukte, maar hij kon geen vaste grond vinden om de voet neer te zetten terwijl hij de andere lostrok. Zijn voet nestelde zich weer in de zompige aarde. Hij kon de lichten van het huis niet meer zien en was elk gevoel voor richting kwijt. Niet in paniek raken, dacht hij. Hij bleef een moment roerloos staan. In elk geval zakte hij niet verder weg. En toen besefte hij dat hij toch langzaam wegzakte. Hij zag een jong boompje binnen handbereik staan, greep zich vast aan de dunne, onvolgroeide stam en probeerde die als hefboom te gebruiken om zijn voeten los te trekken. Hij slaagde er alleen in om de boom uit de grond te rukken. Schuldbewust stond hij daar met het boompje in zijn handen, alsof hij elk moment gearresteerd kon worden, en smeet het toen weg in het donker. Hij probeerde zijn voeten ondergronds te verplaatsen en naar vastere bodem te

schuifelen. Maar de grond waarin zijn voeten waren verzonken hield ze bezitterig omklemd. En toen probeerde hij opnieuw één voet uit de blubber te trekken en zich naar voren te werpen en de andere op te tillen voor de eerste de kans had om weer weg te zakken, en op die manier bereikte hij ten slotte terra firma. Hij ging even zitten om uit te blazen en besefte dat hij de zaklamp had laten vallen. Hij kon het ding treiterig zien schijnen in de blubber, op nog geen meter afstand. Toen hij weer op adem was gekomen liep hij het bos in. Hij wist dat hij ten slotte bij de weg uit zou komen, want die liep om het meer heen, en vandaar kon hij de weg naar huis wel vinden.

Hij naderde het huis vanaf de voorkant. Het was niet afgebrand. Het leek een beetje op een huis uit een sprookje: de ramen waren verlicht en uit de schoorsteen steeg een pittoreske rookpluim op. Mitzie zat op de veranda geduldig te kijken hoe hij naderde, alsof ze samen waren gaan wandelen en zij vooruit was gerend en als eerste was aangekomen. Omar bleef even staan. Niet dat hij bang was om naar binnen te gaan, hij had meer het gevoel dat hij het recht daartoe op de een of andere manier had verspeeld. Het is niet mijn huis, dacht hij. Het is niet mijn hond. Hij zou willen dat er iets van hem was, ondubbelzinnig en onherroepelijk van hem, maar hij wist dat er niets was. Het was nooit eerder bij hem opgekomen, het had hem nooit eerder dwarsgezeten, maar daar stond hij, achtentwintig jaar oud, voor een huis dat niet van hem was in een verlaten vakantiedorp rondom een niet-bestaand meer, gadegeslagen door een hond die hij verwaarloosde. Mitzie nam hem nieuwsgierig op, trippelde de verandatrap af en liep naar hem toe alsof ze wist dat het haar taak was hem welkom te heten. Ze snuffelde aan zijn bemodderde broek, ging zitten en keek hem aan. Hij bukte zich en aaide de warme vacht op haar kop. Ze jankte. En daarna gingen ze samen naar binnen. Het was nu warm: het vuur loeide in de kachel. Mitzie vond haar avondeten. Omar trok zijn broek en schoenen uit en ging in de woonkamer zitten luisteren hoe ze at. Toen ze klaar was kwam ze de

keuken uit en legde haar kop op zijn schoot. Voor een hond die een vreemde manier van communiceren had, was haar boodschap duidelijk: ze had hem vergeven. Ze had gegeten en ze waren allebei thuis en het was warm, en wat Mitzie betrof was alles in orde.

'Misschien moet ik hem bellen,' zei Deirdre. En omdat Marcus Antonius niet opkeek, zei ze het nog een keer.

Marcus Antonius heette eigenlijk Michael Anthony, maar Deirdre noemde hem Marcus Antonius. Hij was haar huisgenoot. Ze had niet echt een huisgenoot nodig, althans niet voor het geld, maar ze had graag iemand om zich heen tegen wie ze kon praten, en omdat ze niet wilde dat Omar bij haar introk tot hij op een verantwoordelijke manier op zichzelf had gewoond – en wie weet wanneer dat zou gebeuren – had ze een huisgenoot genomen. Marcus Antonius. Marcus Antonius was een uitstekende huisgenoot. Hij was rustig en schoon. Hij hield van cake bakken en had een hekel aan stof, dus hij stofte zowaar. Hij studeerde rechten. Hij was leuk, ook dat nog, maar een homo.

Marcus Antonius zat aan de keukentafel een dik, saai, juridisch boek te lezen. Ik zou nooit rechten kunnen studeren, dacht Deirdre. Ik zou doodgaan van verveling. Ik mag tenminste romans lezen. Al las ze hoofdzakelijk werkstukken van studenten. Ze dronk een kop koffie en probeerde een beetje wakker te worden voor ze de eerstejaarswerkstukken ging nakijken. Al hoefde je eigenlijk niet wakker te zijn om ze na te kijken.

'Marcus Antonius, ik zei dat ik hem misschien moest bellen,' zei ze nogmaals, op luide toon.

'Wie?' zei hij. Hij keek niet op. Dat deed hij altijd: zich afzijdig proberen te houden. Het was zijn enige slechte eigenschap als huisgenoot.

'Praat even vijf minuten met me,' zei Deirdre. 'Vijf minuten. Dan laat ik je verder met rust.'

'Drie minuten,' zei hij. Hij sloot zijn boek en keek op zijn horloge. 'Begin maar,' zei hij.

'Omar,' zei ze. 'Ik heb het natuurlijk over Omar. Wie zou ik anders bellen? Hij is de enige man die ik nog kan bellen om' – ze keek op de klok aan de keukenmuur – 'o God, het is al half twaalf. Om half twaalf. Ik was gemeen tegen Omar,' zei ze.

'Je bent altijd gemeen tegen Omar,' zei Marcus Antonius.

'Dat is niet waar,' zei Deirdre. 'Ik ben niet altijd gemeen tegen Omar. Ik hou van hem.'

'Ik zeg niet dat je niet van hem houdt. Ik zeg alleen dat je altijd gemeen tegen hem bent. Als ik jullie samen zie, zit je altijd op hem te vitten. Je koeioneert hem.'

'Ik hou niet van dat woord, koeioneren. Trouwens, ik koeioneer hem niet. Ik spoor hem aan.'

'Je gaf anders net toe dat je gemeen tegen hem was.'

'Ja. Dat was ik ook. En daar zit ik nu mee. Ik vind het niet leuk als ik gemeen tegen hem doe.'

'Doe het dan niet.'

'Dat probeer ik, dat probeer ik echt. Maar weet je, je kunt onmogelijk met hem omgaan zonder een beetje gemeen te zijn. Af en toe. Hij is zo irritant. Hij heeft zijn aanvraag verknald en nu raakt hij zijn beurs misschien wel kwijt.'

'Nou en? Je moet beseffen dat dat zijn probleem is. Dat hij van zijn fouten zal leren of niet en dat jij daar niets aan kunt doen.'

'Denk je niet dat ik hem een beetje sneller door dat leerproces heen kan helpen?'

'Nee. Je moet zijn tempo accepteren. Als docent zou je dat moeten weten.'

'Maar hij is geen student van mij.'

'Behandel hem dan niet als een student.'

'Vind je dat ik hem als een student behandel?'

'Ja. Als een student. Of een hond. Een studerende hond. Een hond die aan de gehoorzaamheidsacademie studeert.'

'Maar als hij zoiets stoms doet, zoals het verknallen van zijn beurs, hoe moet ik dan reageren? Ik bedoel, even aangenomen dat jij alles weet?'

'Wees begrijpend en opbeurend. Meelevend. Behulpzaam.'

'Tjee. Begrijpend, opbeurend, meelevend en behulpzaam. Allemaal tegelijk? Ik denk dat dat een beetje te hoog gegrepen is.'

Marcus Antonius wierp een blik op zijn boek.

'Dus je vindt dat ik hem moet bellen?' vroeg Deirdre.

'Ja,' zei Marcus Antonius. 'En je drie minuten zijn om.'

Deirdre ging naar haar slaapkamer en belde Omar. Hij was in gesprek. Ze wachtte een minuut of vijf en belde nog eens. Ditmaal nam hij op.

'Met mij,' zei ze. 'Wie had je aan de lijn?'

'Wanneer?'

'Wanneer? Nu. Vijf minuten geleden. Ik belde en je was in gesprek.'

'O,' zei hij. 'Dat was de luchtvaartmaatschappij. Ik belde om informatie te vragen over vluchten naar Uruguay. Het is niet zo duur. Ik bedoel, het is wel duur, maar niet zo erg als ik dacht.'

'Ga je toch?'

'Ja. Ik denk het wel. Ik heb het ticket gereserveerd. Ik heb vierentwintig uur de tijd om te beslissen. Ik ga meteen na Nieuwjaar.'

'Luister, Omar. Ik belde je omdat ik me vervelend voel over mijn gedrag van vanavond. Het spijt me als ik gemeen tegen je was.'

'Nee,' zei Omar. 'Ik neem het jou niet kwalijk. Als ik jou was, zou ik ook van mij balen.'

'Ik baal niet van je! Omar! Ik zou nooit van je kunnen balen. Je kunt nooit balen van iemand van wie je houdt. Je kunt je wel ergeren. Ik ergerde me, dat geef ik toe, en het spijt me dat die ergernis soms ook andere negatieve gevoelens opwekt, maar dat wil ik niet meer, dat moet afgelopen zijn. Ik wil je helpen. Ik wil begrijpend zijn. Ik wil begrijpend zijn en behulpzaam en nog een paar dingen die me op het moment niet te binnen schieten.'

Omar zei niets.

'Luister, misschien moet ik met je meegaan. Ik denk dat ik je kan helpen. Ik heb meer ervaring met dit soort dingen dan jij, en –'

'Nee,' zei Omar. 'Ik vind dat ik dit zelf moet doen. Sterker nog, ik denk dat het heel belangrijk is dat ik dit zelf doe.'

'Waarom?'

'Daarom. Het is belangrijk voor me. Ik heb mezelf in de nesten gewerkt en nu moet ik er weer uit zien te komen.'

'Maar als een ander je kan helpen – als je hulp nodig hebt van iemand, mag je die best aannemen. Het is stom om dat niet te doen.'

'Vind je me stom?'

'Nee,' zei Deirdre. 'Natuurlijk niet! Dat bedoelde ik niet. Uit trots weigeren hulp aan te nemen als je hulp nodig hebt, dat is st– niet verstandig. Er is niets mis mee als mensen je helpen.'

'Ik stel je aanbod op prijs,' zei Omar. 'Maar ik wil hier geen hulp bij.'

'Je stelt mijn aanbod op prijs?' zei Deirdre. 'Wat betekent dat? Je stelt mijn aanbod op prijs? Omar, ik ben het, Deirdre. Je stelt mijn aanbod niet op prijs. Zeg dat nooit meer tegen me.'

'Oké,' zei Omar. 'Ik zal het nooit meer zeggen.'

'Omar, doe niet ineens zo raar afstandelijk. Ik zei dat het me speet. Ik wil helpen. Ik denk dat je mijn hulp nodig hebt. Ik denk dat het goed voor ons zou zijn als we dit samen doen. Het zou heel goed voor ons kunnen zijn. Het kan leuk zijn, en spannend. Naar Uruguay gaan en dit probleem oplossen, en samen zijn en ergens anders dan in Kansas. Ik vind niet dat je het risico moet nemen om alleen te gaan.'

'Denk je dat ik dit niet alleen kan?'

'Natuurlijk wel! Ik heb het volste vertrouwen in je. Natuurlijk kun je dat! Ik denk alleen dat het beter, veiliger en leuker zou zijn als we samen gaan. Beter voor ons allebei.

Als individu en als stel.'

'Dat is gek,' zei Omar. 'Ik denk dat het voor ons allebei beter zou zijn, als individu en als stel, als ik alleen ga. Dat denk ik echt.'

'Je lijkt voor jouw doen erg zeker van je zaak. Wat is er gebeurd sinds ik wegging? Sinds jij wegging?'

'Ik ben bijna verdronken in drijfzand,' zei Omar. 'Ik zag mijn leven aan me voorbijtrekken en wat ik zag beviel me niet. Ik heb besloten mijn leven te veranderen.'

'Wat deed je in dat drijfzand?'

'Ik zocht Mitzie.'

'Zat Mitzie in het drijfzand?'

'Nee, ik. Mitzie zat thuis op me te wachten. Mitzie is veel slimmer als ik.'

'Dan ik. Maar dat is niet waar, Omar! Jij bent veel slimmer dan Mitzie.'

'Dank je,' zei Omar.

'Luister. Dit was me het avondje wel, met de Krim en Constance Garnett en het drijfzand en zo. Laten we naar bed gaan. Nou ja, jij dan, ik moet de eerstejaarswerkstukken nog lezen, maar ga jij naar bed en dan praten we er morgen over. Laten we dit niet vannacht beslissen. Laten we er morgen over praten. Goed?'

'Goed,' zei Omar. 'Ik ben moe. Bekaf zelfs.'

'Het verbaast me dat je op zo'n moment kunt slapen,' zei Deirdre. 'Als ik jou was, zou ik de hele nacht opblijven. Maar ik blijf hoe dan ook de hele nacht op.'

'Tja,' zei Omar. 'Welterusten.'

'Omar? Het spijt me van eerder. Ik wil je echt graag helpen. Op wat voor manier dan ook. Oké?'

'Ja,' zei Omar. 'Dank je.'

'Ik voel dat je je terugtrekt.'

'Ik trek me niet terug. Ik ben gewoon moe. Ik wil naar bed.'

'Goed,' zei Deirdre. 'Weet je dat ik van je hou? Ik hou van je, weet je.'

'Ik weet het,' zei Omar. 'Ik hou ook van jou.'

'Ik wou dat je was blijven slapen,' zei Deirdre.

'Morgenavond,' zei Omar.

'Oké. Slaap lekker. Ik spreek je morgen.'

Hij zei welterusten en hing op. Deirdre keek uit het raam. De bioscoop aan de overkant ging net sluiten. Een man op een ladder veranderde de titel boven de ingang van de ene stompzinnige film in de andere. Even, toen de twee titels gecombineerd waren, zag het eruit als abracadabra. Abracadabra. Deirdre had een keer 'Abracadabra!' in de marge van een bijzonder ongeletterd werkstuk geschreven. De student had geklaagd en Nicholson Garfield, het hoofd van de afdeling, had Deirdre te verstaan gegeven dat ze haar commentaar moest beperken tot opmerkingen die binnen academische grenzen lagen. Deirdre had hem de definitie van abracadabra in het woordenboek laten zien. Hij had haar gewaarschuwd hem en de student niet voor de gek te houden.

Deirdre ging op bed liggen. Ze wist dat de bioscoopverlichting uit was toen die niet langer weerkaatste op het plafond van haar slaapkamer. Daarna was het tamelijk donker. Na een poosje stond ze op en deed het licht aan. Ze ging aan haar bureau zitten en begon de werkstukken van haar studenten over de rol van het noodlot in *Tess of the d'Urbervilles* te lezen.

HOOFDSTUK VIJF

Omar was altijd van plan geweest om Spaans te leren voor hij naar Uruguay ging, maar naar Uruguay gaan was altijd iets dat in de verre toekomst zou gebeuren, en voor die tijd zou hij nog zeeën van tijd hebben om een vreemde taal te leren. Maar zo was het natuurlijk niet gegaan: nu zat hij hier in Montevideo en sprak geen woord Spaans. Nou ja, een paar woorden misschien.

Hij concludeerde dat het veel te gemakkelijk was om ergens heen te gaan. Ik had niet zo gauw in Montevideo moeten zijn. Het was beter toen er nog geen vliegtuigen bestonden. Als ik een boot naar Uruguay had moeten nemen, had ik op de boot Spaans kunnen leren. Dan had ik een Spaanse boot genomen en met de zeelui gepraat. En een soort ruw maar bruikbaar Spaans geleerd dat indruk zou maken op de plaatselijke bevolking omdat het zo authentiek klonk.

Het was een probleem, de taal niet spreken. Hij had gehoopt dat de mensen Engels zouden spreken, of Frans, wat hij een beetje sprak, maar nee. In elk geval niet degenen met wie hij in aanraking was gekomen. Als hij naar een duurder hotel ging zou hij misschien eerder mensen ontmoeten die Engels spraken, maar hij kon het zich niet veroorloven om zijn geld over de balk te gooien. Vandaar Hotel Egipt. Het was niet eens zo'n slecht hotel. Dat zijn kamer geen raam had was wel een beetje vreemd. Eigenlijk was er wel een raam, maar toen Omar de gordijnen opentrok zag hij dat het was dichtgemetseld. Als hij Spaans sprak, zou hij om een kamer met een raam kunnen vragen. *Por favor, yo* – wat was willen? – *desiro? uno cuarto con la* raam. Of misschien was het onbeleefd om 'ik wil' te zeggen. Hij kon beter 'mag ik' zeggen. Mag ik een kamer met een raam. Maar dan in het Spaans.

Omar was nu twee dagen in Montevideo. Al twee dagen

gebruikte hij al zijn maaltijden in de kleine koffiebar – nou ja, in het Spaans zou het wel geen koffiebar heten – naast het hotel. Hij ontbeet met *huevos revueltos*, roereieren, die inderdaad beroerd smaakten. De dooier en het wit waren halfslachtig met elkaar vermengd en er zaten vreemde, kleingesneden dingetjes in (misschien stukjes champignon, waar Omar een hekel aan had). Hij had wel willen zeggen: 'Geen dingetjes bij de eieren, alleen eieren.' *Sólo huevos*. Betekende dat alleen eieren of maar één ei? Hij pulkte alle dingetjes er dus uit en at alleen de eieren en hoopte dat ze het zouden snappen en de dingetjes weg zouden laten als hij dat maar vaak genoeg deed. Maar als je alle dingetjes eruit pulkte, bleef er eigenlijk niet veel ei over. Net genoeg om de prut bij elkaar te houden. Als lunch nam hij *sopa de tortilla* en *cerveza*. En 's avonds *arroz con pollo*. En ook weer *cerveza*. Hij at steeds in dezelfde zaak omdat hij dacht dat hij meer kans had om de taal te leren als hij regelmatig met dezelfde mensen omging. Dezelfde serveerster bracht alle drie de maaltijden, dus ze had hem al zes keer bediend, maar ze zei geen woord. Zou ze stom zijn? Dat moest hem weer overkomen, een restaurant uitkiezen met een serveerster die niet kon praten.

Twee dagen waren verstreken, twee hotelovernachtingen en zes maaltijden, en Omar had nog niets bereikt. Niet dat hij het niet geprobeerd had. Maar hij kon niets doen voor hij in Ochos Rios was en niemand scheen te weten waar dat was of hoe je er moest komen. Dat maakte Omar tenminste op uit zijn verwarrende bezoeken aan het bus- en treinstation. Hij had het strookje papier met het adres in duidelijke blokletters aan lokettisten getoond en die hadden allemaal hun hoofd geschud en afwerend met hun handen gezwaaid. Zou het een plek zijn waar je onmogelijk kon komen? Zou er zo'n plek bestaan? Hij had het op geen enkele kaart kunnen vinden, maar hij had gedacht dat het aan de kaarten lag die hij had geraadpleegd. Hij wist dat het bestond, want hij had er post naartoe gestuurd; de post was aangekomen, want hij had antwoord gekregen. Misschien

moest hij ze een brief schrijven en om aanwijzingen vragen. Hoewel, het was natuurlijk veel beter als hij zomaar kwam opdagen; als hij eerst schreef, konden ze tegen hem zeggen dat hij niet moest komen, wat niet kon als hij er al was. Ze konden wel zeggen dat hij weg moest gaan, maar ze konden niet zeggen dat hij niet moest komen. Natuurlijk hadden ze, door toestemming te weigeren, in zekere zin al tegen hem gezegd dat hij niet moest komen. Maar zo wilde hij het niet bekijken. Hij moest er gewoon heen gaan en dan op zijn charme en hun mededogen rekenen. En hopen dat hun mededogen groter was dan zijn charme.

Of misschien moest hij zichzelf de beproeving om erheen te gaan en te worden weggestuurd maar besparen. Het konden wel gevaarlijke gekken zijn, bedacht hij. Wie weet? Misschien hadden ze geweren en schoten ze op vreemden. Het was waarschijnlijk beter om zijn nederlaag toe te geven en het vliegtuig naar huis te nemen. Hij kon tegen Deirdre zeggen dat hij ze had gesproken, maar dat zijn verzoek was afgewezen. Ze zou er nooit achter komen dat het zo niet was gegaan. Natuurlijk schaamde hij zich om dat te doen. Zoals altijd was het een kwestie van keuzes maken: nu met de staart tussen de benen vertrekken, of doorzetten en waarschijnlijk vernederd worden.

HOOFDSTUK ZES

Arden en Portia waren bezig een kuil in de oprijlaan op te vullen met grind toen ze een auto hoorden stoppen bij het hek. Ze draaiden zich om en zagen iemand uitstappen met een koffer. De auto reed snel weg en de persoon die was uitgestapt, een jongeman, stond daar in de brandende zon en het wervelende stof, net buiten het hek.

'Wie is dat?' vroeg Portia.

'Ik heb geen idee,' zei Arden.

'Komt hij voor ons?'

'Geen idee.' Ze wachtte even, maar de man stond maar wat om zich heen te kijken. Hij leek een beetje daas. Hij zette de koffer op de grond en bette zijn gezicht met een zakdoek. Toen tilde hij de koffer op en kwam over de oprijlaan naar hen toe.

'Hij komt eraan,' zei Portia.

'Ja,' zei Arden. Wie kan dat zijn? vroeg ze zich af. Hier uitstappen met een koffer. Toen de man dichterbij kwam, bleek hij tamelijk knap te zijn, lang en slank, met donker haar en een donkere huid. Hij zag er moe en vuil uit en zijn kleren waren vreselijk gekreukt.

'*Buenas tardes,*' zei Arden toen hij vlakbij was.

'Ja,' zei hij. '*Buenas tardes.*' Hij zette de koffer neer, alsof die loodzwaar was. En toen vroeg hij: '*Habla usted inglés?*'

'Ja,' zei Arden.

'O, mooi,' zei hij, en glimlachte. Zijn tanden waren heel wit. 'Ik ben op zoek naar – is dit Ochos Rios?'

'Ja,' zei Arden. 'Dit is Ochos Rios.'

'Mijn naam is Omar Razaghi. Ik ben op zoek naar Arden Langdon.'

Even gaf Arden geen antwoord. Ze wist niet wat ze moest doen. Een vreemde man die met een koffer sjouwde.

Portia gaf antwoord. Ze keek haar moeder aan en zei: 'Dat ben jij.'

'Ja,' bekende Arden. 'Dat ben ik.'

'O, mooi,' zei Omar. Hij glimlachte weer. 'Dat is boffen. Ik ben heel blij kennis met u te maken.' Hij stak zijn hand uit.

Arden had niet veel zin om hem een hand te geven, maar ze deed het toch. Het was gemakkelijker dan de uitgestoken hand negeren.

'Ik heb u een paar maanden geleden geschreven,' zei Omar. 'Over de biografie van Jules Gund. En u heeft teruggeschreven. Weet u dat nog?'

'Ja,' zei Arden. 'Natuurlijk.'

'Mooi.' Hij scheen niet te weten wat hij anders moest zeggen.

'En…' hielp Arden.

'Ja,' zei Omar. 'En… en ik vroeg me af of ik u zou kunnen spreken? Over het boek? U en de andere erven. Niet nu, maar op een moment dat het jullie schikt.'

'Maar hebt u mijn brief dan niet gekregen?' vroeg Arden. 'We hebben besloten geen toestemming te geven voor een biografie.'

'Ja, ik weet het,' zei Omar. 'Maar ik vroeg me af – of… nou ja, ik zou toch graag met jullie willen praten.'

'Hebt u die hele reis gemaakt om met ons te praten?' vroeg Arden. 'Of was u toevallig in de buurt?'

'Nee,' zei Omar. En daarna zei hij: 'Nou ja, eigenlijk wel. Maar ik wil echt alleen met jullie praten. Sorry dat ik zo kom opduiken. Zo plotseling, bedoel ik, uit het niets. Ik wilde bellen, maar ik kon geen telefooncel vinden en toen was er iemand die deze kant op ging en het leek me gemakkelijker, beter, als ik gewoon…'

'Arriveerde?'

'Ja,' zei Omar. 'Ik wist niet wat ik moest doen. Het was heel moeilijk om hier te komen. Maar ik kan een andere keer terugkomen. Als u zegt wanneer, kan ik terugkomen en dan met jullie praten. Is er een tijd waarop ik terug kan komen om met jullie te praten?'

'En waar – waar logeert u?'

Omar keek rond, alsof er plotseling een hotel uit de grond zou oprijzen. 'Geen idee,' zei hij. 'Hier ergens in de buurt, hoop ik. Is er in de stad een hotel?'

'Nee,' zei Arden.

'Nou ja, er zal toch ergens wel iets zijn,' zei Omar, bijna kregelig. 'Als u zegt wanneer ik terug mag komen, ga ik wel een hotel zoeken.'

'Maar u bent te voet,' zei Arden. 'En er is in de wijde omtrek geen hotel te vinden. Wie heeft u hier gebracht?'

Omar keek om naar de weg, maar de auto was allang verdwenen. 'Dat weet ik niet. Een man die ik in Ansina tegenkwam. Ik heb hem vijfhonderd pesos gegeven.'

'Vijfhonderd pesos! U lijkt wel gek.'

'Ja,' zei Omar. 'Het leek mij ook veel. Maar er was geen andere manier om hier te komen.'

'Nee,' zei Arden. 'Dat zal wel niet, vanuit Ansina. Maar nu u hier eenmaal bent, kunt u nergens anders heen. Dus kom maar liever met ons mee. U kunt hier blijven tot we u morgen naar de stad kunnen brengen.'

'Maar ik wil niet storen. Echt, ik kan wel buiten slapen of zo.'

'Onzin,' zei Arden. 'U kunt niet buiten slapen. Kijk eens hoe u eruitziet. Kom mee naar binnen. Hier, leg uw koffer maar in de kruiwagen.'

Omar legde zijn koffer en rugzak in de kruiwagen en begon het ding over de hobbelige oprijlaan te duwen, achter het meisje en de vrouw aan. Hij was uitgeput, te moe zelfs om erover in te zitten of hij wel een goede indruk maakte.

'Waarom hebt u de bus naar Ansina genomen? Waarom bent u niet naar Tranqueras gegaan?' vroeg Arden.

'Niemand in Montevideo scheen te weten hoe je hier moest komen. Uiteindelijk zei een vrouw dat ik de bus naar Ansina kon nemen en vandaar wel met iemand mee kon rijden. Ik wist niet wat ik anders moest doen.'

'Ansina!' zei Arden. 'Ik begrijp niet hoe ze erbij komt.'

'Ik ook niet,' zei Omar.

'Nou ja, u bent er,' zei Arden.

'Het is hier wel erg afgelegen,' zei Omar. 'Is er een stad in de buurt?'

'Ja,' zei Arden. 'Tranqueras. Dat is hier een kilometer of vijftien vandaan. Maar u bent via de andere kant gekomen, hè?'

'Ik denk het wel,' zei Omar. 'Ik begon al zenuwachtig te worden. Ik wist niet waar die man me heen bracht. Er was helemaal niets onderweg. Alleen bossen.'

De oprijlaan maakte een bocht en het huis kwam in zicht. Het was een groot bakstenen huis, dat in een ver verleden geel was geverfd, met een bemost leien dak. Het had een klassieke, elegante voorgevel en zag er volkomen misplaatst uit in het verwaarloosde landschap. Omar bleef er even naar staan kijken. 'Goh,' zei hij.

'Het is monsterlijk, hè?' zei Arden.

'Nee,' zei Omar. 'Ik vind het mooi.'

Arden en Portia liepen weer door, maar Omar verroerde zich niet. Ze stonden stil en keken om.

'Wat is er?' vroeg Portia.

'Niets,' zei Omar. 'Alleen – ik had nooit gedacht dat ik hier zou komen. Ik bedoel, je leest een boek en denkt na over alles hier, maar je denkt niet echt dat het bestaat, je denkt niet echt dat je er ooit zult komen – ik heb dat tenminste nooit gedacht, nooit –'

Arden nam de kruiwagen van hem over. 'Kom,' zei ze.

'Nee, nee,' zei hij. Hij streed met haar om het bezit van de kruiwagen. 'Laat mij maar.'

Ze liet hem de kruiwagen nemen. Zwijgend legden ze het laatste stuk van de oprijlaan af. Er was een stenen trap die naar de voordeur leidde.

'Laat de kruiwagen hier maar staan,' zei Arden. 'Ik zet hem later wel weg. Pak uw bagage maar.'

Omar pakte zijn bagage en volgde hen door de deur.

Caroline daalde net vanuit de toren de trap af toen Arden naar boven ging. Arden hoorde haar en wachtte op de overloop.

'Wie was dat?' vroeg Caroline. 'Ik zag je met een man over de oprijlaan lopen.'

'Dat is de biograaf!' riep Arden uit. 'Degene die ons geschreven heeft.'

'Wat moet hij hier?' vroeg Caroline.

'Hij wil met ons praten. Hij wil dat we er nog eens over nadenken. Hij komt helemaal uit Kansas.'

'Heeft hij daarvoor die hele reis gemaakt?'

'Ja,' zei Arden. 'Blijkbaar.'

'Is die jongen gek?'

'Blijkbaar,' zei Arden. 'Hij heeft de nachtbus naar Ansina genomen en zich voor vijfhonderd pesos door iemand hierheen laten brengen. En hij heeft geen slaapplaats.'

'Dus hij slaapt hier?'

'In elk geval vannacht. Wat kon ik anders doen?'

'Niets, denk ik. Hij is toch niet gevaarlijk gek, hè?'

'Nee,' zei Arden. 'Hij vergist zich gewoon. Hij neemt nu een bad. Ik heb gezegd dat we rond half acht gaan eten. Moet ik Adam bellen?'

'Ja,' zei Caroline. 'Of nee, wacht. Misschien is het beter als we vanavond alleen zijn. Adam – nou ja, je kent Adam. Het lijkt me rustiger als we alleen zijn, zeker in het begin. Met Adam erbij wordt het lastig.'

'Ja,' zei Arden. 'Dat dacht ik ook al.'

'Hebben we iets fatsoenlijks te eten?'

'Ik wilde risotto maken. En aubergine uit de oven.'

'Wat is het voor iemand?' vroeg Caroline. 'Hij ziet er donker uit. Is het een Afrikaan?'

'Nee. Een Egyptenaar of zoiets, denk ik.'

'Hoe oud schat je hem?'

'O,' zei Arden. 'Dat is moeilijk te zeggen. Vijfentwintig. Dertig? Hij moet wel ten einde raad zijn om die hele reis te maken. Of gek. Ik denk dat hij een beetje in de war is.'

'Misschien is hij niet al te slim,' opperde Caroline.

'Ik denk dat hij gewoon versuft is. Het zal wel komen door zo'n hele nacht in de bus. Hij zei dat hij buiten wilde slapen! Kennelijk dacht hij dat er in de stad een hotel zou zijn. Een Holiday Inn zeker.'

'Ach, het is in elk geval een nieuw gezicht aan tafel.' Caroline begon de trap weer op te klimmen, maar draaide zich toen om. 'Laten we een behoorlijke wijn nemen vanavond. Ik ben al dat bocht zat.'

'Waar heb je zin in?'

'Wat dacht je van champagne?'

'Champagne? Krijgt hij dan geen verkeerde indruk?'

'Het kan me echt niet schelen wat voor indruk hij van ons krijgt. Het is gewoon een excuus om champagne te drinken.'

Arden wilde net de aubergine in plakken snijden toen ze boven het badwater hoorde weglopen. Ze legde haar mes neer, ging via de achtertrap naar boven en liep de gang in. De deur was dicht en ze klopte.

'Ja?' zei Omar.

'Ik ben het,' zei Arden. 'Arden Langdon.'

Ze wachtte, en een ogenblik later deed Omar open. Zijn haar was nog nat en ongekamd. Hij had een andere broek en een gestreken overhemd aan, maar liep op blote voeten. Het overhemd was niet dichtgeknoopt en liet een stukje van zijn donkere, behaarde borst bloot. Hij rook schoon en fris.

'Hallo,' zei hij. Hij had de luiken gesloten en de kamer achter hem was donker. Zijn koffer lag open op bed. Alles was netjes ingepakt, zag ze.

'Was het bad lekker? Was er genoeg warm water?'

'Ja,' zei Omar. 'Bedankt.'

'Je zult wel moe zijn. Kon je slapen in de bus?'

'Niet echt,' zei Omar. 'Maar ik voel me niet moe. Ik denk dat het door de opwinding komt. Dat ik hier ben. Ik wist niet zeker of het zou lukken. Ik was er zelfs een tijdje van overtuigd dat het niet zou lukken. Het is niet eenvoudig om hier te komen.'

'Nee,' zei Arden. 'Ik weet het.' Ze zweeg een moment. 'Ik wil graag weten waarom je bent gekomen,' zei ze. 'Sorry, ik wil niet onbeleefd zijn. Maar het is raar om je hier in

huis te hebben en eigenlijk niet te weten waarom. Ben je echt gekomen om ons op andere gedachten te brengen?'

'Ja,' zei Omar.

'Waarom?' vroeg Arden.

'Omdat ik wel moet,' zei Omar. 'Ik wil een biografie van Jules Gund schrijven. En dat kan niet zonder jullie toestemming.'

'Natuurlijk wel. Er worden voortdurend ongeautoriseerde biografieën geschreven.'

'Ja,' zei Omar. 'In theorie zou het kunnen. Maar zo simpel is het niet, weet je. Het heeft te maken met een beurs, en met de universitaire uitgeverij, en ze willen me het geld alleen geven en het boek publiceren als het geautoriseerd is.'

'O,' zei Arden. 'Ja, dat is een probleem. Geen wonder dat je gekomen bent.'

'Het spijt me dat ik jullie last bezorg,' zei Omar.

'Je bezorgt ons geen last,' zei Arden. 'Ik vind het alleen jammer dat je die hele reis hebt gemaakt. Want wij veranderen niet van gedachten. Ons besluit staat vast, vrees ik.'

Nu was het Omars beurt om 'o' te zeggen.

'Het spijt me.'

'Ik denk dat ik een heel goede biografie zou kunnen schrijven. En ik wil graag nauw met jullie samenwerken en ieders wensen respecteren. Dat wilde ik komen vertellen. Ik begrijp dat het ingewikkeld ligt en ik ben bereid om, eh, tactvol te zijn, weet je, of over bepaalde dingen te zwijgen, als je dat zou willen.'

'O, nee,' zei Arden. 'Dat we geen toestemming geven is niet omdat we censuur willen toepassen. Dat moet je niet denken. Daar gaat het helemaal niet om.'

'Waar dan om?' vroeg Omar.

'Dat mag ik echt niet zeggen,' zei Arden. 'Het spijt me dat ik zo vaag ben, maar dat moet je maar van me aannemen. Je verdoet je tijd als je denkt dat we wel van gedachten zullen veranderen. En ik wil niet dat je je tijd verdoet.'

'Maar ik heb die hele reis gemaakt,' zei Omar. 'Kan ik niet op z'n minst met jullie praten?'

'O, natuurlijk wel,' zei Arden. 'Ik zal je niet tegenhouden. Caroline eet straks met ons mee. En je kunt Adam misschien morgen spreken. Hij woont vlakbij.'

'En denken jullie allemaal hetzelfde?'

'Dat zal wel niet, want we zijn allemaal verschillend. Heel verschillend, zoals je wel zult merken. Maar over dit besluit zijn we het eens, al is het niet om dezelfde redenen.'

'O,' zei Omar.

'Het spijt me dat ik je moet teleurstellen. Maar ik wilde je geen valse hoop geven nu je hier eenmaal bent. Ik vond dat je behoorde te weten hoe de zaken staan.'

'Ja,' zei Omar. 'Dank je.'

'Dan laat ik je nu alleen zodat je je verder kunt aankleden. Sorry dat ik zomaar kwam binnenvallen.'

'Nee,' zei Omar. 'Ik waardeer het dat je met me hebt gepraat. Dat is aardig van je. Je bent anders dan ik verwachtte. Heel anders.'

'In welk opzicht?' vroeg Arden.

'Jonger. Ik ging er waarschijnlijk van uit dat alle executeurs stokoud en angstaanjagend waren.'

'O, dat hoop ik niet te zijn,' zei Arden. Ze dacht: Ik moet hem niet met me laten flirten.

'En je bent mooi,' zei Omar. 'Ik had niet verwacht dat een executeur mooi zou zijn.'

'Dus je strategie is om ons te vleien?' vroeg Arden.

'O, nee, ik ben te dom om een strategie te hebben,' zei Omar. 'Als ik een strategie had, zou ik hier niet zijn.'

Omar kleedde zich verder aan, maar het was nog te vroeg voor het eten. Hij stond bij het raam en keek door een kier in de luiken omlaag. Hij zag een waslijn waaraan een buitensporige hoeveelheid vrouwenonderkleding leek te hangen. Beha's en slipjes fladderden vrolijk in het avondlicht. Omar sloot snel het luik. Straks moest hij naar beneden en met hen dineren. En charmant zijn. Als ik hierna geen toestemming krijg, dacht hij, wat dan? Ik kan niet terug naar huis. Maar er zit niets anders op. Je moet terug. Misschien

valt het mee. Deirdre overdreef. Hij kon het geld van de beurs teruggeven. Wat er nog van over was. De rest kon hij van zijn ouders lenen, al hadden die hem nooit vergeven dat hij geen medicijnen was gaan studeren. Ze hadden hem gewaarschuwd voor de academische wereld en ze hadden gelijk. Misschien zou dat hen vriendelijk stemmen: als mensen gelijk hadden, en je gaf toe dat jij ongelijk had, waren ze geneigd met de hand over het hart te strijken. Maar hij moest het niet zo gemakkelijk opgeven. Dat Arden Langdon zei dat het zinloos was, betekende nog niet dat ze gelijk had. Misschien probeerde ze hem alleen maar af te schrikken. Het was raar dat ze zomaar naar zijn kamer was gekomen. Zij is er maar een van de drie. Misschien had ze de anderen zelfs nooit over zijn brief verteld. En natuurlijk wilde zij geen biografie. Zij was de boosdoener, de minnares, zij had Carolines man ingepikt. Of was het afgepikt?

Om half acht verscheen Omar op de binnenplaats, waar Portia de ronde tafel aan het dekken was. Afgezien van de tafel was de binnenplaats leeg en in het midden stond een fontein: een rond bassin met een overlopende urn boven op een gecanneleerde zuil.

'Hallo,' zei hij.

'Hallo,' zei Portia.

'Ik heet Omar,' zei Omar.

'Ja,' zei Portia, 'dat weet ik.'

'Mag ik je helpen?'

'Weet je hoe het moet?' vroeg Portia

'Niet echt,' zei Omar. 'Maar ik kan jouw voorbeeld volgen.'

'Het is vork, vork, mes, lepel. Het zou vork, vork, mes, lepel, lepel bovenaan zijn, maar we eten geen soep.'

'Eten jullie meestal wel soep?' vroeg Omar.

'Nee,' zei Portia. ''s Avonds niet. Jij wel?'

'Nee,' zei Omar.

'We eten elke dag soep op school,' zei Portia.

'Waar ga je naar school?'

'Het klooster van Santa Teresa. Zij was de kleine bloem van God.'

'Is dat zo?' vroeg Omar.

'Ja,' zei Portia. 'Ze dronk haar eigen sputum.'

'Waarom deed ze dat?'

'Als versterving,' zei Portia.

'O,' zei Omar.

'De lepel moet aan de buitenkant,' zei Portia. 'Vork, vork, mes, lepel.'

'O ja,' zei Omar. 'Sorry.'

'Wie is jouw lievelingsheilige?' vroeg Portia.

'Ik denk niet dat ik er een heb,' zei Omar. 'Ik hou van alle heiligen evenveel. Wie is de jouwe?'

'Sint Agnes. Ze zeggen dat er rozen en lelies uit de lucht vielen als ze aan het bidden was. Dat zou ik wel eens willen zien. Als ik bid, vraag ik God of hij iets wil laten vallen.'

'Niet iets heel groots, hoop ik.'

Portia lachte. 'Nee,' zei ze. 'Gewoon een veertje of zo.'

'En doet hij dat?'

'Eén keer viel er een beetje verf van het plafond.'

'Echt waar?' zei Omar.

'Maar er komt altijd verf naar beneden,' zei Portia. 'Hé! Waarom vouw je de servetten zo?'

'Mag dat niet?' vroeg Omar.

Portia bekeek ze even. 'Het kan er wel mee door,' zei ze.

'Moet ik ze op jouw manier vouwen?' vroeg Omar.

'Nee,' zei Portia. 'Waarom ben je hier?'

'Ik wil hier met een paar mensen praten,' zei Omar.

'Wie?'

'Je moeder en oom en…' Omar wist niet hoe hij Portia's relatie met de echtgenote moest noemen. 'En mevrouw Gund.'

'Waarover?'

'Een boek dat ik ga schrijven. Een boek dat ik wil schrijven.'

'Wat voor boek?'

'Een biografie,' zei Omar. 'Weet je wat een biografie is?'

'Ja,' zei Portia. 'Natuurlijk. Ik heb een biografie van Helen

79

Keller gelezen. Zij was blind en doofstom. Stom betekent niet dat je dom bent, maar dat je niet kan praten. Alleen grommen.' Ze gromde. 'Ga je een biografie over mijn vader schrijven?'

'Dat hoop ik,' zei Omar.

Arden verscheen met een dienblad. Er stond een fles champagne op en een aantal glazen.

'Hij heeft me geholpen met tafeldekken,' zei Portia. 'Moet je zien hoe hij de servetten heeft gevouwen.'

'Erg leuk,' zei Arden.

'Hij gaat een biografie schrijven,' zei Portia.

'O ja?' zei Arden.

'Ja,' zei Portia. 'Over Jules.'

'O ja?' zei Arden.

'Ik zei alleen dat ik dat hoop te gaan doen,' zei Omar.

'Wil je een glas champagne, Omar?' vroeg Arden.

'Champagne?' vroeg Portia. 'Waarom champagne?'

'Caroline wilde champagne. Ga jij even naar boven om te zeggen dat we aan tafel kunnen? Nu het eten klaar is en de tafel gedekt staat, mag zij haar entree maken.'

Portia ging naar binnen.

Arden keek Omar aan. 'Champagne,' zei ze. 'Ja? Nee?'

'Ja, graag,' zei Omar.

Arden schonk twee glazen champagne in en gaf er een aan Omar.

'Dank je,' zei hij.

'Ga zitten,' zei Arden.

Omar ging zitten. 'Proost,' zei hij, het glas heffend.

'Ja,' zei Arden. 'Proost.'

Ze namen allebei een slokje.

'Het is erg aardig van je dat ik hier mag logeren,' zei Omar. 'Nogmaals mijn excuses voor mijn onverwachte bezoek.'

Arden haalde haar schouders op. 'In zekere zin heb ik er bewondering voor, zoals je hier komt binnenvallen.'

Omar leek een beetje te blozen. Hij nam nog een slokje champagne.

'Er zijn niet veel mensen die op basis van zo weinig die hele reis zouden maken,' zei Arden.

'Nee,' zei Omar. 'Maar ik kon niets anders bedenken.'

'En dus heb je die hele reis gemaakt.'

'Ja,' zei Omar.

'Nou, dan vind ik dat je op z'n minst een glas champagne hebt verdiend.'

Ze zwegen een ogenblik. Omar keek rond over de binnenplaats en daarna omhoog, naar het huis dat hen omringde. 'Ik vind het huis erg mooi,' zei hij.

'Het is in verval,' zei Arden. 'Alles is natuurlijk in verval, maar hier lijkt het verval een beetje vlugger te gaan dan normaal. Vroeg of laat stort de hele zaak in, denk ik.'

'Is het erg oud?'

'Nee. Het lijkt ouder omdat het zo vervallen is. Het is gebouwd in 1935, toen Jules' ouders hier kwamen. Het schijnt een replica te zijn van hun *schloss*. Ze wilden graag vertrouwde architectuur om zich heen, dus hebben ze geprobeerd hier in de nieuwe wereld een stukje Beieren na te bouwen. Maar ik denk dat er al doende iets verloren is gegaan. Een heleboel zelfs.'

'Waarom kwamen ze hier?' vroeg Omar.

'Ze zijn gevlucht voor Hitler,' zei Arden. 'Jules' moeder was joods.'

'Ja, natuurlijk,' zei Omar. 'Dat wist ik. Ik bedoel waarom hier, waarom Uruguay, waarom deze plek?'

'O,' zei Arden. 'Jules' familie zat in de mijnbouw. Er was hier in de buurt een magnesiummijn. Zogenaamd dan. Ze kwamen onder het voorwendsel dat ze die gingen runnen. Uruguay liet hen toe omdat ze geld meebrachten en beloofden de mijn een aantal jaren open te houden en voor werkgelegenheid te zorgen. En ze hebben dit huis gebouwd, en de rivier afgedamd, en het meer aangelegd, en de gondel en vrijwel alles wat ze bezaten over zee hierheen gebracht.'

Ze zwegen een moment en toen vroeg Omar: 'Hoe ver is het naar het meer?'

'Een kilometer of vijf,' zei Arden. 'Misschien iets verder.

De weg is weggespoeld, dus je moet lopen. Er is een kortere route door het bos.'

'En is de gondel daar nog steeds?'

'Ja,' zei Arden. 'Die ligt te rotten in het botenhuis. Er is hier ergens een sleutel. Was. Dingen verdwijnen.'

'Ik zou hem graag willen zien,' zei Omar.

'Het is een afzichtelijk ding,' zei een stem achter hen. Ze draaiden zich allebei om en zagen Caroline in de deuropening staan, beeldschoon in een blauwe jurk met een zwarte zijden sjaal. Ze droeg een halssnoer van gedreven zilveren blaadjes, en ook aan haar oren hingen zilveren blaadjes. 'Of tenminste, ik vond het altijd een afzichtelijk ding,' vervolgde ze. 'Gondels zien er zo mal uit buiten Venetië.'

Omar stond op toen ze de tafel naderde. 'Hallo,' zei hij.

'Hallo,' zei Caroline. 'Ik ben Caroline Gund. Ik vrees dat ik je naam niet onthouden heb.'

'Omar Razaghi,' zei Omar. Hij gaf haar een hand. 'Aangenaam kennis te maken.'

'Je hebt ons verrast,' zei Caroline.

'Het spijt me,' zei Omar.

'O, dat hoeft niet,' zei Caroline. 'We hebben hier zo weinig verrassingen. Champagne! Nog een verrassing. Dat ziet er goed uit.'

'Jij was degene die champagne wilde,' zei Portia.

'Ja, maar het is toch een verrassing. We krijgen niet altijd wat we willen. Misschien zou u me een glas willen inschenken, meneer Razaghi.'

'Eh, ja,' zei Omar. 'Natuurlijk.'

Hij schonk een glas in en gaf het haar.

'We drinken meestal geen champagne,' zei Caroline. 'Dat je geen verkeerde indruk krijgt.'

'Het is heerlijk,' zei Omar, een beetje wezenloos.

'Ja. Als je toch champagne drinkt, kun je net zo goed de beste nemen, vind ik,' zei Caroline. 'Wat dat betreft ben ik een beetje een snob. Ik was vroeger ook zo met kleding, maar dat kan niet als je hier woont. Om de een of andere reden kun je hier voor heel weinig geld heel be-

hoorlijke champagne krijgen. Het zal wel smokkelwaar zijn. Dat is een van de voordelen als je in zo'n godverlaten, wetteloos oord leeft: er spoelen vreemde dingen aan op het strand.'

'Welk strand?' vroeg Portia.

'Ik sprak in overdrachtelijke zin,' zei Caroline. 'Helaas, *la playa* is maar al te ver weg.'

'Woon jij in Kansas?' vroeg Arden.

'Ja,' zei Omar. 'Sinds een aantal jaren. Ik ga daar promoveren. Dat is in elk geval de bedoeling. Maar of het lukt is min of meer afhankelijk van dit boek dat ik wil schrijven.'

'Heb je altijd in Kansas gewoond?' vroeg Arden.

'Nee,' zei Omar. 'Ik ben in Iran geboren. Mijn ouders zijn vertrokken toen de sjah werd afgezet. We zijn naar Canada verhuisd, naar Toronto. Daar heb ik gewoond tot ik ging studeren.'

'Iran, Canada, Kansas – waar voel je je thuis?' vroeg Caroline.

'Dat weet ik eigenlijk niet,' zei Omar. 'Tegenwoordig in Kansas, denk ik.'

'Wil je in Kansas blijven?' vroeg Caroline.

'Het is moeilijk om een baan te vinden als universitair docent,' zei Omar. 'Als ze me die aanbieden, blijf ik waarschijnlijk wel. Of ik ga ergens anders heen waar ik een baan kan krijgen.'

'Dat lijkt me een beetje vreemd: je woonplaats laten afhangen van een baan. Zo erg laat je je toch niet op je kop zitten door de realiteit?'

'Ja, ik laat me heel erg op mijn kop zitten door de realiteit,' zei Omar.

'O,' zei Caroline. 'Hoe komt dat?'

'O, dat weet ik niet,' zei Omar. 'Ik probeer gewoon, tja, wat zal ik zeggen, bepaalde dingen voor elkaar te krijgen, een basis te leggen, denk ik, en ik hoop dat ik me daarna minder op mijn kop laat zitten.'

'O, maar als je eenmaal een basis hebt, zit je er voorgoed aan vast. Het wordt een anker, een dood gewicht. Nee. Dit

is het moment om al die dingen los te laten. Nu, voor het te laat is.'

'Caroline,' zei Arden, 'zou jij me even willen helpen in de keuken?'

'Zeker,' zei Caroline. 'Al kan ik me niet voorstellen wat voor hulp ik je kan bieden.'

In de keuken zei Arden: 'Waar ben je mee bezig?'

'Wat bedoel je?' vroeg Caroline.

'Waarom flirt je met hem?'

Caroline lachte. 'Flirten? Ik heb in geen jaren geflirt. Ik ben het flirten allang verleerd.'

'Nou, het gaat je nog aardig af.'

'Ik probeer alleen aardig te zijn. We kunnen net zo goed aardig zijn nu hij hier is. Hij is zo aandoenlijk, helemaal uit Kansas gekomen. Ik probeer gewoon vriendelijk te zijn tegen die arme jongen. En tenslotte heb jij hem hier uitgenodigd.'

'Ik heb hem niet uitgenodigd! Ik heb hem geschreven dat we niet akkoord gingen. Hij kwam gewoon ineens opduiken. Wat moest ik dan doen?'

'Precies wat je gedaan hebt. Het is leuk om een nieuw gezicht aan tafel te hebben. En het is wel een interessant gezicht, vind je niet?'

'Dat was me niet opgevallen,' zei Arden.

'Nee? Nou ja. En waar kan ik je mee helpen?'

'Wat?'

'Je zei dat je mijn hulp nodig had in de keuken,' bracht Caroline haar in herinnering.

'O,' zei Arden. 'Ik wilde alleen met je praten. Je waarschuwen. We moeten oppassen, vind ik. Als we te aardig doen, zal hij denken dat we van gedachten zijn veranderd.'

'Ik kan aardig doen zonder van gedachten te veranderen,' zei Caroline. 'Als hij denkt dat ik van gedachten ben veranderd alleen omdat ik aardig doe, is dat zijn probleem.'

'Ja, maar het zou gemeen zijn om hem te misleiden.'

'Nou, doe jij dan onaardig. Dat hoeven we toch niet alle-

bei te doen? Verdient hij niet een paar vriendelijke woorden na zo'n lange reis?'

'Ik bedoel niet dat je onaardig moet doen,' zei Arden.

'Wat bedoel je dan?'

'Ik bedoel een beetje minder charmant.'

'Waarom?'

'O, laat maar! Doe maar wat je wilt! Maar deze keer zul jij nee tegen hem moeten zeggen. Ik heb de brief geschreven. Dat was al moeilijk genoeg. Ik weiger dat nog eens te doen. Jij mag het hem in zijn gezicht zeggen. Hij zei dat hij niet kan promoveren als hij het boek niet schrijft. Hoorde je dat?'

'Ja,' zei Caroline. 'En ik denk dat we hem een grote dienst bewijzen. Het laatste wat hij nodig heeft is promoveren. Dan is hij veroordeeld tot een ellendig leven in Kansas.'

'Nou, het is zijn leven. Hij moet zelf maar bepalen waar en hoe hij wil leven.'

'Dus je bent van gedachten veranderd? Is dat het?'

'Nee, ik ben niet van gedachten veranderd. En juist daarom vind ik dat we niet de indruk moeten wekken dat we ons laten ompraten... Ik voel dat hij weer hoop krijgt. Ik vind de champagne een vergissing.'

'Champagne is nooit een vergissing,' zei Caroline.

Arden kwam terug met de risotto en de aubergines en een brood. Caroline bracht een tweede fles champagne mee.

'Heb je genoten van je verblijf in Montevideo?' vroeg ze aan Omar, toen ze begonnen te eten.

'Ik ben er niet zo lang geweest,' zei Omar. 'Twee dagen maar. En ik was voornamelijk bezig met uitzoeken hoe ik hier moest komen. Het viel niet mee, met mijn Spaans. Ik heb het grootste deel van de tijd in Montevideo doorgebracht op het bus- en treinstation. Tevergeefs.'

'Dat klinkt erg onaantrekkelijk,' zei Caroline.

'Het was net een droom,' zei Omar. 'Een nachtmerrie, kan ik beter zeggen. Deze hele reis is net een droom. Ik kan

nog steeds niet geloven dat ik hier ben. Ik voel niet dat ik hier ben.'

'Waar ben je dan voor je gevoel?' vroeg Arden.

'Ik weet het niet. Nergens. Ik voel me een beetje raar, alsof ik zweef. Misschien omdat ik vannacht niet geslapen heb. Ik heb hoe dan ook niet veel geslapen sinds ik hier ben.'

'Je zult wel moe zijn,' zei Arden.

'Nee,' zei Omar. 'Eerst wel, toen ik vanmiddag aankwam was ik uitgeput. Maar nu ben ik helemaal niet moe.' Hij keek omhoog naar de lucht. 'Het is hier zo mooi. Kijk, al die sterren.'

Ze keken allemaal omhoog.

'Daar is het Zuiderkruis,' zei Portia.

'Ja,' zei Omar. 'Jullie schijnen hier meer sterren te hebben.'

'Dat komt omdat het zo donker is,' zei Caroline. 'Je ziet ze beter. En wij zitten er in deze tijd van het jaar misschien iets dichter bij dan jullie normaal in Kansas.' Ze pakte haar sjaal van de leuning van haar stoel en sloeg hem om haar schouders.

'Zuster Julian zegt dat sterren de ogen van engelen zijn,' zei Portia.

'Misschien is dat wel zo,' zei Caroline. 'De engelen drukken hun gezicht tegen het zwarte raam van de nacht en kijken op ons neer. Kijken ze verlangend? Of bezorgd? Of lachen ze ons gewoon uit? Ik vraag het me af.'

Arden bracht Portia naar bed en ging daarna terug naar de keuken om af te wassen. De vaat stond opgestapeld in de diepe gootsteen. Ze keek er een tijdje naar, alsof het een kunstwerk was in een huishoudelijk museum. Ze had te veel champagne gedronken en voelde zich uitgeput. Ze ging zitten en liet haar hoofd op de tafel rusten, haar voorhoofd tegen haar onderarm gedrukt. O, dacht ze. Nu gaat er iets mis.

Caroline zat nog een hele tijd in haar studio naar haar versie van de *Madonna van de weide* te kijken. Soms doe je dingen die je niet begrijpt. Waarom gedroeg ik me zo tijdens het eten? Waarom droeg ik het halssnoer van gedreven zilveren blaadjes dat Jules voor me had meegebracht uit Mexico?

Het lijkt niet op een weide, vind ik.

Ze ging naar het raam. Ze zag het licht vaag door de luiken van Omars raam schijnen.

Hij is nog wakker. Hij is van zo ver gekomen en kan niet slapen. Waarom windt een verre reis ons op? Heeft het te maken met wat we achterlaten of met wat we aantreffen?

Maar ze vergiste zich: Omar was niet wakker. Hij was gewoon in slaap gevallen met het licht aan.

HOOFDSTUK ZEVEN

Omar werd de volgende ochtend pas laat wakker. De luid tikkende wekker op het nachtkastje beweerde dat het 10.20 uur was. Het huis was stil op een manier die deed vermoeden dat er niemand was – sterker nog, de stilte deed vermoeden dat de aarde was ontruimd terwijl Omar sliep. In de keuken vond hij een teken van leven, hoewel niet het leven zelf: een brood, een pot jam en een schaaltje honing waren op zo'n manier op tafel gezet dat het duidelijk was dat ze tot zijn beschikking stonden. Het brood was een beetje oudbakken, maar de jam en de honing waren heerlijk en wekten bij Omar een razende eetlust op, want de avond tevoren had hij, van de zenuwen en uit beleefdheid, bedankt voor een tweede portie risotto. Omdat toch niemand hem kon zien smeerde Omar beurtelings dikke lagen jam en honing op sneden brood. De honing was donker en geurig en merkwaardig pittig. De jam was van kersen gemaakt en er zaten een paar pitten in. Toen hij zijn bord afspoelde in de gootsteen zag hij een briefje op het aanrecht:

Beste Omar,

Ik ben in de moestuin, dat is vanaf de binnenplaats het grindpad af, achter de oleanderhaag. Caroline is boven in haar studio. Het is misschien het beste als je naar me toe komt.
Arden

Waarom, vroeg hij zich af, was dat het beste? En betekende het dat hij moest gaan, of alleen als hij zin had in gezelschap? Ik zal er maar niet te lang over nadenken, dacht Omar. Ik ga gewoon naar haar toe, zoals een normaal mens zou doen na het lezen van dit briefje. Ik zal me zo lang als ik maar enigszins kan als een normaal mens gedragen.

Hij opende de keukendeur en stapte de binnenplaats op.

De tafel waaraan ze de avond tevoren hadden gegeten was afgeruimd, maar het tafelkleed lag er nog, bespikkeld met vage vlekken. Een van de champignonvormige champagnekurken lag moederziel alleen op het linnen. Omar pakte de kurk en liet hem in zijn broekzak glijden. Die houd ik, dacht hij, als aandenken aan mijn eerste avond in Ochos Rios.

De oleanderhaag was duidelijk te zien toen hij van de binnenplaats kwam. Hij liep over het grindpad door een geometrische tuin die was verwaarloosd en daardoor zijn geometrische karakter had verloren: bloemen en onkruid tierden welig in de vakken tussen de overwoekerde miniatuurligusterheggen. Deze tuin werd begrensd door een dichte oleanderhaag waarin een poort was uitgehakt, het evenbeeld van de poort in de muur van de binnenplaats. Omar liep door deze tweede poort en ontdekte een grote moestuin, die was omheind met dun kippengaas. Arden Langdon zat op haar hurken midden in de tuin; ze droeg een kakibroek, een verschoten bloesje met een madrasruit en een breedgerande strohoed. Ze was op blote voeten. Omar bleef net buiten de omheining staan en sloeg haar gade. Ze schuifelde langzaam op haar hurken langs de rij en trok voorzichtig al het onkruid uit, schudde de aarde van de wortels en gooide het in een metalen emmer die ze voor zich uit duwde. Ze kwam aan het eind van de rij en stond op, zette haar handen op haar heupen en kromde haar rug. Toen zag ze Omar.

'Goedemorgen,' zei ze. 'Dus je bent opgestaan.'

'Ja,' zei Omar. 'Goedemorgen.'

'Heb je het brood en de jam gevonden?'

'Ja,' zei Omar. 'Bedankt. Het was heerlijk.'

'Ik hoop dat het genoeg was.'

'Meer dan genoeg,' zei Omar.

Ze liep langs de rij die ze zojuist had gewied en kwam bij hem staan, net binnen de omheining. 'Heb je goed geslapen?' vroeg ze. Haar gezicht was een beetje vuil en het haar bij haar slapen was vochtig. Ze rook naar aarde.

'Geweldig,' zei Omar.

'Mooi zo,' zei ze. Ze glimlachte en raakte met de buitenkant van haar pols haar slaap aan. 'Je mag wel binnenkomen als je wilt. Daar is een hek.' Ze wees. 'Ben je geïnteresseerd in tuinen?'

'Nou, zelf tuinier ik niet,' zei Omar. 'Maar ik heb altijd wel een zwak gehad voor tuinen.' Hij liep om en probeerde het hek open te doen, maar dat lukte niet. Het zat blijkbaar op slot, of het klemde.

'Je moet de beugel omlaaghouden en de klink optillen en duwen,' zei Arden. 'Je moet kracht zetten.'

Na een beetje geworstel ging het hek open en stapte Omar de tuin in. 'Wat een enorme tuin,' zei hij. 'Houd je die helemaal zelf bij?'

'Nee,' zei Arden. 'Pete helpt me.'

Omar keek blijkbaar verbaasd, want ze voegde eraan toe: 'Pete is Adams partner. Zijn geliefde, moet ik zeggen. Adam is de broer van Jules.'

'En ze wonen hier in de buurt, zei je.'

'Ja,' zei Arden. 'Een eindje verderop. Je bent op weg hierheen langs hun huis gekomen. Het is dat ronde, stenen gebouw. Het was vroeger een molen.'

'Ik heb niet goed opgelet, vrees ik. Ik zat te dutten. Ik zal wel een wezenloze indruk hebben gemaakt toen ik aankwam.'

Arden schudde haar hoofd.

'Ik had niet gedacht dat ik al zo vlug iemand tegen zou komen – een van jullie, bedoel ik. Ik had gehoopt dat ik weer helemaal bij mijn positieven zou zijn voor ik jullie ontmoette. Maar daar stond je.'

'Ja,' zei Arden. 'Daar stond ik.' Ze zocht tussen het onkruid in de emmer, alsof ze iets kwijt was, of alsof een deel bij nader inzien toch geen onkruid was en moest worden teruggezet in de grond.

'Misschien kan ik helpen,' zei Omar. 'Nu, met de tuin. Ik denk dat het me wel lukt om het onkruid uit te trekken en je planten te sparen.'

Arden lachte. 'Je bent veel te netjes gekleed om in de tuin te werken,' zei ze. 'En bovendien, ik ben toe aan een pauze. Je hebt nog geen koffie gehad, hè? Of heb je zelf gezet?'

'Nee,' zei Omar.

'Kom dan maar mee,' zei Arden. Ze zette de emmer neer. 'We gaan koffiedrinken, als je zin hebt.'

Ze zaten aan de keukentafel en dronken hun koffie.

'Hoe ben je geïnteresseerd geraakt in Jules' werk?' vroeg Arden.

'Ik volgde een college over literatuur van de diaspora en toen las ik *De gondel.*'

'Aha.'

'Het boek sprak me erg aan. Misschien door mijn eigen achtergrond – op jonge leeftijd uit Iran vertrokken, naar Canada verhuisd... ik weet het niet. Het is een prachtig boek. Het heeft me heel diep geraakt. Ik weet dat het sentimenteel klinkt, maar zo is het.'

'Ja,' zei Arden.

'De andere boeken deden me niet zoveel. De mildheid van *De gondel* sprak me aan. De elegantie. Om zo ver te komen, om zoveel mee te brengen, en dan toch getraumatiseerd te zijn, geestelijk beschadigd...'

'Ja,' zei Arden weer, een beetje vaag, alsof ze in trance was.

'Zodoende,' zei Omar, 'raakte ik geïnteresseerd in Jules Gund. Ik wilde meer lezen, van hem en over hem. Maar er was niets. Ik kon in elk geval niets vinden. De vrouw die het college over de diaspora gaf was mijn scriptiebegeleidster. Zij moedigde me aan om me in Gund te verdiepen. En daarom ben ik hier.'

Arden dronk van haar koffie. Hij was een beetje bitter. 'Gebruik je suiker?' vroeg ze. 'Sorry, ik vergat het te vragen. Of room?'

'Nee,' zei Omar. 'Ik houd van zwarte koffie.'

'Hij is bitter,' zei Arden.

Omar zei niets.

'Het is vreemd dat je hier bent,' zei ze na een ogenblik. 'Ik bedoel niet alleen de verrassing dat je ineens kwam opduiken.'

'Wat bedoel je dan?' vroeg Omar.

'Ik weet niet of ik het kan uitleggen,' zei Arden. Ze hield haar handen tegen elkaar, de vingers gesloten, alsof ze ging bidden, en daarna wreef ze ze zachtjes langs elkaar. 'Ik vind het gewoon vreemd... het zal wel komen omdat ik zo weinig mensen ontmoet. Als ik dan iemand ontmoet, zoals nu, dan denk ik: Hoe is dit gebeurd? Waarom?'

'Maar je weet waarom ik hier ben,' zei Omar.

'Ja, natuurlijk,' zei Arden. Ze had bijna gezegd: Ik weet waarom je hier bent voor jezelf, maar ik weet niet waarom je hier bent voor mij.

'Ik vraag me af of...' begon Omar aarzelend.

'Wat?'

'Gisteravond, toen je naar mijn kamer kwam, zei je dat er geen kans was dat je van gedachten zou veranderen. Ik vraag me af of je er nog steeds zo over denkt.'

'Ja,' zei Arden. 'Waarschijnlijk wel.'

'Maar het is niet zeker?'

'Ik weet het niet,' zei Arden. 'Ik wil je graag helpen. Echt. Maar wat jij wilt, dat is nu net het enige – het is een ingewikkelde zaak voor ons allemaal: Jules' leven. Want kijk, ook al is hij nu drie jaar dood, op een bepaalde manier zijn we allemaal nog erg met hem bezig. Ik denk niet dat we al bereid zijn hem los te laten. En dat is eigenlijk wat jij vraagt.'

'Dat vraag ik helemaal niet,' zei Omar.

'Dat weet ik wel. Ik bedoel, met mijn verstand weet ik dat. Maar je moet begrijpen – of misschien kun je dat niet – wat je gevoelsmatig van ons vraagt.'

Omar keek zorgelijk, maar zei niets. Hij nam een slokje koffie. Het was bitter.

'Ik dacht erover om zelf een biografie te schrijven,' zei Arden.

'Over Jules?'

'Ja.'

'Wanneer?'

'Kortgeleden. Door jou. Nadat we ons besluit genomen hadden, dacht ik: Waarom schrijf ik eigenlijk zelf geen biografie? Het leek me niet zo moeilijk. Ik ben zelfs notitiekaartjes gaan kopen. Op elk kaartje schreef ik iets wat ik wist over Jules, één feit per kaartje, en ik was van plan om ze gewoon chronologisch te ordenen en de feiten nader uit te werken. En dan de lege plekken in te vullen.'

'Juist,' zei Omar. 'Dus daarom wil je niet dat ik een biografie schrijf.'

Arden lachte. 'Nee!' zei ze. 'Zo is het helemaal niet. Ik heb het plan om zelf een biografie te schrijven opgegeven. Al heel gauw.'

'Waarom?'

'Er waren te veel lege plekken,' zei ze. 'Daar schrok ik eigenlijk van. Ik ben gestopt uit angst.'

'Angst waarvoor?'

'Angst voor wat ik niet wist over Jules.'

'Waarom schrok je daarvan?'

Ze keek hem aan. Ze schudde haar hoofd. Na een moment zei ze: 'Misschien moet ik hier niet met jou over praten.'

'O,' zei Omar.

'Gezien de omstandigheden lijkt het me niet goed.'

'Ja,' zei hij. 'Natuurlijk. Het spijt me.'

'Nee,' zei ze. 'Dat hoeft niet. Ik begon erover. Ik weet niet waarom. Het spijt mij.'

Ze dronken even van hun koffie, en toen zei Omar: 'Ik vraag me af of ik een keer – nou ja, op een geschikt moment, misschien met jullie alle drie zou kunnen praten: met jou en mevrouw Gund en meneer Gund.'

'Natuurlijk,' zei ze. 'Ik zal Adam vanavond te eten vragen. Dan kun je met ons praten. Voor wat het waard is.'

'Het is gênant om zo afhankelijk te zijn van je gastvrijheid,' zei Omar. 'Misschien kan ik jullie mee uit eten ne-

men. Is er een leuk restaurant in de buurt?' Hij dacht: Zo duur kan het niet zijn, een restaurant in dit deel van Uruguay. Maar zou hij met een creditcard kunnen betalen? Had hij genoeg cash? Hij was zoveel geld kwijtgeraakt aan de man die hem hierheen had gebracht.

'Ik vrees dat er hier in de omgeving niet veel behoorlijke restaurants zijn,' zei Arden. 'Culinair gesproken is dit een beetje een achtergebleven gebied. En je moet je geld niet aan ons uitgeven.'

'Alsjeblieft,' zei Omar. 'Ik wil het graag. Je bent zo aardig geweest, ik mag hier logeren, en ik krijg te eten.'

'O, ja!' Arden lachte. 'Oudbakken brood en bittere koffie! Net als in de gevangenis!'

'En champagne en jam en honing, en die heerlijke risotto gisteravond. Alsjeblieft: ik wil jullie graag mee uit eten nemen.'

'Nou, ik zal Adam bellen. Hij heeft soms erg veel last van pleinvrees. Andere keren gaat hij graag uit. We zullen zien in wat voor stemming hij is. Hij gaat niet naar een restaurant tenzij hij het wil.'

'Nou, ik hoop dat hij ja zegt,' zei Omar. 'En zijn gelie– zijn partner moet ook meekomen, als we gaan.'

'Ik zal ze bellen,' zei Arden. 'Nu moet je misschien maar even naar Caroline gaan. Ik denk dat ze met je wil praten. Ze is in haar studio. Wist je dat ze schildert?'

'Nee,' zei Omar. 'Ik weet helaas maar heel weinig over jullie.'

'Nou, dat is een geruststellende gedachte,' zei Arden.

'Schildert Caroline?'

'Ja. Blijkbaar heeft ze veel talent. Of dat had ze vroeger, is me verteld. Maar ze is op de een of andere manier haar zelfvertrouwen kwijtgeraakt en nu schildert ze alleen nog dingen na.'

'Wat bedoel je?'

'Ze maakt kopieën van schilderijen. Het gaat niet meer om haar, om haar kunst. Ze heeft zich eruit teruggetrokken.'

'Waarom?' vroeg Omar.

'Dat weet ik niet,' zei Arden. 'Misschien moet je dat aan haar vragen.'

Er was een speciale trap die naar Carolines studio op de zolder leidde. Omar stak de binnenplaats over, opende de deur die Arden had aangewezen en liep met angst en beven de trap op. Hij bleef even voor de dichte deur staan voordat hij aanklopte.

'Ja,' riep een stem.

'Ik ben het, Omar Razaghi,' zei Omar.

'*Entrez*,' zei Caroline.

Omar deed de deur open en stapte naar binnen. De kamer was heel anders dan hij had verwacht: groot en licht. Caroline zat aan de kant van de ramen, in een gammele rieten stoel. Een groot boek met schilderijen lag open op haar schoot. 'Hallo,' zei ze. 'Kom, ga zitten.'

Omar ging in de stoel zitten die ze aanwees.

'Sorry, ik kan je hier niets aanbieden. Of je moet zin hebben in een whisky?'

'Nee, dank u,' zei Omar.

'Ja, daar is het nog een beetje te vroeg voor, hè?'

Dat vond Omar ook.

Caroline sloot het boek: *De tekeningen van Alberto Giacometti*. 'Weet je iets van schilderen?' vroeg ze na een korte stilte.

'Nee,' zei Omar. 'Helaas niet. Ik houd erg van schilderijen, maar ik weet niet veel van kunst.'

'Van wat voor schilderijen houd je?' vroeg Caroline.

Omar keek de kamer rond, alsof hij een schilderij hoopte te zien dat in die categorie viel. Het enige wat hij zag waren een heleboel doeken die omgekeerd tegen de muur stonden, en een dat op een ezel stond: een Maria in een blauw gewaad met een kindje Jezus. Gek, dacht hij, als je zo'n schilderij ziet denk je nooit: O, dat is een moeder met een kind op schoot; je weet altijd dat het Maria en Jezus zijn. Hij keek Caroline aan: 'Ik houd van de impressionisten –

Monet en Cézanne en Van Gogh. Maar misschien waren dat niet allemaal impressionisten.'

'Wat spreekt je zo aan in Monet en Cézanne en Van Gogh?'

'Ik vind hun schilderijen mooi,' zei Omar. 'Ik denk dat zij iets hebben ontdekt dat alleen met een schilderij kan, en niet op een andere manier.'

'En wat is dat? Wat kan alleen met een schilderij en niet op een andere manier?'

'Ik weet het niet,' zei Omar. 'Een plaats en een tijd vastleggen, een moment, maar dan op een persoonlijke, subjectieve, indringende manier. Het gaat om verf, maar niet alleen om verf. Abstracte kunst begrijp ik eigenlijk niet.'

'En dat is volgens jou wat een schilderij doet: een plaats en tijd vastleggen?'

'Nee,' zei Omar. 'Ik bedoel, ik weet het eigenlijk niet. Ik denk dat de impressionisten – als zij impressionisten waren – dat deden. Maar een schilderij kan veel meer, denk ik. Het spijt me, ik kan er eigenlijk niets zinnigs over zeggen. Het is niet mijn terrein.'

'Nee,' zei Caroline. 'Je zegt heel zinnige dingen. Natuurlijk kun je er iets over zeggen. Het valt me vaker op: die aarzeling van mensen om te praten over iets buiten hun eigen terrein. Die voorzichtigheid. Het maakt alles zo saai. Dat was vroeger anders. Vroeger praatten mensen over alles wat ze maar wilden.'

'Je wordt een beetje kopschuw in de academische wereld,' zei Omar. 'Je kunt problemen krijgen als je de verkeerde dingen zegt, als je het mis hebt.'

'Nou, mij bevalt het wel wat je te zeggen had over Monet en Cézanne en Van Gogh. Ik ben het met je eens: ze hebben inderdaad iets ontdekt, elk op zijn eigen manier.'

'Waren zij impressionisten?' vroeg Omar.

'Voor zover jij dat hoeft te weten, ja,' zei Caroline.

Ze stond op, legde het grote boek op de grond, liep naar de ramen en keek naar buiten. Ze zaten hoog, merkte

Omar: door de ramen zag je de boomtoppen, de groene, schuin aflopende, glanzende sparrentakken.

Terwijl ze uit het raam bleef kijken vroeg Caroline: 'Wat weet je over mij?'

'Wat?'

Ze draaide zich naar hem om. 'Wat weet je over mij? Ik voel me in het nadeel. Ik wil wel met je omgaan, maar dan op voet van gelijkheid. Wat weet je over mij?'

'Heel weinig,' zei Omar. 'Ik weet dat u met Jules Gund was getrouwd. Dat u een Française bent. Dat u schildert. Dat heb ik net ontdekt.' Hij keek naar haar. Zij keek weer uit het raam. Hij kon haar gezicht niet zien.

'Ik ben meer dan dat,' zei ze.

'Ja,' zei hij. 'Natuurlijk.'

'Door jouw komst,' zei ze, 'door jouw wens om een biografie van Jules te schrijven, moet ik daaraan denken.'

'Waaraan?' vroeg Omar.

'Aan wie ik ben.' Ze wendde zich af van het raam. 'Hoe ik zou overkomen als er een biografie van Jules werd geschreven. Stel dat jij een biografie van Jules zou schrijven. Wie zou ik dan zijn? Een gestoorde Française die met Jules Gund was getrouwd en die nu op een zolderkamer aan het schilderen is.'

'U bent niet gestoord,' zei Omar, al leek ze op dat moment wel een beetje gestoord: haar lichaam was op een onnatuurlijke manier gespannen, en het licht om haar heen leek te exploderen. Maar misschien lag dat aan hem. Hij voelde dat hij zweette. Voor het eerst sinds hij in Uruguay was, voelde hij zich echt, daadwerkelijk aanwezig. Gisteravond leek een droom.

'O nee?' vroeg ze, met een wilde, onnatuurlijke lach. 'Wat doe ik hier dan, als ik niet gestoord ben?'

'Ik kan u niet helemaal volgen,' zei Omar.

'Kun je me niet volgen?'

'Nee,' zei Omar. 'Ik geloof het niet.'

'Hoe denk je over het huwelijk?'

'Het huwelijk?' zei Omar. 'Wat bedoelt u?'

'Wat vind je van het huwelijk? Als instituut? Geloof je in eeuwige trouw? Monogamie? Echtscheiding? Denk je dat mannen van nature promiscue zijn?'

'Ik heb over al die dingen nooit zo nagedacht,' zei Omar. 'Ik weet niet goed wat ik ervan vind.'

'Ik heb daar zo'n hekel aan!' zei Caroline. 'Niemand weet wat hij ergens van vindt. Je bent gewoon bang om voor je mening uit te komen.'

'Ja,' zei Omar. 'Misschien is dat het.'

'Niet bang zijn. Ik wil het weten.'

'Waarom?' vroeg Omar.

'Als jij een biografie over mijn man gaat schrijven, moet ik weten wat je van bepaalde dingen vindt.'

'Zoals het huwelijk?'

'Ja,' zei Caroline.

Omar zei niets.

'Ben je getrouwd?' vroeg ze.

'Nee,' zei Omar.

'Ben je homoseksueel?'

'Nee,' zei Omar.

'Dus we mogen concluderen dat je een ongetrouwde heteroseksueel bent?'

'Ja,' zei Omar. 'Dat mogen we concluderen.'

'Heb je een relatie?'

'Ja,' zei Omar. 'Ik denk het wel.'

'Je denkt het? Je weet het niet zeker? Dat klinkt niet erg romantisch.'

'Nee, ik weet het zeker. Maar waarom wilt u dat weten?'

'Omdat ik niet zou willen dat de persoon die de biografie van Jules Gund schrijft iemand is die nooit verliefd is geweest. Of, nog erger, iemand die niet wil toegeven dat hij verliefd is, of ooit verliefd is geweest.'

'Maar ik dacht dat ik de biografie niet ging schrijven.'

'Ja. Dat klopt.'

Wat zou Deirdre doen, vroeg Omar zich af, als ze met zo'n krankzinnige ondervraging te maken kreeg? Hij had een visioen van Deirdre die Caroline een duw of een klap

gaf. Niet dat Deirdre geneigd was tot geweld: het was gewoon een visioen dat hij had. Misschien omdat hij Caroline graag een duw of klap wilde geven? Nee. Maar hij voelde zich wel raar.

Ze zwegen allebei een moment.

Toen zei Caroline: 'Ik vraag je nogmaals: heb je een relatie?'

'Ja,' zei Omar. 'Ik heb een relatie.'

'Ik ben blij het te horen,' zei Caroline.

'Nou, ik ben blij dat ik iets heb gedaan dat u plezier doet.'

Caroline glimlachte. 'Het is een vrouw, neem ik aan, met wie je een relatie hebt?'

'Ja,' zei Omar. 'Het is een vrouw.'

'Hoe lang ken je haar?'

'Iets meer dan twee jaar,' zei Omar.

'Voel je je ongemakkelijk?'

'Ja,' zei Omar.

'Waarom?'

'Ik weet het niet. Het is iets persoonlijks, lijkt me –'

'Juist ja. Jij mag hier komen en ons ontelbare persoonlijke vragen stellen – neem me niet kwalijk als ik het verkeerd zie, maar zo wordt volgens mij een biografie geschreven – en wij mogen jou niets vragen? Werkt het zo?'

'Ik zei niet dat u me geen vragen mocht stellen. Ik zei alleen dat ik me ongemakkelijk voel. En als ik geen toestemming krijg zal ik u trouwens ook geen vragen stellen.'

Caroline keek hem aan. 'Ik vind het een beetje moeilijk te geloven.'

'Wat?'

'Dat je verliefd bent, of dat ooit bent geweest.'

'Ik heb een vriendin,' zei Omar. 'Ze heet Deirdre. We zijn twee jaar bij elkaar. Zonder haar zou ik niet zijn waar ik nu ben.'

'Bedoel je in figuurlijke zin, of hier in Uruguay?'

'Hier in Uruguay.' Allebei, dacht hij.

'Waarom niet?'

'Dan had ik de moed opgegeven,' zei Omar. 'Dan had ik me neergelegd bij uw besluit.'

'Dus Deirdre heeft je overgehaald. Heeft zij je aangespoord hiernaartoe te komen en ons te overtuigen?'

'Ja,' zei Omar.

'En als je er niet in slaagt ons te overtuigen, als je terugkomt zonder toestemming, wat zal ze dan denken?'

'Dat weet ik niet,' zei Omar.

'Zal ze denken dat je gefaald hebt?' vroeg Caroline.

'Ik weet het niet,' zei Omar.

'Ik begrijp wel dat je het niet weet!' riep Caroline uit. 'Natuurlijk weet je het niet. Je kunt toch geen gedachten lezen? Ik vroeg wat je denkt. Wat denk je dat zij zal denken?'

'Ik denk dat zij zal denken dat ik gefaald heb,' zei Omar. 'En daar heeft ze dan gelijk in.'

'Soms is het goed om te falen,' zei Caroline. 'Je hebt het geprobeerd, maar het is mislukt. Dat is echt geen schande.'

'Dat zal wel niet,' zei Omar, 'maar het is toch een mislukking. En Deirdre bekijkt zoiets minder filosofisch dan u.'

'Aha. Is ze een praktische vrouw?'

'Ja,' zei Omar. 'Ze is, naast andere dingen, een erg praktische vrouw.'

'En jij bent dat niet? Of misschien toch wel?'

'Een praktische vrouw? Nee, dat ben ik niet.'

'Ben je een praktische man? Me dunkt dat je, om een biografie te schrijven, praktisch ingesteld moet zijn.'

'Het zal zeker helpen,' zei Omar. 'Ik heb me voorgenomen om praktisch te worden.'

'Wat klinkt dat saai: ernaar streven om praktisch te zijn.'

'Het is een voornemen, geen streven.'

'Wat is dan je streven?'

'Mijn streven is om een biografie van Jules Gund te schrijven,' zei hij. 'Mijn streven is het schrijven van een nieuw soort biografie.'

'Hoezo nieuw?'

Omar haalde diep adem. Hij had het gevoel dat het er nu op aankwam. 'Ik ben van plan het idee van objectiviteit te laten varen,' verklaarde hij, alsof hij wist waar hij het over had. 'De objectieve biografie is een mythe. Ik wil een biografie schrijven die de subjectiviteit hoog in het vaandel heeft. In biografisch opzicht bestaat Jules Gund niet. Er is niet één unieke, authentieke Jules Gund. En zeker geen "geautoriseerde" Jules Gund. Wat wel bestaat is uw Jules Gund. En die van mevrouw Langdon. En die van mij.'

'En in jouw biografie zouden die allemaal aan de orde komen?'

'Ja,' zei Omar. 'Dat is in elk geval mijn streven. Een waarheidsgetrouwer verhaal dankzij, en niet ondanks, het subjectieve karakter. Biografie is bedrog.'

'Ja,' zei Caroline. 'Ik begrijp wat je bedoelt.'

'Het spijt me,' zei Omar.

'Spijten? Wat spijt je?'

'Dat ik tegen u zit te oreren. Vreemd, want normaal doe ik dat niet. Zelfs niet als het van me verwacht wordt. Ik dacht alleen dat als u wist wat voor boek ik van plan was te schrijven, of althans hoopte te schrijven, met uw medewerking, dat u dan misschien op uw besluit zou terugkomen. Ik ben niet van plan het leven van Jules Gund uit te buiten of te kapen voor mijn eigen doeleinden.'

'Het is interessant wat je voorstelt. Maar het klinkt niet erg wetenschappelijk. Zal de universiteit zo'n project steunen?'

'O ja,' haastte Omar zich haar te verzekeren. 'Hoe gekker je bent, hoe liever het ze is. Je moet iets doen dat niemand anders begrijpt – dan kunnen ze je niet aanvallen. Als ze het niet begrijpen, denken ze dat er een kans bestaat dat het briljant is en houden ze hun mond.'

'En is dit altijd jouw benadering van een biografie geweest? Ik kan me niet herinneren dat je het zo geformuleerd had in je brief aan ons. Toen leek je een meer traditionele aanpak voor te staan.'

'Ja,' zei Omar. 'U heeft gelijk. Pas sinds ik hier ben en u heb ontmoet, en mevrouw Langdon –'

'Noem haar toch niet steeds mevrouw Langdon! Ze heet Arden. En ik heet Caroline. Mevrouw Langdon klinkt zo plechtig.'

'Ja,' zei Omar. 'Nou ja, pas sinds ik u en Arden heb ontmoet, begrijp ik hoe het zit.'

'Dus we spreken over een recent inzicht?'

'Ja,' zei Omar. 'Heel recent. Ik kwam hier met het idee om een gewone wetenschappelijke biografie te schrijven, maar ik begrijp nu dat dat onmogelijk is, smakeloos zelfs.'

Er werd op de deur geklopt. *'Entrez,'* zei Caroline.

De deur ging open en in het halletje stond Arden. 'Sorry dat ik stoor,' zei ze, 'maar ik heb Adam net gesproken.'

'Wat wil hij?'

'Hij heeft Omar uitgenodigd om bij hem en Pete te komen lunchen. En Caroline, Omar heeft aangeboden ons vanavond mee uit eten te nemen, jou en mij en Adam en Pete. Adam heeft de uitnodiging aangenomen. En jij?'

'Uit eten gaan lijkt me prima, maar niet op Omars kosten. Zolang hij hier is, is hij onze gast –'

'Nee, alstublieft, ik sta erop,' zei Omar. 'Ik zou het erg fijn vinden om jullie mee uit eten te nemen, echt. Gun me dat nou! Ik sta erop.'

'Adam stelde Federico's voor,' zei Arden. 'Ik hoop dat je van Italiaans eten houdt,' zei ze tegen Omar.

Omar zei ja.

'Het was Jules' favoriete restaurant,' zei Arden. 'Het is een eindje rijden, maar zoals ik al zei, er zijn eigenlijk geen behoorlijke restaurants in de buurt.'

'Er is zelfs geen buurt,' zei Caroline.

'Enfin, Adam verwacht je. Om twaalf uur, zei hij. Wil je met de auto of ga je lopen? Het is maar iets van anderhalve kilometer.'

'Ik wil graag lopen,' zei Omar. 'Als jij me de weg wijst.'

'Het is alsmaar rechtdoor,' zei Arden. Ze richtte zich tot Caroline. 'Even over vanavond. Zal ik reserveren voor acht uur?'

'Ik betwijfel of het nodig is om te reserveren,' zei Caroline.

'Nou ja, gewoon voor de zekerheid. Is acht uur wat jou betreft oké?'

'Ja, acht uur is prima. Ik zou nu maar gaan, Omar, als Adam je om twaalf uur verwacht. Je moet hem niet laten wachten.'

'Nee,' zei Omar.

'Kom mee dan,' zei Arden. 'Dan wijs ik je de weg.'

HOOFDSTUK ACHT

Omar voelde zich een beetje raar toen hij over de weg naar Adam Gunds huis liep. Het onderhoud met Caroline – de hele ochtend trouwens – had hem enigszins van zijn stuk gebracht, en nu probeerde hij tot rust te komen en zijn gedachten weer op een rijtje te zetten. Ja, dacht hij, ik leek wel gek. Maar ik denk dat zij ook een beetje gek is, dus misschien geeft het niet. Waarom zei ik dat, over die subjectieve biografie? Was dat onzin? Wil ik zo'n biografie schrijven? Kan ik dat? Zou de universiteit zoiets publiceren? Hij bleef midden op de weg staan. Hij knielde en legde zijn handpalm op het gebarsten asfalt. O, dacht hij, wat is het hier stil en mooi en vredig. En warm.

Er was geen verkeer op de weg, die glooiend omlaag liep. Hij bleef in het midden lopen. Aan weerszijden van de weg was bos, dat even later aan de ene kant plaatsmaakte voor een open plek, een soort weide. De weg draaide om de weide heen en ging toen steiler omlaag; een ruwe stenen brug overspande een brede, ondiepe rivier. Omar stond stil en keek even naar het water dat snel over de rotsen stroomde. Hij dacht: Ik ben hier in Uruguay, maar ik zou overal kunnen zijn. Ik zou in Kansas kunnen zijn. Hoewel het anders rook: er hing een soort warme, stoffige geur die vagelijk exotisch aandeed.

Omar stak de brug over en zag een onverhard pad dat naar een hoog, cilindervormig stenen gebouw leidde: dat moest het molenhuis zijn. Hij verliet de stille weg en sloeg het door bomen omzoomde pad in. Een lage stenen muur scheidde het huis van het pad, en achter de muur, voor het huis, lag een erf waar mos tussen de keien groeide. Op dit erf was een man met een staalborstel energiek bezig de verf van een houten tafel te schrapen. Het lawaai dat hij daarbij maakte, en de aandacht die hij voor zijn werk had, verhinderden dat hij Omars komst opmerkte.

Omar bleef achter de stenen muur naar hem staan kijken. De man was een Aziaat, en hij leek niet veel ouder dan Omar. Zijn donkere haar zat in een staartje. Zijn blote bruine armen waren pezig en sterk. Na een tijdje onderbrak hij zijn werk, deed een stap achteruit en bekeek het resultaat. Toen zag hij Omar. 'Hallo,' zei hij.

'Hallo,' zei Omar. 'Ik ben Omar Razaghi. Ik kom voor Adam Gund.'

'Ja,' zei Pete. 'We verwachten je. Kom binnen.'

Omar deed het houten hek open en stapte het erf op.

Pete legde de borstel op tafel, veegde zijn handen af aan zijn broek en stelde zich voor. 'Ik ben Pete,' zei hij. 'Ik woon hier met Adam.'

Omar schudde de uitgestoken hand. 'Leuk om kennis met je te maken,' zei hij.

'Hoe was de wandeling?' vroeg Pete.

'Heerlijk,' zei Omar. 'Ik heb ervan genoten.'

'Je zult wel dorst hebben. Kom binnen, dan haal ik een glas water voor je.'

Voordat deze daad van naastenliefde ten uitvoer kon worden gebracht ging de voordeur open en kwam een oudere man, gekleed in een linnen pak dat dringend gewassen en gestreken moest worden, het huis uit. Hij droeg een strooien gleufhoed en een sjaaltje in de open hals van zijn overhemd. Hij had een wandelstok bij zich, waarmee hij naar Omar wees.

'Meneer Razaghi, neem ik aan?' zei hij.

'Ja,' zei Omar. 'Bent u meneer Gund?'

Adam stak zijn hand uit. 'Tot nu toe wel,' zei hij. 'En dat schijnt zo te blijven, hoezeer ik ook aan dat lot probeer te ontkomen. Elke dag word ik wakker in de hoop dat ik een gedaanteverwisseling heb ondergaan. Daarom heb ik dat boek van de heer Kafka ook nooit begrepen. Ik zou het heerlijk vinden om als insect wakker te worden.'

Omar gaf hem een hand, maar kon geen antwoord bedenken.

'Zo,' zei Adam, die niet scheen te merken dat Omar niets

zei. 'Dus je hebt een nacht in het gekkenhuis van Ochos Rios overleefd. Het heeft je zo te zien geen kwaad gedaan, al ben ik bij gebrek aan voorafgaande kennis van je uiterlijk niet gekwalificeerd om zo'n oordeel te vellen. Je bent niet levend opgegeten?'

'Nee,' zei Omar. 'Ik ben heel goed behandeld. Vooral gezien het feit dat ik onaangekondigd kwam.'

'Ja, wat een opwinding moet je komst hebben veroorzaakt. Er komt nooit iemand in Ochos Rios, laat staan onaangekondigd. De vrouwen staan vast en zeker nog te trillen op hun benen. Enfin, je komst hier werd verwacht, en ik moet zeggen dat je bewonderenswaardig stipt bent. Ik dacht dat we, in plaats van het risico te nemen dat we je vergiftigen met een maaltijd uit onze encefalitische keuken, maar liever naar de plaatselijke cantina moesten gaan, al is die nauwelijks veiliger.'

'Dat lijkt me prima,' zei Omar. 'Het is mij om het even.'

'Ik heb een neiging tot verstrooidheid die van autorijden een hachelijk avontuur maakt. Kunt u rijden, meneer Razaghi?'

'Ja,' zei Omar.

'Wat is dat fijn voor ons. Wat een voortreffelijk mens bent u. We moeten wel meteen vertrekken, vrees ik, want na twee uur serveert de cantina geen lunch meer.'

'Eet smakelijk,' zei Pete. 'Ik zie je later nog wel, Omar.'

'Ja,' zei Omar. 'Ik hoop het.'

'De auto is deze kant op,' zei Adam, wijzend met zijn stok.

De cantina was een bescheiden gebouw op een open plek tussen de bomen, een kilometer of vijftien rijden. Er stonden een heleboel vrachtwagens en jeeps op het parkeerterrein aan de voorkant. Alleen mannen lunchten blijkbaar in de cantina, zag Omar, en die aten blijkbaar allemaal grote borden met forse karbonades en grove, uitpuilende worsten. De eetzaal was een met zink overdekt platform dat open was aan de drie zijden die niet grensden aan de keu-

ken, waar hoge vlammen zo nu en dan sissend oplaaiden. Adam en Omar vonden een tafeltje aan het eind van de zaal, niet te dicht bij de luidruchtigste eters. De tafel was bedekt met een felgekleurd plastic kleedje. Een zeer aantrekkelijke serveerster kwam de menukaart brengen, maar Adam wilde de kaart niet hebben en zei iets tegen haar in het Spaans dat Omar niet verstond.

'Ik heb een schaal gegrild vlees en een kan bier besteld,' zei hij toen de serveerster was vertrokken. 'Ik hoop dat dat naar wens is.'

Het was nog maar een paar uur geleden dat Omar zich te goed had gedaan aan brood en jam en honing, maar hij merkte dat hij al weer trek had. Het rook heerlijk naar uitgesmolten vet en specerijen en mals vlees, en toen de serveerster terugkwam met een kan ambergeel bier, dat een gezegend licht leek uit te stralen, voelde Omar zich merkwaardig gelukkig. Het was aangenaam warm in het slaperige stukje bos, de vleesetende mannen om hem heen zagen er allemaal gelukkig en knap uit, en hij was in Uruguay.

'Ik laat jou de honneurs waarnemen,' zei Adam, en hij knikte in de richting van de kan.

Omar schonk twee glazen bier in. Hij herinnerde zich hoe Deirdre het bier had ingeschonken, die avond bij Kiplings, en werd overvallen door een intens teder gevoel voor haar. Als zij er niet was geweest, dacht hij, zou ik hier niet zijn. In Uruguay, bier drinkend met de broer van Jules Gund. Hij bracht zwijgend een toost op haar uit: O Deirdre!

Adam nam een slokje bier en schraapte zijn keel. 'Zo, vertel eens,' zei hij, 'is het je al gelukt ze van gedachten te laten veranderen?'

'Over de biografie, bedoelt u?' vroeg Omar.

'Ja, natuurlijk. Hoewel ik graag zou willen dat ze ook op andere punten van gedachten veranderen, ken ik je niet goed genoeg om aan te nemen dat jij dat zou kunnen bewerkstelligen.'

'Ik denk het niet,' zei Omar. 'Ze lijken er allebei nog erg

op tegen om me toestemming te verlenen. Maar het is moeilijk te zeggen.'

'Je weet toch, hoop ik, dat ik in deze kwestie aan jouw kant sta?'

'Nee, dat wist ik niet,' zei Omar. 'Ik dacht dat het besluit unaniem was.'

'Zei Arden dat?'

'Ik weet het niet. Nee, ik denk het niet. Ik nam het gewoon aan, denk ik.'

'Dat neem je dan ten onrechte aan. Nee, ik ben erg voor deze biografie. Ik heb geprobeerd verstandig met die vrouwen te praten, maar zoals je wel ontdekt zult hebben kun je net zo goed in een put staan roepen. In een put staan roepen? Is dat een bestaande uitdrukking, of verzin ik die zelf?'

'Ik geloof niet dat ik haar ooit eerder heb gehoord,' zei Omar. 'Maar Engels is niet mijn moedertaal.'

'Wat is je moedertaal?'

'Farsi. Ik ben in Iran geboren.'

'Je bedoelt Perzië.'

'Nou ja, vroeger heette het Perzië.'

'Ja, toen de wereld nog een zekere elegante orde bezat. Weet je dat ik pas als volwassene Duits heb geleerd? Mijn ouders spraken het nooit meer na hun vertrek uit Duitsland. We spraken thuis Engels en elders Spaans, maar nooit Duits. Maar dat terzijde. Waar hadden we het over?'

'De biografie,' zei Omar.

'Precies. Ik ben er erg voor. En Caroline en Arden kunnen wel over de streep getrokken worden.'

'Ja?' zei Omar. 'Hoe dan?'

'Zit daar maar niet over in. Ze zijn het op dit punt alleen met me oneens omdat het interessanter voor ze is om het op dit punt met me oneens te zijn. En in zekere zin ben ik dankbaar voor hun recalcitrante houding, want die heeft jou hier bij ons gebracht.'

'Ja, maar ik zou ook gekomen zijn als ze akkoord waren gegaan.'

'Misschien niet meteen, en niet als een smekeling. Je

bent werkelijk aanbiddelijk! Natuurlijk heb je daar zelf geen idee van, en dat maakt je nog aanbiddelijker. Ze zijn vast de hele avond bezig geweest om je kussens op te schudden en je sokken te stoppen.'

'Ze hebben me volkomen met rust gelaten,' zei Omar, een tikkeltje verontwaardigd.

De schaal met vlees werd gebracht en tussen hen in gezet.

'Zo, tast toe,' zei Adam. 'Neem alles wat je hartje begeert.'

'Ik eet meestal geen vlees,' zei Omar, en aldus geëxcuseerd pakte hij een paar worstjes en iets wat eruitzag als een lamskotelet.

'Het lijkt me tamelijk zinloos om een levend wezen met tanden en kiezen te zijn en geen vlees te eten, maar je eetgewoonten, wat die ook mogen zijn, schijnen je goed te bekomen.' Adam manoeuvreerde diverse koteletten en worstjes op zijn bord en ging ze met mes en vork te lijf. Hij was een geestdriftige en slordige eter, merkte Omar: het roze sap droop langs zijn kin op zijn sjaaltje.

'Nee, nee, nee,' zei Adam, na een moment van geconcentreerde, gulzige consumptie. 'Er is een reden waarom ik je hierheen heb gelokt, er is een reden voor ons kleine *déjeuner sur l'herbe*. En je hebt vast al geraden wat dat is.'

Het vlees was verrukkelijk: mals en sappig, vlees dat overtuigend reclame maakte voor het eten van vlees. Toen Omar, die een beetje bedwelmd was door al het bloed, geen antwoord gaf, keek Adam hem aan. 'Heb je het geraden?' vroeg hij.

'Eh, nee,' kon Omar nog net uitbrengen, met een mond vol worst.

'We moeten samenwerken,' zei Adam. 'We moeten onder één hoedje spelen.'

'Ja,' zei Omar, 'natuurlijk.'

'Ik kan je hierbij helpen,' zei Adam. Hij schonk hun glazen nog eens vol. 'Ik kan de vrouwen dwingen om akkoord te gaan.'

'Ja?' zei Omar. 'Hoe dan?'

'Dat doet er niet toe,' zei Adam. 'Ik heb niet het grootste deel van mijn leven met krankzinnige vrouwen samengeleefd zonder enigszins te leren hoe je ze moet aanpakken. Wist je dat mijn moeder krankzinnig was?'

'Nee,' zei Omar.

'Gek. Kapot van verdriet. Geknakt door leed. Loco. Ja, ik heb heel wat tijd met gestoorde vrouwen doorgebracht. En Caroline en Arden behoren tot de ergsten. Ze stoken elkaar op, weet je.'

'Ze lijken me heel normaal,' zei Omar, hoewel hij zich herinnerde dat hij zich pas nog had afgevraagd of Caroline gek was.

'O ja, natuurlijk lijken ze heel normaal. Dat is de kroon op hun waanzin: hun elegante, rationele façade. Maar het is slechts een façade, beste jongen. Erachter bevindt zich een krankzinnigengesticht, dat verzeker ik je. Een gekkenhuis! Als twee oude heksen dwalen ze in dat spookhuis rond. Het bezorgt me koude rillingen.' Adam rilde even, en hevelde met zijn vork nog een worstje over naar zijn bord. 'Nee,' vervolgde hij, 'laat de gekken maar aan mij over. Ik zorg dat ze in no time hun handtekening op de stippellijn zetten – ik neem aan dat er wel ergens een stippellijn is.'

'O, mooi,' zei Omar. 'Dat is super.'

'Ja, super, hè?' zei Adam. 'Mijn vader gaf me altijd een mep als ik zei dat iets super was. Je hebt supernova's, zei hij, en superego's, maar jouw *baba au rhum* is niet super. Over baba au rhum gesproken, wil je een flan? We kunnen er beter nu om vragen, voor onze serveerster verdwijnt. Deze serveersters hebben de irritante gewoonte om te verdwijnen. Ik denk dat ze door hun klanten worden meegetroond om nog wat amoureus na te tafelen. Je ziet eruit alsof je wel een flan zou lusten.'

'Nee, dank u,' zei Omar.

'Weet je het heel zeker?'

'Ja,' zei Omar. 'Ik zou niet meer kunnen, na al dat vlees.'

'Ongetwijfeld is dat het geheim van je charmante figuur. Maar aangezien ik mijn figuur reeds lang vaarwel heb gezegd – of eigenlijk heeft het mij vaarwel gezegd – ga ik een flan bestellen.'

Hij wenkte de serveerster en zei iets tegen haar.

'Dus,' zei Adam. 'Ik zal je helpen om de toestemming te krijgen die je nodig hebt.'

'Dank u wel,' zei Omar.

'En ik vraag me af of jij zo vriendelijk zou willen zijn om mij met iets te helpen.'

'Natuurlijk,' zei Omar. 'Zeg het maar.'

Adam legde zijn vork neer. Hij wreef zonder resultaat met zijn servet over zijn besmeurde overhemd en leunde achterover. 'Er is iets,' zei hij, 'dat je voor me zou kunnen doen.'

'Zeg het maar,' herhaalde Omar. Hij vroeg zich af of het ongemanierd zou zijn om het laatste worstje te pakken, dat uit zijn vel was gesprongen zodat de smakelijke vulling naar buiten puilde. Nee, dacht hij, ik moet het niet doen: ik heb genoeg gehad.

Hij keek naar Adam en zag dat hij nadacht. Na een ogenblik zei Adam: 'Het is zo'n lang verhaal. Ik weet niet waar ik moet beginnen.'

Omar was zo verstandig om niets te zeggen. Hij wachtte af. Hij duwde de schaal een eindje van zich af. Overal om hen heen stonden mannen op van tafel; op het parkeerterrein veroorzaakten achteruitrijdende vrachtwagens grote stofwolken. De lunch was blijkbaar plotseling ten einde. De serveerster kwam Adams flan brengen, die mooi wiebelend in een plas siroop op een wit bordje lag. Ze nam de schaal vlees mee.

Adam nam een hapje van de flan. 'Verrukkelijk,' verklaarde hij.

Een paar mannen zaten nog aan tafel, ze rookten een sigaret of sigaar en dronken espresso of yerba maté uit piepkleine kopjes. Adam concentreerde zich op zijn flan, en Omar dacht al dat hij het lange verhaal vergeten was. Maar

nee. Toen de flan op was en het bordje schoongeschraapt, legde Adam zijn lepel neer. Hij bette zijn mond met zijn servet, vouwde het daarna netjes op en legde het op tafel. 'Ik zal je het lange verhaal maar besparen,' zei hij.

'Ik zou het graag willen horen,' zei Omar.

'Dat is ook zo,' zei Adam. 'Ik vergat dat je een biograaf bent. Jij zwelgt in narratieve uitwerpselen. Die heb je liever dan een flan.'

Omar zei niets.

Adam zei: 'Het spijt me. Je moet begrijpen – of liever, ik verzoek je te begrijpen – dat de minachting die ik voor iedereen koester in wezen minachting voor mezelf is. Maar misschien ben je wijs genoeg om dat te beseffen.'

Omar zei niets.

De serveerster kwam hun allebei een espresso brengen. Omar wist niet of ze dat uit zichzelf deed of dat Adam de koffie had besteld.

Adam zei: 'Minachting. Het is zoiets zieligs, hè? Ik bedoel, mijn intelligentie is net groot genoeg om dat te beseffen. Maar minachting is vrijwel het enige wat ik voel. Ik ben een opgeblazen zak. Vandaag of morgen zweef ik laatdunkend weg op de vleugels van de minachting. Icarus vloog te dicht bij de zon.'

'Ja,' zei Omar.

Adam glimlachte triest naar zijn espressokopje. Er was iets veranderd: Omar zag dat zij als enigen waren achtergebleven in de cantina. Een paar mannen hingen nog rond op het parkeerterrein, maar alle tafels waren leeg en om hen heen was het licht een tikkeltje minder fel geworden.

'Ken je het verhaal van Icarus?' vroeg Adam.

'Ja,' zei Omar, hoewel hij daar ineens aan twijfelde: ging het alleen om vleugels van veren en was die smolten in de hitte van de zon? Er zat natuurlijk meer achter.

'Mijn ouders waren vluchtelingen,' zei Adam. 'Dat weet je natuurlijk. Ze brachten bepaalde dingen mee toen ze naar Uruguay kwamen.'

Even dacht Omar dat dit iets met het verhaal van Icarus

te maken had, maar toen besefte hij dat het niet zo was. 'Wat voor dingen?' vroeg hij.

'Mijn ouders kwamen allebei uit een welgestelde familie. Vooral mijn moeder. Mijn moeder bracht een aantal schilderijen mee, schilderijen die niet geacht werden Duitsland te verlaten. En sieraden.'

'Zijn die nu van u?' vroeg Omar.

'Wat een interessante, methodische vragen stel je. Je zult een uitstekende biograaf zijn, dunkt me. Maar om je vraag te beantwoorden: Ja, ik geloof dat ze van mij zijn,' zei Adam. 'Ze behoorden toe aan mijn moeder. In zekere zin waren ze natuurlijk ook van Jules, maar Jules is dood. Ik neem aan dat ze in zekere zin van Caroline zijn. Misschien zijn ze ook in zekere zin van Arden. Maar ik denk dat ze vooral van mij zijn. Caroline noch Arden weet van het bestaan ervan. Jules wist het ook niet. Mijn moeder voelde zich hier niet veilig. Ze voelde zich nergens veilig nadat ze Stuttgart had verlaten. Ze voelde zich niet veilig op deze planeet. Anders dan Arden en Caroline had zij alle reden om gek te zijn. Ik zou die dingen nu graag willen verkopen. Ik zou graag willen dat jij die schilderijen en die sieraden mee terug neemt naar New York, en ze daar aan een man geeft die ervoor zal zorgen dat ze worden geveild.'

'O, maar ik woon niet in New York,' zei Omar, alsof dit hem van alles ontsloeg.

'Ik neem aan dat je via New York gaat. Of daar naartoe kunt gaan. Als het je is gelukt om hier te komen, heb ik er alle vertrouwen in dat je ook in New York kunt komen. Je hoeft alleen maar naar New York te gaan en die dingen aan een man te overhandigen. Ik zal je zijn adres geven.'

'Is het legaal?' vroeg Omar.

'Is wat legaal?'

'Alles... die dingen het land uit brengen, ze naar New York brengen.'

'Het is moreel,' zei Adam.

'Maar niet legaal?'

Adam zweeg even. Toen zei hij: 'Je weet natuurlijk dat

mijn moeder joods was. Je weet dat mijn ouders naar Uruguay zijn gegaan om aan Hitler te ontkomen. Ze hebben iets te lang gewacht. Ik denk dat ze eerst dachten dat het wel mee zou vallen omdat mijn moeder met een niet-jood was getrouwd. Maar het viel niet mee. Toen ze dat eenmaal beseften, zijn ze hierheen gegaan. Het was het enige land waar ze op dat moment nog naartoe konden. Weet je op welke voorwaarden?'

'Nee,' zei Omar.

'Nou, om te beginnen moest mijn vader een mijn kopen. Een onrendabele mijn, een uitgeputte mijn, een mijn die hij niet wilde hebben. En hij moest er een hoop geld voor betalen. Mijn moeder mocht niets van het familiebezit meenemen uit Duitsland. Ze lieten haar ten slotte gaan, maar ze moest alles achterlaten. Dus ze heeft die dingen meegesmokkeld. Die paar schilderijen, die paar sieraden. Ik wil ze nu verkopen. Weet je waarom ik ze nu wil verkopen?'

'Nee,' zei Omar.

'Ik heb geld nodig voor Pete. Ik wil Pete geld geven zodat hij me kan verlaten.'

Omar zei niets. Daarna zei hij: 'Het klinkt allemaal erg persoonlijk en gecompliceerd. Ik denk niet dat ik daarbij betrokken wil raken. Ik denk niet dat ik dat moet doen.'

'O,' zei Adam. 'O,' zei hij nogmaals. Daarna zei hij: 'Vertel eens: wat wil je ook weer?'

'Wat?'

'Je wilt een biografie van Jules schrijven, ja? Je wilt toestemming om een biografie van mijn broer te schrijven. Is dat niet wat je wilt?'

'Ja,' zei Omar. 'Dat wil ik.'

'Maar je wilt niet betrokken raken bij persoonlijke of gecompliceerde zaken?'

'Het klinkt alsof het uit de hand zou kunnen lopen,' zei Omar. 'En gevaarlijk worden.'

'En jij wilt niet dat dingen uit de hand lopen of gevaarlijk worden?' vroeg Adam.

'Nee,' zei Omar.

'Het is mijn ervaring dat dingen vroeg of laat altijd uit de hand lopen of gevaarlijk worden,' zei Adam. Hij stond op en betaalde de serveerster, die de tafels aan het afnemen was met een doekje en een spuitfles met schoonmaakmiddel. Omar zag dat hij haar een bankbiljet gaf; zij gaf hem wisselgeld uit haar schortzak. Adam kwam terug naar de tafel maar ging niet zitten.

'Het spijt me,' zei Omar na een korte stilte. 'Ik ben gewoon niet goed in zulke dingen.'

'Je bent bang,' zei Adam. Het was een constatering, geen beschuldiging.

'Ja,' zei Omar.

Adam legde zijn hand op Omars schouder. 'Je mag best bang zijn,' zei Adam. 'Als het feit dat je bang bent je er maar niet van weerhoudt om het juiste te doen, of om te krijgen wat je hebben wilt. Dan wordt het lafheid.' Hij haalde zijn hand weg. 'Maar genoeg gepraat. Ik heb slaap,' zei hij. 'Ik wil naar huis, een siësta houden.'

Ze zwegen tijdens de rit terug naar het molenhuis. Pete was nog waar ze hem hadden achtergelaten. Hij liep naar de auto en hielp Adam met uitstappen. 'Hebben jullie lekker geluncht?' vroeg hij.

'Verrukkelijk,' zei Adam, 'maar je wordt er wel suf van. Ik ben er tenminste suf van geworden. Ik wil liggen: liggen en slapen.'

'Bedankt voor de lunch,' zei Omar.

'Graag gedaan,' zei Adam. 'Bedankt voor je aangename gezelschap. Misschien wil jij me de trap op helpen, Pete.' Hij wendde zich tot Omar. 'Pete doet af en toe dingen zoals me de trap op helpen. Hij is zo lief voor me.'

'Laat mij u helpen,' zei Omar. 'Ik wil u iets vertellen.'

'O ja?' zei Adam.

'Ja,' zei Omar.

'Goed, maar je hoeft me niet de trap op te helpen. We kunnen ook praten zonder dat ik die gênante ervaring onderga.'

Omar keek naar Pete.

'Neem me niet kwalijk,' zei Pete. 'Ik ga al.'

'Nee.' Adam raakte Petes blote onderarm aan. 'Blijf. Pete mag alles horen wat u me te zeggen hebt, meneer Razaghi. Wij hebben geen geheimen voor elkaar.'

'Ik, eh – ik wilde alleen zeggen dat ik zal doen wat u me gevraagd hebt. Natuurlijk doe ik het. Het lijkt me de juiste beslissing.'

'Denk je?' vroeg Adam.

'Ja,' zei Omar. 'Ik weet zeker dat het de juiste beslissing is.'

Adam stampte twee keer met zijn wandelstok op de keien van het erf. 'Mooi,' zei hij. 'Ik voel me verkwikt. Ik geloof dat ik voldoende kracht heb om mezelf naar mijn bed te slepen zonder hulp van een van jullie stoere jongelui. Ik laat jullie alleen.' Hij draaide zich om en liep, heel kwiek maar met zichtbare inspanning, het huis in.

Toen hij verdwenen was, zei Pete: 'Ik loop wel even mee naar het grote huis. Of loop je liever alleen?'

'Nee,' zei Omar. 'Natuurlijk niet.'

Pete legde zijn gereedschap neer en ze vertrokken over het smalle pad naar de weg. Ze praatten niet. Mensen kunnen hun aandacht voor elkaar op een bepaalde manier naar het landschap verplaatsen, en als dat gelijktijdig gebeurt kan het een doeltreffend en bevredigend substituut zijn voor communicatie.

Omar moest nodig plassen; hij had in het molenhuis naar het toilet willen gaan, maar de situatie daar was niet bevorderlijk geweest voor zo'n verzoek, en hij had gedacht dat hij wel kon plassen als hij eenmaal onderweg was, maar nu was hij samen met Pete. Ze liepen zwijgend het pad af en de weg op.

Omar kon niet langer wachten. 'Als je me even wilt excuseren, ga ik de bosjes in,' zei hij.

Pete keek hem wezenloos aan. 'Wat?' vroeg hij.

'Ik moet even de bosjes in,' zei Omar. 'Een sanitaire stop.'

'O, ja, natuurlijk,' zei Pete. Hij lachte, maar niet onvriendelijk.

Omar waagde zich een eindje het kreupelhout in en urineerde krachtig tegen een boom. Het was vreemd hoe prettig dat voelde.

Toen hij weer naast Pete liep, was er iets veranderd tussen hen – de sanitaire stop had iets losgemaakt, en de stilte was kameraadschappelijker.

Na een moment vroeg Omar: 'Hoe lang woon je hier al?'

Pete keek rond, alsof Omar die bepaalde plek bedoelde. 'Een jaar of zes,' zei hij.

'Waar kom je oorspronkelijk vandaan?' vroeg Omar.

'Thailand,' zei Pete. 'Bangkok.'

'Daar ben ik nooit geweest,' zei Omar.

Pete zweeg even. Toen zei hij: 'Mijn moeder was prostituee. Ik ben dat ook een tijdje geweest, als jongetje. Toen ik zeventien was heeft een Duitser me meegenomen naar Stuttgart. Daar kwam ik Adam tegen.'

'Wat deed Adam in Stuttgart?'

'Hij woonde er. Hij was directeur van de Stuttgart Opera. Ik had daar een baan als decorbouwer. Toen hij terugging naar Uruguay, ben ik meegegaan. Dat kon alleen als hij me adopteerde. Juridisch ben ik zijn zoon.'

'Bevalt het je hier?' vroeg Omar.

'Ja,' zei Pete. 'Ik heb een eigen bedrijfje. Ik haal oud meubilair op en laat het nog ouder lijken. Twee keer per jaar komt er een dame uit New York en zij koopt alles wat ik heb. Ze zegt dat ik er echt kijk op heb. En ik tuinier met plezier. Dat rijmt. En ik verzorg de bijen.'

'Welke bijen?' vroeg Omar.

'Er is een bijenkast in Ochos Rios. Achter de moestuin. Ik zal het je laten zien.'

'De moestuin is enorm groot,' zei Omar.

'We maken hem elk jaar een beetje groter. Het is veel werk, vooral in deze tijd van het jaar. Is het nu winter waar jij vandaan komt?'

'Ja,' zei Omar.

'Woon je in de Verenigde Staten?'

'Ja,' zei Omar.

'Wat is jouw staat?'

'Kansas. Dat is midden in het land. Het centrum.'

'En is het daar erg koud?'

'Ja,' zei Omar. 'Nu wel. Het sneeuwt waarschijnlijk.' Hij deed sneeuw na door zijn vingers te bewegen.

'Waarom kies je dat? Een staat waar het koud is? Het is toch niet in alle staten zo koud, hè?'

'Nee,' zei Omar. 'In sommige is het warmer dan in andere.'

'Waarom kies je dan geen staat waar het warm is? Ik denk dat het in Florida warm is. Ik ben een keer in Miami geweest. Miami is leuk.'

'Ja,' zei Omar. 'In Florida is het warm.'

'Maar hou je niet van Florida?'

'Ik ben nooit in Florida geweest. Ik woon in Kansas omdat ik daar lesgeef.'

'En je wilt een boek over Jules schrijven?'

'Ja,' zei Omar. 'Een biografie. Heb jij Jules gekend?'

'Ja,' zei Pete. 'Toen ik hier voor het eerst kwam leefde Jules nog. Ik ben degene die hem gevonden heeft toen hij dood was. Ik wist waar hij heen zou gaan.'

'Hoe wist je dat?' vroeg Omar.

'Dat weet ik niet. Ik wist het gewoon.'

'Waar was hij?'

'Ergens in het bos. Niet ver van het meer.'

'In de buurt van de gondel?'

'De gondel ligt in het botenhuis.'

'Was die plek in het bos dicht bij het botenhuis?'

'Nee,' zei Pete. 'Het was aan de andere kant van het meer.'

'Wist je dat hij dood zou zijn?'

'Ja,' zei Pete.

'Hoe?'

'Hij had het pistool meegenomen,' zei Pete. Hij legde

zijn handpalm op Omars kruin. 'Dit was weggeslagen,' zei hij. 'Als een ei.'

Ze liepen zwijgend verder tot ze bij het hek van Ochos Rios kwamen. Ik ben hier pas sinds gisteren, dacht Omar. Het leek dagen geleden.

'Waar zijn de rivieren?' vroeg hij aan Pete.

'Welke rivieren?'

'De acht rivieren. Dat betekent Ochos Rios toch: acht rivieren?'

'Ja,' zei Pete. 'Maar er zijn geen rivieren. Het is maar een naam.'

HOOFDSTUK NEGEN

Vanuit een raam in de toren keek Caroline hoe Pete en Omar over de oprijlaan liepen. Ze voelde in Omars aanwezigheid een bedreiging – niet alleen, of misschien niet eens in de eerste plaats vanwege het boek. Het zat dieper, het was vager. Instinctief, nog voor ze de bedreiging had bespeurd, had ze gedacht dat ze die wel kon pareren of afwenden – dat verklaarde haar gedrag tegen Omar gisteravond en vanochtend. Maar nu wist ze het niet meer zo zeker. Ze liepen zo te zien opgewekt te kletsen, Omar en Pete, als twee oude vrienden. Toen keek Omar omhoog en zag haar voor het raam staan. Hij stak zijn hand op, een combinatie van zwaaien en groeten. Het familiaire gebaar gaf haar een schok. Ze liep weg van het raam. Ze stond daar, zonder iets te voelen of te denken. De laatste tijd overkwam haar dit vaak: die stagnatie, die leegte, dat roerloze zitten of staan terwijl ze zich vanbinnen hol voelde. Het was niet onplezierig. Ze was er niet bang voor: het was een soort voldoening, een hiaat, een tevredenheid om niets.

Caroline trof Arden in de keuken, waar ze brood aan het bakken was. Caroline had stiekem het idee dat veel huishoudelijke bezigheden van Arden louter bedoeld waren om haar te irriteren: ze konden net zo goed brood kopen.

Ze bleef een ogenblik in de deuropening staan en zei toen: 'Ik wilde alleen even zeggen dat ik vanavond niet met jullie uit eten ga.'

'Waarom niet?' vroeg Arden. Ze keek niet op. 'Voel je je niet goed?'

'Ik voel me prima,' zei Caroline. Ze dacht: Ze doet net of het zulk zwaar werk is, brood bakken.

'Waarom ga je dan niet mee?'

'Ik zie het nut er niet van in. Ik verander toch niet van gedachten. Het is tijdverspilling, voor mij en voor hem.'

'Hij wil gewoon met ons praten,' zei Arden. Ze staakte haar gefrunnik aan het deeg. 'Met ons alle drie. Om zijn zaak te bepleiten. Hij heeft aangeboden ons mee uit eten te nemen. Daarvoor is hij dat hele eind gekomen. Het maakt een onbeleefde indruk als je niet meegaat. Het ís onbeleefd, vind ik.'

'Zijn komst hier is onbeleefd, vind ik. We moeten hem niet steeds zijn zin geven. Ik ben dat niet van plan,' zei Caroline.

'Tja, dan heeft het voor ons ook geen zin om uit eten te gaan,' zei Arden. 'Het punt was nu net dat hij met ons alle drie zou kunnen praten. Als jij niet meegaat, is het zinloos.'

'Waarom juist ik?'

'Omdat hij jou moet overtuigen.'

'Ik heb je net gezegd dat ik me niet laat overtuigen.'

'Nou, als je daar zo zeker van bent, dan kan het geen kwaad om mee te gaan en naar hem te luisteren.'

'Hij moet jou ook overtuigen,' zei Caroline. 'Of ben je van gedachten veranderd?'

Arden kneedde het deeg. 'Ik denk het wel,' zei ze.

'Aha,' zei Caroline. 'Je bent gecharmeerd van hem. Je bent –'

'Ik ben niet gecharmeerd van hem!' riep Arden uit. 'Ik ben gewoon van gedachten veranderd.'

'Noem het zoals je wilt,' zei Caroline.

Arden zei niets.

'Waarom ben je van gedachten veranderd?' vroeg Caroline.

'Waarom vraag je dat? Zodat je me kunt uitlachen?'

'Nee,' zei Caroline. 'Het spijt me. Ik lach je niet uit. Heus, Arden, geloof me. Waarom ben je van gedachten veranderd? Dat wil ik oprecht graag weten.'

'Ik weet het eigenlijk niet,' zei Arden. 'Ik had geen duidelijke redenen om bezwaar te maken, zoals je weet – het was een instinctieve reactie dat ik nee zei, dat ik het met jou eens was. En nu kijk ik er anders tegenaan. Ik weet niet precies waarom. Ik denk dat Jules hem wel had gemogen.

Ik denk dat hij Jules zal begrijpen. Ik vind dat het nu maar moet gebeuren, het boek.'

'Je denkt echt niet dat het komt omdat je gecharmeerd van hem bent?'

'Vind je hem zo charmant?'

'Nee,' zei Caroline. 'Ik niet. Maar het zou me niet verbazen als jij dat wel vond. Ik denk dat jij gevoeliger bent voor charme dan ik.'

'Waarom?' vroeg Arden. 'Denk je dat ik geen eigen wil heb?'

'Nee,' zei Caroline. Ze zweeg even. 'Ik denk dat je eenzaam bent.' Ze zei het vriendelijk: het was een constatering, geen beschuldiging

Arden sloeg haar ogen neer, maar keek toen weer op. Haar wangen en hals waren rood. 'Misschien ben ik eenzaam,' zei ze. 'Misschien heeft zijn komst me laten voelen dat ik eenzaam ben. Ja – misschien wel. Maar dat ik van gedachten ben veranderd staat daar los van; dat heeft er niets mee te maken.'

'Misschien moet ik je dit niet vertellen –'

'Wat?' vroeg Arden. 'Wat moet je niet vertellen?'

Caroline dacht na. En toen zei ze: 'Wist je dat hij verliefd is op iemand?'

'Nee,' zei Arden. 'Dat wist ik niet.'

'Hij vertelde het me vanmorgen. Hij heeft een verloofde. Nou ja, misschien zijn ze niet verloofd. Dat zei hij niet. Ze is een collega van hem.'

'Waarom vertel je me dat?'

'Ik weet niet. Ik vond dat je het moest weten.'

'Waarom?'

Caroline liep naar de deur. 'Vergeef me als ik je van streek heb gemaakt.'

'Ik ben niet van streek,' zei Arden. 'Al was dat volgens mij wel je bedoeling.'

'Je vergist je, Arden.'

'Ik vind het wel jammer,' zei Arden.

'Wat?'

'Wat jij doet, toestemming weigeren uit rancune.'

'Ik kan je niet volgen,' zei Caroline. 'Ik doe niets uit rancune, voor zover ik weet.'

'Ik zie dat anders,' zei Arden.

'Daar twijfel ik niet aan,' zei Caroline. Ze draaide zich om en liep door de donkere gang naar de hal, maar onder aan de trap bleef ze staan, met haar hand op de leuning. Ik kan het hier niet bij laten, dacht ze. Ze keerde terug naar de keukendeur. Arden was het deeg aan het uitrollen, ingespannen en met rode wangen, en keek niet op.

'Arden,' zei Caroline.

Nu keek Arden wel op. 'Ja?' zei ze.

'Het spijt me als ik je gekrenkt heb. Ik begrijp eigenlijk niet wat we net tegen elkaar zeiden.'

Arden zei niets. Ze drukte haar vingers in het deeg.

'Ik wil niet dat dit een wig tussen ons drijft.' Ze zag dat Arden huilde en hield op met praten.

'Wat is er?' vroeg ze.

Arden schudde haar hoofd en ging op een stoel zitten. Ze zette haar ellebogen op tafel en verborg haar gezicht in haar handen, een beetje onbeholpen: de handpalmen naar buiten en de vingers gespreid, want die zaten vol meel. Caroline liep de keuken in en kwam naast haar staan. Ze legde aarzelend haar hand op Ardens rug. 'Wat is er?' herhaalde ze.

Arden hief haar gezicht op; haar wangen waren nat. Ze schudde haar hoofd weer. 'Niets,' zei ze. 'Ik weet het niet – ik ben gewoon emotioneel.'

Caroline haalde haar hand weg. Ze kon zich niet herinneren dat ze Arden ooit eerder had aangeraakt. Dat moest natuurlijk wel een keer gebeurd zijn, maar ze kon het zich niet herinneren. Ze maakte een doekje nat onder de kraan en gaf het aan Arden. 'Hier,' zei ze.

Arden pakte het doekje en drukte het tegen haar ogen en wangen. 'Dank je,' zei ze.

Caroline bleef nog even staan. 'Graag gedaan,' zei ze. Ze raakte Arden weer aan, vlug en licht, op haar schouder, en

daarna draaide ze zich om en verliet de keuken, maar ditmaal bedacht ze zich niet en kwam ze niet terug.

Arden zat in de keuken terwijl het brood in de oven stond. Ze dronk een glas water en maakte met het natte glas kringen op de stenen tafel. De kringen vervaagden. Als ze daar maar lang genoeg rustig zat, dacht ze, zou de warboel in haar hoofd vanzelf tot bedaren komen, als glinsterende sneeuw in een glazen bol.

Had ze zich vergist? Was ze alleen maar gecharmeerd van Omar? Verraadde ze Jules nu? Jules had nooit tegen haar gezegd dat hij geen biografie wilde. Misschien had hij iets in die trant aan Caroline geschreven, twintig of dertig jaar geleden. Dat had nu geen betekenis meer. Als we werden gehouden aan alles wat we dertig jaar geleden in een brief hadden gezet – nee, als dat de enige reden was, was het niet voldoende. Het was verstandig geweest om eerst de kat uit de boom te kijken, maar het feit dat Omar helemaal hierheen was gekomen had alles veranderd. Hij was geen charlatan of engerd. Het zou gewoon gemeen zijn, onredelijk, om nu nog toestemming te weigeren. Misschien was het geen rancune – ze had geen rancune moeten zeggen – maar Carolines reactie was geforceerd en onredelijk. Toch begreep ze het wel: Caroline had zo weinig om zich aan vast te houden, dus natuurlijk reageerde ze fel. Dat moet ik haar gunnen, dacht Arden: Zo herinnert ze zichzelf eraan dat ze eens werd bemind.

Adam werd wakker doordat iemand zijn naam riep. Lichtelijk gedesoriënteerd bleef hij nog even op bed liggen. Toen hoorde hij weer zijn naam roepen, van beneden naar boven. Het leek Arden wel. Natuurlijk was het Arden. Zij was de enige die in de hal zijn naam zou gaan staan brullen. Hij kwam uit bed en stapte de overloop op. Arden stond bij de voordeur, met het hoofd in de nek, naar boven te turen.

'Sorry,' riep ze. 'Heb ik je gewekt? Deed je een dutje?'

'Ja,' zei hij. 'Helaas wel.'

'Nou, sorry,' zei ze. 'Maar het is belangrijk. Er is iets gebeurd.'

'Wat is er gebeurd?' vroeg hij. 'Wacht. Ik kom naar beneden. Het heeft geen zin om tegen elkaar te staan schreeuwen. Misschien kun je een kop koffie maken, als je de koffie kunt vinden. Die is al enige tijd zoek.'

'Natuurlijk,' zei Arden. Ze verdween de woonkamer in.

Adam ging terug naar zijn slaapkamer. Hij stond voor de spiegel en geeuwde. Er was niets ergers dan voortijdig gewekt worden als je een dutje deed. Die ellendige, bemoeizieke wijven, dacht hij. Dat loopt als een kip zonder kop rond te rennen en te schreeuwen dat er iets gebeurd is! De hemel valt naar beneden! Hij kamde zijn haar en trok zijn kleren recht, die door de lunch en het dutje in het ongerede waren geraakt, en ging naar beneden.

Even later kwam Arden met twee koppen koffie de keuken uit. 'De melk is afschuwelijk bedorven,' zei ze, 'dus we zullen het zwart moeten drinken.'

'Ik drink koffie het liefst zwart,' zei Adam.

Ze gaf hem zijn kopje en ging op de bank zitten.

'Waar heb je de koffie gevonden?' vroeg hij.

'In de broodtrommel,' zei ze.

'Aha,' zei hij.

'Er ligt van alles en nog wat in,' zei ze, 'behalve brood.'

'Het zou nogal deprimerend zijn om brood in de broodtrommel te bewaren,' zei Adam. 'Dus er is iets gebeurd?'

'Ja,' zei Arden. 'En ik vond dat we moesten praten voor we uit eten gaan.'

'Wat is er gebeurd?'

'Tja,' zei Arden, 'ik ben van gedachten veranderd.'

'Hoe is dat gebeurd? Wat een krachtige uitwerking heeft meneer Razaghi! Hij is nog geen vierentwintig uur in ons midden. Dit is erg lekkere koffie. Als ik koffie maak, smaakt het nooit zo lekker.'

'Je moet de juiste hoeveelheid nemen,' zei Arden. 'Hoe was de lunch met hem?'

'Wel aardig. Ik vond hem charmant op een wat domme, kinderlijk-onschuldige, jeugdig-enthousiaste manier.'

'Hij is niet dom,' zei Arden.

'Ik twijfel er niet aan dat hij op jou heel verstandig overkomt,' zei Adam.

'Ik heb nooit beweerd dat ik slim was,' zei Arden.

'Dat is heel verstandig van je,' zei Adam.

'Ik mag hem erg graag,' zei Arden.

'Ik ook,' zei Adam. 'Hij is erg aaibaar.'

'Wat bedoel je?'

'Ik bedoel dat het fijn zou zijn om hem in een kooi te zetten en nootjes te voeren. En te aaien.'

'Ik weet niet waar je het over hebt. Hij is geen homo, als je dat bedoelt. Hij heeft een verloofde. Of een vriendinnetje. Of zoiets.'

'O, zoiets heeft hij vast wel. Zoiets hebben we allemaal. Dus hij heeft je van gedachten doen veranderen?'

'Ik ben van gedachten veranderd,' zei Arden. 'Maar er is een probleem. Caroline wil niet mee uit eten.'

'Waarom niet?'

'Ze vindt dat het geen zin heeft om mee te gaan. Ze verandert toch niet van gedachten. Ze lijkt erg zeker van haar zaak.'

'Natuurlijk lijkt ze zeker van haar zaak. Caroline is altijd zeker van haar zaak. Dat bewonder ik juist zo in haar. Alleen is ze op verschillende momenten zeker van verschillende dingen. Vaak diametraal tegenovergestelde dingen. Ze leert nog wel dat het leuker is om samen te werken. En dan verandert ze vanzelf van gedachten, net zoals jij heel wijselijk hebt gedaan.'

'Het is toch wel een goed idee, hè?' vroeg Arden. 'Ik bedoel de biografie, en hem die laten schrijven? Je vindt hem toch niet echt dom?'

'O, je hoeft niet slim te zijn om een behoorlijke biografie te schrijven. Alleen vasthoudend. En vasthoudend is hij, dat weten we. Dat heeft hij wel bewezen door hiernaartoe te komen.'

'Ik vind het nu heel spannend,' zei Arden. 'Hoe lang denk je dat het gaat duren?'

'Jaren en jaren, vermoed ik,' zei Adam. 'Net zo lang als hij subsidie kan krijgen om het schrijven van de biografie te bekostigen. Het schrijven levert hem geld op, niet de publicatie.'

'Nou, ik hoop dat hij er niet te lang over doet,' zei Arden. 'Ik wil het graag lezen. Maar luister eens – wat doen we nu vanavond? We zouden juist naar Federico's gaan om hem de gelegenheid te geven zijn zaak bij ons alle drie te bepleiten. Moeten we het afzeggen?'

'We gaan het beslist niet afzeggen,' zei Adam. 'We gaan fijn met hem uit eten. Caroline mag in haar toren zitten kniezen en zich rechtschapen voelen. Daar is ze heel goed in. Wij gaan champagne drinken met de aanbiddelijke meneer Razaghi.'

'Goed dan,' zei Arden. Ze stond op. 'We komen je rond half acht ophalen. Gaat Pete mee?'

'Dat weet ik niet,' zei Adam. 'Hij is verdwenen. Maar ik neem aan van wel.'

'Denk je dat Caroline mee zou gaan als jij met haar praatte?'

'Nee,' zei Adam. 'Laten we Caroline voorlopig even vergeten en er een leuke avond van maken.'

HOOFDSTUK TIEN

Omar verscheen stipt om zeven uur in de hal, zoals hem was opgedragen. Hij droeg een jasje en een das. Hij had eau de toilette gebruikt en gel in zijn haar gedaan. Hij ging naast de deur zitten, op een van de banken die op kerkbanken leken, en probeerde niet te zweten. Hij had het erg warm. Even later ging er rechts op de eerste galerij een deur open, en Arden kwam tevoorschijn. Ze droeg een mouwloze gestreepte zijden hemdjurk in zuurstokachtige tinten oranje, rood en lila; de jurk was nogal ouderwets en deed Omar denken aan een doos kleurpotloden, of een gedeelte van zo'n doos. Ze zag er prachtig uit en dat wist ze, want ze bloosde toen ze de trap af kwam.

'Ik vrees dat Caroline niet met ons meegaat,' zei ze.

'O. Wat jammer,' zei Omar.

'Ze is – nou ja, ik ga geen excuses voor haar aanbieden. Ze doet moeilijk. Maar Adam en ik willen graag met je praten. En eten.'

'Fijn,' zei Omar. 'Dank je. Je ziet er prachtig uit.'

'Dank je,' zei Arden. 'Jij ook. Moeten we al weg? Alleen Portia nog even welterusten wensen.' Ze verdween door de gang naar de keuken. Omar deed de deur open en stapte naar buiten. Het was dat prachtige moment van de dag waarop alles – de bomen, de gevel, zelfs hij, wist hij – schitterend verlicht leek te zijn. Even later hoorde hij achter zich de deur opengaan. 'Daar ben je,' zei Arden. 'We nemen Adams auto, dus we moeten naar het molenhuis lopen, vrees ik.'

'Dat is prima,' zei Omar.

'Als je het niet erg vindt, trek ik die ellendige schoenen uit,' zei Arden. 'Die zijn niet echt bedoeld om op te lopen. In elk geval niet hier.'

Ze bukte zich en maakte de riempjes van haar schoenen los – beige sandalen met een hak en een open neus. Ze

hield ze in haar hand terwijl ze over de oprijlaan liepen. 'Je zult wel moe zijn van al dat lopen,' zei ze.

'Nee. Ik loop graag.'

'Ik ook, maar ik krijg schoon genoeg van deze route. Er verandert niet veel, van dag tot dag.'

'In zekere zin is dat beter, het leidt minder af.'

'Ik zou wel blij zijn met een beetje afleiding,' zei Arden.

'Vind je het saai om hier te wonen?'

'Nee,' zei Arden. 'Het is stil, en daar houd ik van. En ik denk dat het voor Portia goed is om hier op te groeien. Ik wil niet dat ze al die troep om zich heen heeft zoals kinderen in de States. Toch ontkom je er niet helemaal aan. De Amerikaanse populaire cultuur is zo verderfelijk, vooral als het om kinderen gaat. Maar ja, de prijs die je daarvoor betaalt is dat er helemaal geen cultuur is.' Ze lachte.

'Maar woon je hier graag?'

Arden keek rond. Omar deed hetzelfde. De ondergaande zon scheen overvloedig tussen de rijen dennen. De twee stenen pilaren van het hek waren overdekt met wilde klimrozen. Er hing een zoete geur.

'Ja, ik woon hier graag,' zei Arden. 'Ik heb het nodige meegemaakt in mijn jeugd, ben dikwijls verhuisd, er was weinig stabiliteit. Misschien is dat de reden waarom ik hier graag woon. Portia zal ongetwijfeld precies het omgekeerde willen als ze groter wordt. Jij bent ook veel verhuisd, hè, toen je jong was? Van Iran waarheen?'

'Canada. Toronto. En daarna heb ik in Californië gewoond, in Berkeley, voor ik naar Kansas ging.'

'Wat deed je in Berkeley?'

'Ik werkte in een restaurant.'

'Als ober?'

'Nee, als hulpje.'

'En daarna ging je naar Kansas?'

'Ja.'

'En je ouders? Wonen die nog in Toronto?'

'Ja,' zei Omar. 'Mijn vader is chirurg. Hij is erg tiranniek en conservatief. Hij heeft het me nooit vergeven dat ik

geen medicijnen ben gaan studeren. Ik kom uit een oud ge-slacht van doktoren.'

'Maar je gaat toch promoveren? Word je dan geen doc-tor?'

'Als ik dit boek schrijf,' zei Omar. 'Maar dat is niet het-zelfde. In elk geval niet in de ogen van mijn vader.'

'En je moeder? Is zij wel trots op je?'

'Nee,' zei Omar. 'Zij had ook gewild dat ik arts werd. En jouw ouders? Waar wonen die?'

'Ze zijn allebei dood,' zei Arden.

'O,' zei Omar, 'sorry.'

'Ik mis ze niet echt,' zei Arden. 'Het waren geen erg goe-de ouders. Of mensen, wat dat betreft. Nou ja, mijn moe-der heb ik amper gekend. Zij stierf toen ik vijf was. Ik denk dat ze zelfmoord heeft gepleegd, al was het officieel een ongeluk. Toen ben ik bij mijn oma gaan wonen.'

'Waar was dat?'

'Ashland, in Wisconsin. Midden in de rimboe, net als hier. Ik was dol op mijn oma. Maar toen stierf ze en ben ik naar Engeland gegaan, om bij mijn vader te wonen. Of lie-ver gezegd, om naar kostschool te gaan en mijn vader te bezoeken. En nu is hij ook dood. Ze zijn allemaal dood.'

Omar zei niets. Ze liepen het hek uit en kwamen op de weg.

'Sorry,' zei Arden. 'Het zal wel erg morbide klinken.'

'Nee hoor,' zei Omar.

'Ik haat het verleden nu eenmaal,' zei Arden. 'Ik haat mijn verleden.'

'Waarom?' vroeg Omar.

'Het leek zo dom. Zo willekeurig. Er zat geen lijn in, geen ontwikkeling. Ik dobberde maar wat rond. Dat wil ik Portia graag geven: een gevoel van stabiliteit, een plek waar ze thuis is. Ik bedoel thuis in elk opzicht, ook geogra-fisch. Ik vind dat het belangrijk is om verbonden te zijn met een bepaalde plek, om te weten dat je daar vandaan komt. Heb jij dat gevoel over Iran?'

'Nee,' zei Omar. 'Niet echt. We gingen daar weg toen ik

tien was. En in Toronto voelde ik me nooit thuis, omdat we altijd het idee hadden dat we misschien weer terug zouden gaan naar Iran, als de toestand daar veranderde...'

'En in Kansas?'

'Daar woon ik pas een paar jaar,' zei Omar. 'Misschien als ik er langer woon...' Hij herinnerde zich hoe hij zich had gevoeld toen hij die avond voor Yvonnes huis stond, toen hij Mitzie kwijt was.

'Ik voelde me hier meteen thuis toen ik aankwam. Ik weet niet waarom. Misschien omdat ik zwanger was en behoefte had aan zo'n gevoel. Ik denk ook dat ik eraan toe was, op de een of andere vreemde manier. Maar hoe dan ook, dat gevoel is gebleven. Het is gek: soms meen ik me te herinneren dat ik hier als kind was.' Ze schudde haar hoofd. 'Heel gek.'

'Het is vreemd, zoals het geheugen werkt,' zei Omar. 'En een déjà vu.'

'Ja,' zei Arden. 'Ik geloof niet in het hiernamaals, of in reïncarnatie of iets dergelijks, maar ik denk wel dat dit leven intenser, complexer is dan we denken. Soms voel ik dat, alsof er vlak achter de muur een ongelooflijke rijkdom en complexiteit schuilgaat. Een ander niveau van leven, van betrokkenheid.'

Omar zei niets. Ze heeft het over de liefde, dacht hij.

'Ik sla wartaal uit, ik weet het,' zei Arden. 'Ik weet niet waar ik het over heb.'

Hij vroeg zich af of ze het echt niet wist.

Adam zat klaar toen ze aankwamen. Ook hij was keurig gekleed. Arden reed; Adam zat naast haar en Omar zat achterin.

'Gaat Pete niet mee?' vroeg Arden.

'Kennelijk niet,' zei Adam. 'Ik weet niet waar hij is, maar hij is niet teruggekomen.'

'Hij was vanmiddag in de tuin,' zei Arden.

'Hij was vanmiddag in de tuin: dat klinkt zo Bijbels,' zei Adam. 'Ik denk dat ik eindelijk de treurige neiging begrijp

die jij en zoveel anderen hebben om deze ellendige aarde te bewerken. Jullie zoeken de Hof van Eden, jullie proberen tevergeefs het verloren paradijs terug te vinden.'

'Het heeft helemaal niets met religie te maken,' zei Arden.

'O jawel, schat,' zei Adam. 'Het prettige van oud worden is dat je die sentimentele gehechtheid aan de aarde kwijtraakt. Ik hoef niet in de grond te wroeten en doperwten te bemesten om me veilig te voelen. Of verlost.'

'Moet je echt alles wat we doen afkraken?' vroeg Arden.

'O, maar dat doe ik niet. Ik bewonder je zeer. Ik vind dat je uitstekend rijdt. En je goed kleedt. Ik vind je een geweldige moeder. En je maakt heerlijke koffie. Kortom, je talenten zijn onuitputtelijk.'

Een tijdlang zei niemand iets. En het landschap waar ze doorheen reden leek die stilte in zekere zin te weerspiegelen: de weg was recht, hoewel hij rees en daalde met de zachte glooiing van het terrein, en het bos aan weerszijden had niets opmerkelijks.

'Jullie wonen wel erg ver van alles vandaan,' zei Omar na een tijdje.

'Wat een scherpzinnige observatie,' zei Adam.

'Federico's is in Tacuarembó,' zei Arden. 'Dat is hier niet ver vandaan. Niet heel ver.'

Adam draaide zich om zodat hij Omar kon aankijken. 'Federico's is hier altijd al geweest,' zei hij. 'Net zo lang als ik hier ben, bedoel ik daarmee. Ik kwam er met mijn ouders en Jules. Op zaterdagavond gingen de Gunds dikwijls en familie bij Federico's dineren. Ze waren een beetje aandoenlijk, een beetje triest, onze etentjes bij Federico's. Een wanhopige poging om Europees te blijven, normaal te blijven.' Hij draaide zich weer om. 'Gewoon om je wat historisch perspectief te geven,' zei hij.

Federico's leek akelig veel op Ponte Vecchio, het Italiaanse restaurant waar Deirdre en Omar wel eens kwamen, als ze zich een uitspatting konden veroorloven. Omar wist niet

precies wat hij had verwacht, maar hij had gedacht dat een Italiaans restaurant in Uruguay anders zou zijn dan een Italiaans restaurant in Kansas. Eigenlijk ging hij ervan uit dat alles in Uruguay anders moest zijn dan alles in Kansas, zo was het beeld dat hij van beide had, en het feit dat ze maar weinig van elkaar verschilden en in sommige opzichten bijna identiek waren, was ergerlijk.

Het restaurant leek helemaal leeg. Sterker nog, het was leeg.

'Ik ben zo blij dat je eraan gedacht hebt om een tafel te reserveren,' zei Adam.

Arden lachte. 'Tja, je weet het nooit met Federico's,' zei ze. 'Of er is niemand, of het zit stampvol.'

Omar probeerde intussen een of ander bordje te vinden waaruit bleek dat ze hier creditkaarten aannamen, in het bijzonder Visa. Hij dacht dat hij wel genoeg contanten had om het eten te betalen, tenzij het natuurlijk gruwelijk duur was. Maar het zag er niet uit als een restaurant dat heel duur zou zijn. Hij ontdekte twee dode vissen in het aquarium naast de ingang, wat hij als een goed teken beschouwde.

Een man in een smoking verscheen uit het donker achterin – het restaurant was erg slecht verlicht, voornamelijk met sputterende kaarsen in wijnflessen (ook in Ponte Vecchio een geliefde methode). De man zag er van een afstand nogal somber uit, en zijn begrafenisgezicht veranderde niet toen hij dichterbij kwam. Hij greep een paar menukaarten van een stapel op het aquarium en zei: *'Tres?'*

'Sí,' zei Arden. *'Tenemos una reservación. A nombre de Gund. Para cuatro personas, pero sólo somos tres.'*

De man leek, begrijpelijk onder deze omstandigheden, niet geïnteresseerd in die informatie. Hij leidde hen door de zee van lege tafeltjes naar een ronde nis langs de achterwand.

'Muy bien,' zei Arden. *'Gracias.'*

Omar, die alles had verstaan wat Arden had gezegd, voelde zich groeien. Misschien begon hij Spaans te leren.

Misschien ging het inderdaad vanzelf, net als bruin worden of wennen aan een nieuwe tijdzone.

'*Sí, gracias,*' zei hij tegen de gerant.

Arden schoot de nis in en schoof naar het midden van de bank; Omar en Adam flankeerden haar. Ze pakte de menu-kaarten die de gerant achteloos op tafel had gegooid en gaf hun er elk een. 'Alles is lekker hier,' zei ze tegen Omar.

'Het zou juister zijn om te zeggen dat niets lekkerder is dan iets anders,' zei Adam. 'Maar eerst moeten we een ape-ritief bestellen. Drinkt u een cocktail met me, meneer Ra-zaghi?'

Op een rudimentair niveau dacht Omar dat het mis-schien beter was om niet te drinken tijdens dit zeer belang-rijke diner – hij kon niet bijzonder goed tegen drank en voelde zich nog een beetje suf van al het bier dat hij bij de lunch had gedronken – maar zijn eerste reactie was bevesti-gend: hij had zin in een cocktail, dus hij zei ja.

Adam knipte met zijn vingers op een manier die deed vermoeden dat hij zijn leven lang niets anders had gedaan dan obers (en anderen) op deze wijze ontbieden, en er ver-scheen onmiddellijk een ober naast hun tafel. Ze bestelden een aperitief (martini's voor Adam en Omar, een glas wijn voor Arden) en richtten hun aandacht weer op de kaart.

Omar lette voornamelijk op de prijzen en probeerde ze in zijn hoofd om te rekenen in dollars. Hij was opgetogen toen het restaurant absurd goedkoop bleek te zijn: voor-gerechten voor maar $ 1,50! O, wacht: hij deed de reken-som opnieuw en realiseerde zich dat hij verzuimd had de komma naar rechts op te schuiven. Voorgerechten kost-ten $ 15. Of meer. Nou ja, het paste nog steeds binnen zijn budget. Hij nam niet aan dat de cocktails en de wijn vreselijk duur zouden zijn.

Adam legde de kaart het eerst neer. Even later volgde Arden, met een gedecideerd gebaar. Omar zocht het goed-koopste gerecht dat hij kon uitspreken; gelukkig schemer-de de Italiaanse oorsprong van de gerechten door de Spaanse namen heen. Ook hij liet de kaart zakken.

De aperitieven werden gebracht. Omar kon zo gauw niets bedenken om op te proosten – zou een toost uitbrengen op Jules Gund van slechte smaak getuigen? – maar het moment was al voorbij, want ze leken alle drie meer zin te hebben om een slok te nemen dan om te proosten. Proosten is eigenlijk een belachelijke gewoonte, dacht Omar. Het is net zoiets als 'gezondheid' zeggen als er iemand niest.

'Ik vind het jammer dat mevrouw Gund niet met ons mee kon,' zei hij, terwijl hij zijn gevaarlijk volle glas voorzichtig liet zakken. Hij had een martini besteld omdat dat het gemakkelijkst leek toen Adam er een bestelde.

'Werkelijk?' zei Adam. 'Het verbaast me dat je haar goed genoeg kent om haar gezelschap te missen.'

'Nee, zo goed ken ik haar niet,' zei Omar, terugdenkend aan zijn gesprek met Caroline van die ochtend – in zekere zin kende hij haar best goed en was hij blij dat ze er niet was. 'Ik had alleen graag met u alle drie samen willen praten.'

De ober kwam hun bestelling opnemen. Nadat hij was weggestuurd – de manier waarop Adam obers ontbood was geen uniek verschijnsel; hij stuurde ze met dezelfde allure weg – was er een ander gezelschap binnengekomen, dat nu plaatsnam, en om de een of andere reden eiste dat al hun aandacht op. Na een moment richtte Adam zich tot Omar en vroeg: 'Wat wil je ons vertellen?' alsof hij geen idee had wat Omar in Uruguay kwam doen.

Even verloor Omar de moed, dus hij nam nog maar een slokje martini. Waarom schenken ze het glas zo vol? vroeg hij zich paniekerig af. Zijn voornaamste doel was het glas leegdrinken tot een peil waarop het gemakkelijker gehanteerd kon worden, al was hij blij dat hij Adams voorbeeld had gevolgd en een martini had besteld: het was echt een heerlijk drankje. Hij merkte dat Adams martini al tot een heel veilig peil was gezakt.

'Nou,' begon Omar, 'ik denk dat ik graag wil vertellen waarom ik een biografie van Jules Gund wil schrijven en

hoe belangrijk dat voor me is, en wil ingaan op eventuele vragen of bedenkingen van jullie kant. Ik vertrouw erop dat als ik het allemaal goed uitleg, jullie geen reden meer zullen zien om toestemming te weigeren.'

Omar merkte dat Adam zijn aandacht weer had verlegd naar het grote gezelschap dat zojuist was gearriveerd. 'Is dat Suki Schmidt?' vroeg hij aan Arden.

'Ja,' zei Arden. 'En Willem en Willems broer Brat, maar de rest ken ik niet. Misschien zijn dat Brats vrouw en haar zus.'

'Ik dacht dat zij en Willem gescheiden waren.'

'Dat waren ze ook,' zei Arden. 'Maar ze hebben zich weer verzoend.'

'Wat ongelooflijk stom van ze. Ze zaten elkaar altijd in de haren.'

'Ja,' zei Arden. 'Maar ze waren ongelukkig zonder elkaar. Blijkbaar misten ze het.'

'Wat?'

'Elkaar in de haren zitten.'

'Dat konden ze ontzettend goed,' zei Adam. 'Zij heeft een keer op hem geschoten, weet je. En ze heeft hem geraakt ook. In zijn maag, denk ik.'

'Ja, hij heeft tegenwoordig zo'n plastic zakje,' zei Arden.

'Geweld wordt vreselijk onderschat,' zei Adam. 'Het is zo – zo efficiënt. Ik vraag Pete altijd om me een mep te geven. "Geef me gewoon een mep," zeg ik dan.'

'Pete zou jou nooit een mep geven,' zei Arden.

'Nee, ik weet het,' zei Adam. 'Toch denk ik dat we dan veel gelukkiger zouden zijn. Heb jij Jules ooit geslagen?'

'Ja, eerlijk gezegd wel,' zei Arden. 'Een paar keer.'

Ik zou aantekeningen moeten maken of zo, dacht Omar. Ik had een bandrecorder mee moeten nemen. Opeens leek het doodvermoeiend, onmogelijk: Hoe schrijf je een biografie? vroeg hij zich af, als er zoveel te weten valt, oneindig veel, alles. Het leek onmogelijk. Alsof je vanuit het niets een telefoonboek moest samenstellen. Hij nam nog een slokje martini.

'Jij had vaak een coïtale blos van de klappen,' zei Adam.

'O, Jules sloeg mij nooit,' zei Arden. 'Als je dat denkt, vergis je je.'

'O nee, dat heb ik nooit gedacht. Ik nam aan dat jij het meppen voor je rekening nam. En u, meneer Razaghi? Ik heb begrepen dat u verloofd bent. Slaat uw verloofde u? Of slaat u haar? Al lijkt u me daar niet het type voor. Of misschien bent u daar allebei boven verheven?'

'Ik ben niet verloofd,' zei Omar.

'Neem me niet kwalijk,' zei Adam. 'Dan ben ik verkeerd ingelicht. Mijn bronnen vergissen zich.'

'Wie heeft u verteld dat ik verloofd was?' vroeg Omar.

'Een klein vogeltje,' zei Adam. 'Een grote vogel. Een blauwe vogel. Een zwaluw. Een vleermuis.'

'Nou, ik ben niet verloofd,' zei Omar, terwijl hij dacht: Waarom zeg ik dat zo, alsof ze me ergens van beschuldigen? Het zal wel door de martini komen. Hij keek kwaad naar het glas en nam toen weer een slokje.

'Alle stellen hebben iets weerzinwekkend victoriaans,' zei Adam. 'Die zelfgenoegzaamheid, dat gevoel van onaantastbaarheid en veiligheid en superioriteit; daarom heeft God het meppen uitgevonden. Ik weet zeker dat de victorianen elkaar voortdurend een mep verkochten. Daarom droegen ze al die afzichtelijke kleren: om hun blauwe plekken te verbergen.'

Het gesprek scheen een wending te hebben genomen die Omar niet meer kon volgen, en hij had het gevoel dat hij, en zijn martini, hadden bijgedragen aan de grilligheid van de conversatie. Daarom besloot hij rustig te blijven zitten en zijn gedachten te ordenen.

'Misschien moet je ons dan eens vertellen waarom je een biografie van Jules Gund wilt schrijven,' opperde Arden.

Waarom wilde hij een biografie van Jules Gund schrijven? Het was een alleszins redelijke vraag, vooral onder de huidige omstandigheden. De vraag impliceerde natuurlijk dat hij een biografie van Jules Gund wilde schrijven, maar dat wilde hij natuurlijk ook. Anders zou hij hier niet zijn.

Maar plotseling, voor de allereerste keer, was hij er niet zeker meer van. Wilde hij een biografie van Jules Gund schrijven? Kon hij dat?

'Nou ja, zoals ik al zei,' hoorde hij zichzelf zeggen, 'ik ben erg geïnteresseerd in zijn werk. Hoewel hij maar één boek heeft geschreven, vind ik het een belangrijk boek. Het verdient het om ruimere bekendheid te krijgen en meer gelezen te worden, en ik denk dat een biografie in dat opzicht nuttig zou zijn. Het feit dat hij maar één boek heeft geschreven doet er eigenlijk niet toe.'

'Hij heeft nog een boek geschreven,' zei Adam.

'Adam...' waarschuwde Arden.

'Wat?' vroeg Adam.

'Hij heeft maar één boek gepubliceerd,' zei Arden. '*De gondel*. Dat is wat telt.'

'Tja, dat ligt eraan wie er telt.'

'Heeft hij nog meer boeken geschreven?' vroeg Omar.

'Nee,' zei Arden. 'Hij heeft aan andere boeken gewerkt, maar geen daarvan – hij heeft geen ander boek voltooid. Er is alleen *De gondel*. Ga door met wat je aan het zeggen was.'

Omar was van de wijs gebracht. Andere boeken? Wat bedoelden ze?

'Waarom wil je een biografie van Jules schrijven?' hielp Arden.

'Tja,' zei Omar. 'Ik vind dat *De gondel* een belangrijk historisch en artistiek document is. En zijn leven was boeiend – in veel opzichten is het typerend voor de twintigste eeuw.'

'Hoe bedoel je dat?' vroeg Adam.

'Zijn leven slaat een brug tussen werelden en culturen en religies. Alle grote conflicten van de eeuw komen erin voor.'

'Ik begrijp wat je bedoelt,' zei Arden. 'Dat hij half joods was, en een Europeaan, maar katholiek werd opgevoed in Zuid-Amerika...'

'Precies,' zei Omar. 'Plus natuurlijk zijn privéleven.'

'Maar dat geldt ook allemaal voor mij,' zei Adam. 'En dat

ik homoseksueel ben, nou, dat is veel meer een twintigste-eeuws verhaal dan echtgenotes en minnaressen, wat mij erg negentiende-eeuws in de oren klinkt. Waarom schrijf je mijn biografie niet?'

'Ik twijfel er geen moment aan dat uw leven net zo boeiend en belangwekkend is,' zei Omar. 'En ik moedig u aan om een autobiografie te schrijven. Maar voor iemand die geïnteresseerd is in de literaire wereld, is het logisch dat ik meer geïnteresseerd ben in het leven van Jules Gund. En het is misschien belangrijk om te herhalen dat er grote wetenschappelijke belangstelling is voor een biografie van Jules Gund. Zoals u weet heeft de University of Kansas Press al toegezegd het boek te publiceren, op basis van mijn masterscriptie.'

'Hoeveel exemplaren gaan ze uitgeven?' vroeg Adam.

Allemachtig, dacht Omar, waarom vraag je niet hoeveel bladzijden het boek krijgt? 'Dat weet ik niet,' zei hij. 'Maar ik denk dat hun oplagen vergelijkbaar zijn met die van andere universitaire uitgeverijen.'

Misschien hoorde Arden de zweem van frustratie in zijn stem, want ze boog zich naar de tafel – ze had zich achterover laten zakken in de donkere nis – en zei: 'Ik ben van gedachten veranderd, Omar. Ik heb besloten de biografie te autoriseren.'

'Echt waar?' zei Omar. 'Dank je wel.'

'Ik weet zeker dat je een mooie biografie gaat schrijven,' zei Arden. Ze hief haar glas naar hem op.

'Maar Caroline dan?'

'Je moet Caroline nog overtuigen,' zei Arden.

'Jammer dat ze er vanavond niet is. Hoe kan ik haar overtuigen als ik niet met haar kan praten?'

'Je gaat ervan uit dat Caroline rationeel is. Dat is ze niet. Ze laat zich niet op die manier overtuigen,' zei Adam.

'Hoe kan ik haar dan overtuigen?' vroeg Omar.

'Dat kun je niet,' zei Adam.

'Maar dan – moeten jullie het niet met elkaar eens zijn? Kunnen jullie toestemming verlenen zonder haar?'

'Ik zei dat jij haar niet kunt overtuigen,' zei Adam. 'Ik zei niet dat ze niet overtuigd kan worden. Ik hoop dat je onze afspraak niet bent vergeten?'

'Nee,' zei Omar. 'Natuurlijk niet.'

'Wat voor afspraak?' vroeg Arden.

'Dat heeft niet met jou te maken,' zei Adam.

'Als het met de autorisatie te maken heeft, heeft het met mij te maken,' zei Arden. 'Wat voor afspraak hebben jullie gemaakt?'

'Het heeft echt niet met jou te maken,' zei Adam. 'Is dat niet zo, meneer Razaghi?'

'Noem me alstublieft Omar,' zei Omar.

'Is dat niet zo, Omar?'

'Ik weet niet goed wat met wie te maken heeft. Wie met wat.'

'Nou, je kunt ervan verzekerd zijn dat wat wij eerder hebben besproken niet met Arden te maken heeft. Of met Caroline.'

'Wat voer je in je schild?' vroeg Arden. 'Als je iets aan het bekokstoven bent, Adam, wil ik het weten. Anders werk ik niet mee.'

'Ik voer niets in mijn schild,' zei Adam. 'Zo ben ik niet. Misschien moesten we het onderwerp maar laten rusten en van de maaltijd genieten. Als je me even wilt excuseren ga ik Suki en Willem begroeten.' Hij verliet de tafel en liep de eetzaal door.

Arden zei niets. Ze liet haar vingers langs de steel van haar wijnglas glijden en staarde recht voor zich uit.

Omar wist niet wat hij moest zeggen. Arden zag er prachtig uit. Haar haar zat in een wrong, ze droeg parels in haar oren en had lippenstift op. Het was duidelijk dat ze zich speciaal voor het etentje had gekleed, en het was eigenlijk een beetje triest, vond Omar: dat ze er zo mooi uitzag, met lippenstift, opgestoken haar, een tasje dat naast haar op de bank lag – en waarvoor? Dit etentje met hem en Adam in zo'n flutrestaurant. Ze zag er verslagen en verdrietig uit.

'Het spijt me,' zei hij.

Ze keek hem aan en glimlachte. Misschien was ze niet verdrietig. 'Spijt? Wat spijt je?'

'Dat – Adam en ik hebben niets bekokstoofd. Echt niet.'

'O,' zei ze en lachte. Ze had een mooie lach: uitbundig, natuurlijk. 'Ik weet niet of ik dat wel geloof. Adam is altijd iets aan het bekokstoven. Ik ben het gewend.'

'Hij wil alleen dat ik iets voor hem doe,' zei Omar. Hij voelde zich beter nu hij het gezegd had. Hij wilde geen geheimen hebben voor Arden.

'Je hoeft niets voor hem te doen, hoor. Wees maar voorzichtig. Het komt allemaal goed.'

'En Caroline dan?'

Ze keek weg, naar de andere tafel, waar Adam stond te praten. Ze schudde haar hoofd. 'Caroline moet zelf een beslissing nemen,' zei ze. 'Hoe meer je haar probeert te overreden, hoe meer ze zich zal verzetten.'

'Nou, ik ben blij dat jij van gedachten bent veranderd,' zei Omar. 'Dank je wel.'

Ze keek hem weer aan. 'Ik heb het niet gedaan om jou een plezier te doen,' zei ze. 'Dat moet je niet denken.'

'Nee,' zei Omar.

'Ik – bij nader inzien denk ik dat een biografie het beste is voor Jules. Ik ben voor Jules van gedachten veranderd, niet voor jou.'

'Natuurlijk,' zei Omar.

Bij het molenhuis deed Adam het portier open. 'Komen jullie nog een slaapmutsje drinken? We hebben ergens nog een fles chartreuse staan, geloof ik.'

'Ik heb genoeg gehad voor vanavond,' zei Arden. 'En Ada is bij Portia.'

'Je mag de auto meenemen als je wilt,' zei Adam. 'Pete kan hem morgen ophalen. Breng me dan naar de deur, meneer Razaghi,' zei Adam. 'Die keien zijn 's avonds verraderlijk.'

Omar kwam uit de auto en hielp Adam met uitstappen.

Adam pakte Omars arm en leidde hem over het donkere erf.

'Zo,' zei Adam. 'Nog één te gaan. Misschien had je me met Arden niet nodig, maar Caroline is een lastiger geval.'

Hij praatte nogal hard – ze hadden een fles prosecco bij het eten gedronken – en Omar was bang dat Arden het zou horen. 'Ik denk niet dat het door mij komt dat Arden van gedachten is veranderd,' zei hij.

'Onzin! Natuurlijk wel. Onderschat het effect van je charme niet.'

Omar zei niets, maar bloosde in het donker. Hij voelde Adams hand steviger om zijn arm knellen. 'Ik had vroeger net zoveel charme als jij,' zei Adam. 'Hoe vreemd dat nu misschien ook klinkt. Maar charme verwelkt met de leeftijd. Net als bloemen, of schoonheid. Bij mij in elk geval wel. Sommige mensen weten hun charme of schoonheid te behouden of, in zeldzame gevallen, beide. Maar je zult merken dat die meevaller een prijs heeft. De prijs is on-baatzuchtigheid, onthouding, afzien. Het is een beetje zielig om oud en mooi en charmant te eindigen, vind ik: dat is, althans in mijn ogen, een verspilling van middelen, of op zijn minst een vorm van wederrechtelijke toe-eigening. Ik denk dat ik me heel terecht van die middelen heb ontdaan. Want charme en schoonheid zijn waardevoller als men jong is. Er is weinig wat een grijsaard ermee kan kopen. Daarom vind ik het niet erg om oud en lelijk te zijn: het is gepast, vind ik.'

'Maar u bent niet lelijk,' zei Omar, overmoedig geworden door de drank.

'Heel charmant van je om dat te zeggen,' zei Adam. 'Dank je. Maar verspil je charme niet aan mij.'

'Nee, ik wil u bedanken,' zei Omar. 'Voor al uw goede raad en hulp.'

'Ik denk dat je achteraf wel zult inzien dat ik niets voor je gedaan heb,' zei Adam, 'maar nu je je nog verplicht voelt, wil ik je graag aan onze afspraak herinneren.'

'Natuurlijk,' zei Omar, 'ik ben het echt niet vergeten.'

'Enfin, daar kunnen we het later wel over hebben. Morgen misschien. Nu moet ik naar bed. Misschien kun je de deur voor me opendoen, want die klemt een beetje en reageert goed op brute kracht. Een eigenschap die ik tegenwoordig ontbeer, net als charme en schoonheid.'

De deur was weerspannig, maar Omar slaagde erin hem open te duwen. Adam stapte naar binnen.

'Charme en brute kracht. Wat een verrukkelijk dier ben je.'

Omar bleef op de stoep staan. 'Welterusten,' zei hij.

Adam kwam terug naar de deur. Hij legde een hand op elk van Omars schouders en kuste hem op de wang. 'Welterusten, beste jongen.' Hij draaide zich om en liep langzaam de donkere trap op. Omar trok de deur dicht en stak het erf over. Arden was uit de auto gekomen en zat op de stenen muur. Ze had haar schoenen weer uitgedaan. Hij ging naast haar zitten. Het was koel geworden en ze had een vest aangetrokken dat ze bij zich bleek te hebben. Misschien had het in de auto gelegen. 'Vind je het goed om terug te lopen?' vroeg ze. 'Ik heb zin in een wandeling, en wat frisse lucht – maar we kunnen ook de auto nemen als je wilt. Je zult wel moe zijn.'

'Nee,' zei Omar. 'Ik wil graag lopen.'

Arden stond op en ging naar de oprit. Omar volgde haar. Zwijgend liepen ze het pad af. Ze staken de brug over, en hoorden beneden in het donker het riviertje klateren. Daar bleven ze staan, als bij afspraak. Arden vroeg: 'Wat ga je nu doen?'

Omar wist niet wat ze precies bedoelde, en hij wilde niet denken aan wat hij kon of moest doen. Hij zei niets.

'Enfin, je mag hier blijven zolang het nodig is,' zei Arden.

'Dank je,' zei Omar.

Arden liep weer door, en Omar volgde haar.

'Er is één ding dat ik erg graag zou willen doen,' zei hij.

'Wat dan?'

'Ik zou de gondel graag willen zien.'

'O,' zei Arden. 'Natuurlijk mag je die zien. Maar ik waarschuw je, het is een flink eind lopen, nu de weg is weggespoeld. Ik had je toch verteld dat de weg verdwenen is, hè?'

'Ja,' zei Omar. 'Wanneer is dat gebeurd? En hoe?'

'Een jaar of vijf geleden. Jules' vader had de rivier afgedamd om een meer aan te leggen voor de gondel. Die rivier' – ze wees achter hen – 'maar verder stroomopwaarts. Natuurlijk werd de dam verwaarloosd, zoals alles. Hij brak tijdens een storm en de weg naar het meer werd weggespoeld, en we hebben nooit de moeite genomen om de dam of de weg te repareren.'

'Maar kun je er nog wel komen?'

'Ja, te voet. Er is een pad.'

'Hoe ver is het? Hoe lang doe je erover?'

'Een paar kilometer, denk ik. Heuvelopwaarts. Een uur of zo. We kunnen morgen gaan als je wilt. Het is een mooie wandeling.'

'Graag,' zei Omar. 'Dank je.'

'Na het ontbijt dan. We kunnen een lunchpakket meenemen.'

'Mag ik mijn fototoestel meenemen?' vroeg Omar.

'Ik zou niet weten waarom niet,' zei Arden.

Omar zei: 'Het is raar.'

'Wat is raar?'

'Waar ik woon, in Kansas – waar ik tegenwoordig woon – woon ik in een huis naast een verdwenen meer.'

'Hoe bedoel je?' vroeg Arden.

'Het is precies zoals hier. Er was een meer ontstaan door de aanleg van een dam, maar de dam brak, dus het meer is weg. Er is alleen nog een riviertje en moeras. Het is raar dat hier hetzelfde is gebeurd.'

'Ja,' zei Arden, 'dat zal wel.' En daarna vroeg ze: 'Woon je alleen?'

'Ja,' zei Omar.

'Maar ik begrijp dat je een vriendin hebt?'

'Ja, dat is zo,' zei Omar.

'Hoe heet ze?'

'Ze heet Deirdre.'

'Dat is een mooie naam,' zei Arden.

Omar reageerde niet.

'En werkt zij ook aan de universiteit?'

'Ja,' zei Omar. 'Inderdaad.'

'Is haar vakgebied literatuur?'

'Ja,' zei Omar. 'Dat klopt.'

'Sorry als ik onbeleefd ben,' zei Arden.

'Je bent niet onbeleefd,' zei Omar. 'Echt niet. Het spijt me als ik je dat gevoel heb gegeven.'

'Ik ontmoet niet vaak nieuwe mensen. Ik weet niet meer hoe ik me moet gedragen.' Ze liepen een ogenblik zwijgend naast elkaar, en toen draaide Arden zich een beetje naar hem toe. 'Ben je gelukkig?' vroeg ze.

Het was een rare vraag, vond Omar, misschien wist ze inderdaad niet meer hoe ze zich moest gedragen. Maar toch, het moment liet het toe; of niet zozeer het moment als wel de som van alle momenten, de hele dag die zich in het donker achter hen uitstrekte, alsof de dag een weg was waarover ze hadden gelopen. 'Ik denk het wel,' zei Omar. 'Ik heb geen reden om het niet te zijn. Al zit ik natuurlijk in over het boek, en de autorisatie –'

'Nee,' zei Arden. 'Ik bedoel los daarvan. Ik bedoel je leven, het wonen in Kansas, het promoveren, het lesgeven – maakt dat je gelukkig?'

Het antwoord was nee, maar om de een of andere reden kon Omar dat niet toegeven, want toegeven dat hij ongelukkig was leek hetzelfde als toegeven dat hij mislukt was, want dat was toch zo? Als het hem niet gelukkig maakte, het wonen in Kansas, het promoveren, het lesgeven, was dat dan niet zijn eigen schuld? Ja. Als hij ongelukkig was, kon hij dat niemand anders verwijten dan zichzelf. En dus was hij mislukt. Maar was hij echt ongelukkig? Hij had dat eigenlijk nooit eerder gedacht. In plaats van nee te zeggen, zei hij: 'Het is raar om je leven zo ver achter je te laten. Om er gewoon uit te stappen. Stel je voor dat jij naar Kansas ging –'

Arden lachte.

'Nee,' zei Omar. 'Ik kan me jou niet in Kansas voorstellen.'

Ze waren bij het hek gekomen en liepen de oprijlaan in.

'Ik heb het gevoel dat ik hier al veel langer ben dan één dag,' zei Omar.

'Ja,' zei Arden, 'het lijkt langer.'

'Ik begrijp waarom je hier wilt blijven wonen. Tenminste, ik denk dat ik het begrijp. Het lijkt hier op een bepaalde manier heel volmaakt.'

'Hoe bedoel je?'

'Ik weet het niet. Het is moeilijk te zeggen. Alles lijkt gewoon volmaakt. Alles lijkt op zijn plaats. Zelfs de bomen, het hek, het huis, alle dingen in huis, en de stilte – ik weet het niet. Ik ben een beetje dronken, denk ik.'

Arden glimlachte in het donker.

'Je ziet er zo mooi uit vanavond,' zei Omar.

'Ik ben al van gedachten veranderd. Je hoeft me niet meer te vleien.'

'Nee!' zei Omar. 'Echt. Ik meen het. Ik zou je nooit vleien. Ik bedoel, ik zou je nooit vleien om een zakelijke reden. Zo ben ik niet.'

'Dat weet ik,' zei Arden, 'maar je moet het toch niet doen.'

'Waarom niet?' vroeg Omar.

'Nou, om te beginnen heb je een vriendin, toch? Ik denk niet dat zij het leuk zou vinden.'

Omar dacht aan Deirdre. Het was moeilijk om aan Deirdre te denken, misschien omdat hij dronken was, en door de afstand, alsof de afstand zijn vermogen aantastte om haar beeld op te roepen. 'Ik denk niet dat ze het erg zou vinden als ik zeg dat je mooi bent,' zei hij.

Arden zei niets. Ze naderden het huis. Een zacht licht scheen door de ramen in de toren, maar de meeste andere ramen waren donker, en ze bleven in het donker bij de voordeur staan. De bomen om hen heen murmelden en wasemden hun dennengeur uit.

'Ik wou dat we nu naar de gondel konden lopen,' zei Omar.

'Nu? In het donker?'

'Ja,' zei hij.

'Maar dan zou je hem niet zien. Er is daar geen licht.'

'Ik wil blijven lopen,' zei Omar.

'Ik moet naar binnen,' zei Arden. 'Ada is bij Portia. Jij mag zoveel rondlopen als je wilt.'

'Ik denk dat ik een eindje ga lopen.'

'Goed,' zei Arden. 'Pas op dat je niet verdwaalt.' Ze draaide zich abrupt om, zonder welterusten of iets anders te zeggen, en ging het huis in. Omar stond buiten en zag het licht aangaan. Toen liep hij terug over de oprijlaan, tot aan het punt waar de bocht begon, draaide zich om en keek naar het huis. Hij zag het voor zich opdoemen, de gele baksteen glansde flauwtjes in het donker. Hij deed een paar stappen opzij tot hij tussen de hoge bomen stond. Hij ging op de grond liggen, kijkend naar de sterren die door de openingen in het trillende gebladerte schenen.

Adam zat in de donkere woonkamer toen Pete thuiskwam. Pete deed het licht aan en zag hem. 'Waarom zit je in het donker?' vroeg hij.

'Ik zat op jou te wachten,' zei Adam.

'Waarom zat je op mij te wachten?' vroeg Pete. 'En waarom in het donker?'

'Waar ben je geweest?' vroeg Adam.

'In Huerta.'

'En wat voerde je naar Huerta?'

'Een tafel,' zei Pete.

'Je hebt het etentje gemist,' zei Adam.

'Het spijt me,' zei Pete. 'Ik dacht niet dat ik zo lang weg zou blijven.'

'Het lijkt inderdaad vrij lang voor het bekijken van een tafel. Was het een bijzonder boeiende tafel?'

Pete ging naar de keuken en spoelde een vuil glas om, vulde het met water en dronk het vlug leeg. Daarna vulde

hij het opnieuw en keerde terug naar de woonkamer, af en toe een slok nemend. 'Wil jij iets?' vroeg hij aan Adam.

'Er zijn veel dingen die ik wil,' zei Adam.

'Wil je iets dat ik voor je kan halen?' vroeg Pete.

'Ik wil dat je gelukkig bent,' zei Adam.

'Ik ben gelukkig,' zei Pete.

'Is dat zo?'

'Ja,' zei Pete.

'Als ik jou was, zou ik niet gelukkig zijn,' zei Adam.

'Maar je bent mij niet. En wie zou jij moeten zijn om gelukkig te zijn? Niemand, denk ik.'

Pete ging tegenover Adam op de bank zitten. Tussen hen in stond een lage tafel, en Pete tilde zijn benen op, eerst het ene en toen het andere, en legde ze op tafel. Met een zucht leunde hij achterover in de kussens. 'Hoe was het etentje?' vroeg hij.

'Wel vermakelijk,' zei Adam. 'Arden is van gedachten veranderd. Ik heb dat altijd een leuke uitdrukking gevonden: van gedachten veranderen. Alsof een gedachte een soort hoed is: je zet de ene af en de andere op. Ik zou ook wel van gedachten willen veranderen.'

'Waarover?'

'Ik bedoel in zijn geheel. Zoals een hoed.'

'Er is niks mis met jouw gedachten. Ik zou ze missen,' zei Pete. 'Waarom is Arden van gedachten veranderd?'

'Omdat het haar leuk lijkt om met Omar Razaghi te spelen.'

Pete zei niets.

'Natuurlijk willen we allemaal met hem spelen, ieder op zijn eigen manier. Het probleem is dat Caroline dwarsligt en denkt dat het leuker is om hem te jennen dan om hem te helpen.'

'En jij?' vroeg Pete.

'Ik vind hem gewoon amusant.'

'Nou, ik ben blij dat je je amuseert.'

'Vertel eens over de tafel,' zei Adam.

'Welke tafel?'

'De tafel die jou de hele avond heeft beziggehouden in Huerta.'

'Je gelooft niet dat er een tafel is in Huerta, hè?'

'Natuurlijk geloof ik dat er een tafel is in Huerta. Ik denk dat er veel tafels zijn in Huerta.'

'Het was eigenlijk geen tafel. Of niet alleen een tafel. Er wordt een nieuwe rechtbank gebouwd in Huerta. Heel modern, en lelijk. De hele inboedel van de oude rechtbank wordt geveild. Er zijn een paar mooie dingen bij. Waaronder tafels. Mooie houten banken. En op de terugweg heb ik bij Mordachei's gegeten en een biertje gedronken.'

'Alleen?'

'Ja,' zei Pete.

'Heb je met niemand gepraat?'

'Waarom stel je al die vragen? Ik heb geen geheim leven.'

'Ik weet het,' zei Adam. 'Ik wou dat je het wel had.'

'Waarom?' vroeg Pete.

'Nou ja, niet geheim. Het hoeft niet geheim te zijn. Maar een ander leven, of op z'n minst een beetje een leven, dat zou ik willen.'

'Dat heb ik,' zei Pete. 'Ik heb meer dan een beetje een leven.'

'Soms denk ik dat het verkeerd van me was om jou hier mee naartoe te nemen.'

'Ik heb het hier anders best naar mijn zin,' zei Pete. 'Ik ben hier gelukkiger dan ik ooit eerder ben geweest. Ik wou dat je je niet zulke zorgen om me maakte. Ik ben geen huisdier.'

'Zo bedoelde ik het niet,' zei Adam.

'Volgens mij wel. Jij bent niet verantwoordelijk voor mijn geluk.'

'Natuurlijk niet. Maar desondanks gaat het me aan.'

'Je kunt je beter zorgen maken om je eigen geluk.'

Adam grinnikte somber. 'O, dat heb ik opgegeven!'

'Je doet wel alsof, maar het is niet echt zo.'

'Hoe weet jij dat?'

'Het is laf, vind ik,' zei Pete. 'Het is het enige aan jou wat me niet bevalt.'

'Wat?'

'Dat je net doet alsof geluk niet belangrijk is. Dat het voor jou op de een of andere manier onhaalbaar is. Dat je het achter je hebt gelaten.' Hij zweeg even. 'Ik vind het wat al te gemakkelijk, en egoïstisch.'

'Egoïstisch?'

'Ja,' zei Pete. 'Egoïstisch, en een beetje gemeen. En ik dan? Maak ik je niet gelukkig? Kan ik je niet gelukkig maken? Al is het maar af en toe?'

'Natuurlijk kun je dat,' zei Adam. 'Natuurlijk doe je dat.'

'Zeg dan niet dat je niet gelukkig bent. Zeg dan niet dat geluk niet belangrijk is.'

'Het spijt me,' zei Adam.

Pete stond op. 'Ik ben moe,' zei hij. 'Ga je mee naar bed?'

'Ga maar vast,' zei Adam. 'Ik kom zo.'

Pete bracht zijn glas naar de keuken. Hij liep terug door de woonkamer en bleef in de deuropening staan. 'Kom je?' vroeg hij.

'Zo meteen,' zei Adam.

'Ben je geschrokken van wat ik zei?'

'Nee,' zei Adam. 'Nou ja, een beetje. Maar het is goed. Geen probleem. Bedankt voor wat je hebt gezegd.'

'Kom,' zei Pete. 'Alsjeblieft, ga nou mee.'

En tot zijn verrassing ging Adam mee.

HOOFDSTUK ELF

Caroline zat aan de keukentafel thee te drinken toen Omar de volgende ochtend verscheen. 'Goedemorgen,' zei hij.

'Goedemorgen,' antwoordde ze. 'Portia heeft de bus gemist dus Arden brengt haar met de auto naar school. Ze zal zo wel terug zijn, denk ik. Er zit koffie in de pot.'

'Dank u,' zei Omar. Hij schonk zichzelf een kop koffie in en ging aan tafel zitten.

'Ik begrijp dat jij en Arden op excursie gaan,' zei Caroline.

'Ja,' zei Omar. 'We gaan naar de gondel kijken.' Hij nam een slok. De koffie was gloeiend heet. Hij blies erop.

'Heb je genoten van het etentje bij Federico's?' vroeg Caroline.

'Ja,' zei Omar. 'Het was erg gezellig.'

'En Arden is van gedachten veranderd,' zei Caroline.

'Ja,' zei Omar.

'Weet je, ik heb erover nagedacht. En ik ben in de war. Jij brengt me in de war. Misschien heb ik je gisteren verkeerd beoordeeld, maar je leek anders.'

'Hoe leek ik dan?'

'Je leek een meelevend, moreel mens.'

'Vindt u dat ik immoreel ben?'

'Tja, ik vraag me af wie er een biografie over iemand zou willen schrijven tegen de wensen van die persoon in. Of de wensen van zijn vrouw, in dit geval.'

'Het spijt me,' zei Omar. 'Ik zie gewoon niet in hoe een brief die iemand dertig jaar geleden schreef –'

'Twintig.'

'Twintig dan. Ook goed. Maar ik zie niet in hoe een mening die destijds werd geuit nu nog van toepassing kan zijn.'

'Dat is voor jou wel zo gemakkelijk.'

'En zelfs al was het zo, dan hebben andere dingen voorrang.'

'Wat voor dingen zijn dat?'

'Ik bedoel dat het anders zou zijn als Jules nooit een boek had geschreven. Maar dat heeft hij wel gedaan. En het kreeg internationaal veel aandacht toen het verscheen. Hij raakte betrokken bij het publieke debat.'

'En daarmee haalt hij zich de verschrikking van een biografie op de hals? Door één boek uit te brengen?'

'Ja,' zei Omar. 'En ik denk niet dat een biografie altijd een verschrikking hoeft te zijn.'

'Je rationaliseert gewoon, je verzint excuses. Ik wilde dat je zijn brief kon lezen.'

'Ik ook,' zei Omar.

'Dat geloof ik graag. Ik denk dat je al zijn brieven aan mij graag zou willen lezen.'

'Ja, dat is zo,' zei Omar.

'En vind je dat niet vreemd?'

'Wat?'

'Dat je het recht meent te hebben de brieven te lezen die mijn man aan mij schreef?'

'Ik zie het niet als een recht,' zei Omar. 'Het zou een voorrecht zijn.'

'Nou, dat voorrecht krijg je niet,' zei Caroline.

'Ik vind het jammer dat u er zo over denkt,' zei Omar. 'En uw afkeer van de biografie doet me in feite meer dan die van Jules.'

'Omdat Jules dood is en ik een executeur ben.'

'Nee,' zei Omar. 'U denkt altijd het slechtste van me, hè?'

'Waarom dan?'

'Omdat ik uw mening belangrijk vind. Natuurlijk wil ik die biografie niet schrijven zonder dat u er uw zegen aan geeft.'

'Schrijf haar dan niet.'

'Dat zal ik ook niet doen. Dat kan ik niet. Maar ik vind het erg spijtig. Ik vind het een belangrijk verhaal, dat het verdiend om verteld te worden. En Adam en Arden zijn het met me eens.'

'In morele kwesties heeft de meerderheid het niet voor het zeggen.'

'Waarom moet u hier een morele kwestie van maken?'

'Omdat het dat is,' zei Caroline. 'Ik geloof niet dat jij dat niet kunt of wilt inzien.'

Omar zweeg even, en daarna zei hij: 'Is het alleen die brief van Jules, of zijn er andere redenen?'

'De brief is de voornaamste en, naar mijn idee, een meer dan voldoende reden.'

'Maar u heeft nog andere redenen?'

'Ja,' zei Caroline. 'Natuurlijk.'

'Zou ik die mogen horen?'

'Ik wil niet onaardig lijken, al ben ik dat in jouw ogen waarschijnlijk al. Jammer. Ik ben geen onaardig mens.'

'Dat vind ik ook niet,' zei Omar.

Ze lachte naar hem.

'Ik vind je nog zo jong,' zei ze.

Hij sprak haar niet tegen.

'Afgezien van hoe ik denk over Jules' brief, heb ik het gevoel dat jij niet tegen deze taak bent opgewassen. Ik zou geen enkele biografie van Jules autoriseren, maar een door jouw geschreven biografie al helemaal niet.'

'Waarom niet?' vroeg Omar.

'Je lijkt te weinig op hem. Je zou zijn leven niet begrijpen. Je zou mij niet begrijpen. Je bent niet katholiek. Je bent jong. Je bent onervaren. En ik denk dat er niets van zou kloppen.'

'Maar als u meewerkt gebeurt dat niet. Dat gebeurt alleen als u weigert me te helpen.'

'Je begrijpt niet wat ik bedoel. Ik bedoel niet dat de feiten niet zullen kloppen. Ik besef dat je een academicus bent en een feitelijk levensverhaal gaat schrijven, maar het is niettemin een leven. Zijn leven. Dat lijkt iedereen te vergeten. En het was geen vrolijk leven. Hij heeft genoeg geleden.'

'Maar goede biografen lijken vaak niet op hun onderwerp,' zei Omar. 'Ik denk dat het zelfs beter is. Het schept de mogelijkheid voor objectiviteit en helderheid.'

'Objectiviteit? Gisteren zei je heel iets anders! Gisteren zei je dat je een subjectieve, emotionele biografie wilde schrijven. Omar, je maakt er een potje van. Je weet niet wat je zegt of doet. Geef het maar toe, het is geen schande. Het verkeerde doen, dat is een schande.'

Omar zei niets.

Caroline legde haar hand even op de zijne. 'Je hoeft die biografie niet te schrijven,' zei ze. 'Ik weet dat je denkt dat het wel moet, maar het hoeft niet. Je kunt het ook laten. Die keus heb je.'

'Maar dat is niet zo,' zei Omar. 'U begrijpt het niet. Alles hangt ervan af.'

'Wat is alles?'

'Mijn baan. Mijn carrière. Misschien de relatie met mijn vriendin.'

'Het spijt me, het spijt me werkelijk dat je in zo'n lastig parket zit. Ik kan me voorstellen dat het vanuit jouw stand-punt bekeken inderdaad lijkt alsof alles afhangt van het schrijven van die biografie. Maar ik verzeker je dat dat niet zo is. Wat jou lijkt te verplichten tot het schrijven van die biografie is van geen belang. Nu ben je in de gelegenheid om dat allemaal los te laten. Dit is de kans om je leven te veranderen, Omar. Grijp die kans.'

'Ik wil mijn leven niet veranderen,' zei Omar. 'Het is misschien geen gemakkelijk leven, maar het bevalt me goed.'

'Tja, ik kan me niet compromitteren om jouw leven ge-makkelijker te maken.'

'Dat weet ik wel,' zei Omar. 'Dat vraag ik ook niet van u.'

'Ik dacht van wel,' zei Caroline. 'Wat vraag je dan van me?'

Omar keek haar aan. Het zou niet zo moeilijk moeten zijn, dacht hij. Dat het wel zo moeilijk was betekende dat er iets mis was, wezenlijk en fundamenteel mis. Hij had dat eerder moeten beseffen en hier nooit moeten komen. Het was een verkeerde beslissing geweest. Hij had het geld van de beurs terug moeten geven. Deirdre had zich vergist. Hij

had dit niet moeten doen. Er hing in feite niets van af. Niets dat er echt toe deed.

'Ik vraag niets van u,' zei hij.

Caroline keek hem aan. Hij voelde zijn gezicht trillen, maar toen voelde hij het harder worden, een plotselinge hardheid doorstroomde hem, een vreemde, onbekende kracht. En hij keek terug met die kracht in zijn ogen. Caroline haalde haar schouders op. Ze stond op van tafel, liep naar de gootsteen, spoelde haar theekopje af onder de kraan en zette het omgekeerd in het afdruiprek. Daarna, zonder Omar nog een blik waardig te keuren, deed ze de deur open. Omar zag haar over de binnenplaats lopen en verdwijnen door de deur die naar de toren leidde.

Ze heeft gelijk, dacht Omar. Ik ben het niet eens met alles wat ze zegt en ik begrijp haar niet echt, maar in wezen heeft ze gelijk. Misschien heeft ze in moreel opzicht gelijk. Maar ik ben geen slecht mens, hield Omar zichzelf voor. Ik heb geen slechte bedoelingen. Wat ik wil is volkomen aanvaardbaar en moreel verdedigbaar. Hij verborg zijn gezicht in zijn handen. Maar waarom had God Caroline uitgevonden?

Zo zag Arden hem aan de keukentafel zitten toen ze terugkwam uit de stad. 'Mooi,' zei ze, 'je bent op. Heb je goed geslapen?'

'Ja,' zei Omar. Hij keek haar niet aan.

'Wat is er?' vroeg Arden. 'Je ziet er – is er iets mis?'

'Nee,' zei Omar. Hij keek op en probeerde te glimlachen. 'Nee hoor. Sorry. Ik heb alleen een beetje een kater, denk ik. Ik ben het niet gewend om zoveel te drinken.'

'Ik ook niet,' zei Arden. 'Al schijnt het bij mij niet –'

'En misschien komt het ook van het reizen,' zei Omar. 'Ik voel me gewoon een beetje vreemd.'

'Je ziet bleek,' zei Arden. Ze kwam vlak bij hem staan en legde haar hand op zijn voorhoofd. 'Je voelt niet warm aan.'

'Ik mankeer echt niets,' zei Omar. 'Van de koffie zal ik wel wakker worden.'

'Wil je toch gaan? Als je je niet lekker voelt, moeten we vanochtend maar niet naar de gondel gaan.'

'Nee, ik wil graag,' zei Omar. 'Een beetje lichaamsbeweging zal me goeddoen. Dat is net wat ik nodig heb, denk ik.'

'Heb je honger?' vroeg Arden. Ze ging aan tafel zitten.

'Nee,' zei Omar.

'Wil je brood met jam? Of eieren?'

'Nee, dank je,' zei Omar. 'Ik heb genoeg aan koffie.'

Arden stond op. Ze had boodschappen gedaan, en die begon ze uit te pakken en op te bergen in de kasten en de antieke koelkast. 'Portia is boos op ons,' zei ze. 'Ze wilde dat we wachtten tot ze uit school kwam, zodat ze met ons mee kon.'

'We kunnen wel wachten als je wilt,' zei Omar.

'Nee,' zei Arden. 'Met haar erbij schiet het niet op.'

HOOFDSTUK TWAALF

Ze liepen de poort uit, volgden het grindpad door de geometrische tuin, stapten door de oleanderhaag, liepen om de moestuin heen, door een boomgaard, en klommen toen langs een helling omhoog naar een bos met voornamelijk loofbomen. Het was stil en erg warm; er stond geen wind en de bomen verduisterden en zeefden het zonlicht wel, maar maakten het niet minder warm. Er was geen spoor van een pad; er was zelfs niets dat erop wees dat iemand hier ooit eerder een voet had gezet, maar Arden zigzagde doelbewust tussen de bomen door.

'Ik dacht dat er een pad was,' zei Omar.

'Er is straks een soort pad,' zei Arden. 'Niet hier.'

'Is dit jullie land?' vroeg Omar.

'Ja,' zei Arden. 'We hebben geprobeerd het te verkopen, maar niemand wil het hebben.'

'Hoeveel hectare hebben jullie?'

'Dat weet ik niet. Veel, denk ik. Een paar honderd. En vroeger, toen ze de mijn nog hadden, was het nog meer.'

'Wanneer hebben ze de mijn verkocht?'

'Geen idee. Ik denk in de jaren vijftig, maar ik weet het niet zeker.'

'Is de mijn nog in bedrijf?'

'Nee,' zei Arden. 'Die is al tijden gesloten.'

'Wat werd er gewonnen?'

'Bauxiet,' zei Arden.

'Wat is bauxiet?'

'Een erts, denk ik. Het wordt gebruikt om aluminium van te maken.'

'Ik begrijp niet hoe dat allemaal werkt,' zei Omar.

'Ik ook niet,' zei Arden. Ze zweeg, keek rond en sloeg toen een iets andere richting in. Ze liep vlugger dan Omar zich had voorgesteld dat ze zouden lopen. Voor zover hij wist hadden ze geen haast, maar aan Ardens tempo was dat niet te merken.

Na een poosje zei Omar: 'Mag ik je iets vragen?'

'Jawel,' zei Arden. Ze ging iets langzamer lopen.

'Ik vroeg me af of jij wist – denk je dat er een bepaalde reden is waarom Caroline niet wil dat de biografie geschreven wordt? Ik bedoel een andere reden dan de brief van Jules?'

'Wat bedoel je?' vroeg Arden.

'Ik bedoel, denk je dat er iets is, iets met haar of Jules dat ze niet beschreven wil zien in een boek?'

'O,' zei Arden. 'Iets om je voor te schamen? Nee, dat denk ik niet. Al is het natuurlijk mogelijk, maar dat is nooit bij me opgekomen. Denk je dat?'

'Ik weet het niet,' zei Omar. 'Ik ken haar niet. Ik begrijp gewoon niet waarom ze zo dwarsligt.'

'Misschien is dat niet te begrijpen,' zei Arden.

'Maar denk je niet dat alles begrepen kan worden? Als je er maar aandachtig en zorgvuldig genoeg naar kijkt?'

'Nee,' zei Arden. 'Dat is niet mijn ervaring. Al lijkt het me voor een biograaf wel een praktisch uitgangspunt. Een noodzakelijk uitgangspunt zelfs.'

'Ik heb het niet alleen over de biografie. En ik ben geen biograaf. Nog niet tenminste. En als het zo doorgaat word ik het nooit. Nee, ik bedoel het leven in het algemeen, en mensen. Ik bedoel, mensen gedragen zich vaak raadselachtig of onverklaarbaar, maar als je ze goed genoeg kent en genoeg over hen weet, begrijp je waarom ze zo doen.'

'Ik vraag me af of mensen wel zo rationeel zijn,' zei Arden.

'Begrijp jij waarom Caroline ertegen is?'

'Ja,' zei Arden. 'Maar niet op een rationele manier. Ik kan het jou niet uitleggen, maar zelf begrijp ik het wel. Het is ingewikkeld, denk ik. Het gaat niet om één ding, of een paar dingen. Het gaat om alles, haar hele wereld, zoals die in elkaar zit.'

'O,' zei Omar. 'Ze zei vanmorgen tegen me – of ze impliceerde het – dat ik immoreel was. Dat het immoreel van me was om de biografie te schrijven.'

'Zei ze dat?' vroeg Arden. 'Al verbaast het me niet. Dat is altijd haar laatste redmiddel: het verheven morele standpunt. Caroline die vanuit haar toren op ons neerkijkt.'

'Vind jij biografieën immoreel? Ik bedoel wezenlijk, intrinsiek immoreel?'

'Nee,' zei Arden. 'Maar misschien ben ik te dom om dat te begrijpen. Maar je moet je van Carolines arrogantie niets aantrekken. Zo verdraagt ze de eenzaamheid, door zichzelf ervan te overtuigen dat ze beter is dan ieder ander. Ze is erg trots. Daarom is ze gestopt met schilderen, denk ik. Ze kon het idee om een middelmatige kunstenaar te zijn niet verdragen, dus is ze gestopt. Ze vindt dat je beter niet kunt schilderen dan middelmatig schilderen. Het is erg jammer, en dom. Zij is gedwarsboomd, en nu vindt ze het leuk om anderen te dwarsbomen. Tegen mij doet ze de hele tijd zo, maar ik vind het niet erg. Of ik probeer het niet erg te vinden. Dat moet jij ook niet doen. Echt.'

Ze kwamen uit het bos bij een verlaten, onverharde weg die door dichter en meer gevarieerd bos omhoogliep. Arden legde uit dat dit de weg naar het meer was die was weggespoeld, en ze volgden hem naar boven; de weg lag tegen de zijkant van de heuvel aan, en toen het bos ophield kon Omar beneden het huis in Ochos Rios zien liggen. Ze waren verder en hoger gekomen dan hij had gedacht.

Ze stonden even naar het huis te kijken.

'Weet jij waarom het Ochos Rios heet?' vroeg hij aan Arden.

'Het betekent "acht rivieren",' zei Arden.

'Weet ik. Maar er zijn geen acht rivieren, hè?'

'Nee,' zei Arden. 'Misschien waren die er ooit wel. Een heleboel plaatsnamen hier komen uit Spanje. Of van elders.'

'Hebben Jules' ouders het zo genoemd?'

'O, nee,' zei Arden. 'Tenminste, dat denk ik niet. Volgens mij had het die naam al toen ze hier kwamen. Vóór ze hier kwamen.'

'Maar zij hebben het huis gebouwd, zei je.'

'Ik denk dat er al een huis was – de vleugel waar nu de keuken is. Ze hebben de rest erbij gebouwd.' Ze draaide zich om en wees naar het bos aan de andere kant van de weg. 'Daar is het pad, maar loop even mee, dan kun je zien waar de weg is weggespoeld.'

Hij volgde haar naar boven, waar de weg na een bocht abrupt eindigde. Het was een tafereel van verwoesting, en het was moeilijk voor te stellen dat het apathische stroompje dat kronkelend door de gehavende kloof liep die de weg in tweeën deelde, verantwoordelijk was geweest voor de verandering van het landschap. Ze stonden aan de rand van de afgrond en keken omlaag naar de ravage.

'Het was raar,' zei Arden na een moment, 'de nacht dat de dam doorbrak. Eerst hoorden we het alleen. Al wisten we natuurlijk niet wat we hoorden: een vreemd geluid in de verte. Een soort donderslag, maar niet in de lucht. Het was angstaanjagend: je hoorde het dichterbij komen maar je wist niet wat het was. Ik had nooit beseft hoe weinig greep we op de natuur hebben tot ik hier kwam wonen. Zelfs aan het huis zie je het. Zoals alles hier groeit, zo ongelooflijk snel; zoals het huis voortdurend kraakt en wegrot en vergaat. 's Nachts hoor ik de leien van het dak glijden en kapotvallen op de binnenplaats.' Ze keek hem aan. 'Geloof je in God?' vroeg ze.

Hij zei nee.

'Soms denk ik, of voel ik, dat de aarde niet wil dat dingen blijven bestaan; alles moet vergaan en wij moeten met z'n allen verdwijnen. Het moet weer worden zoals het was voor het allemaal begon, een tuin met vruchten en dieren, voordat God ambities kreeg en alles bedierf. Hij had het zo moeten laten. Hij had op de zesde dag moeten rusten, niet op de zevende.' Ze huiverde en liep bij de afgrond vandaan.

Ze gingen terug en vonden het pad, dat langs de beboste rotshelling naar boven klom. Het pad was smal en ze moesten achter elkaar lopen, Arden voorop. Na een tijdje zei Omar: 'Ik mag het andere boek dat je gisteravond noemde – het manuscript – zeker niet zien.'

Arden zweeg en bleef doorlopen. Ze draaide zich niet om. 'Nee,' zei ze. 'Dat zal niet gaan. Adam had er niet over moeten beginnen.'

'Hoeveel exemplaren zijn er?'

'Een. Eentje maar.'

'Heb jij het gelezen?'

'Ja,' zei Arden.

Pratend tegen haar rug, zonder haar gezicht te kunnen zien, durfde Omar meer. 'Waar gaat het over?' vroeg hij.

Arden keek niet om. Ze keek recht vooruit. 'Het ging over een man die in een groot huis midden in de rimboe woont met zijn vrouw en minnares. Hij was als schrijver niet bijzonder inventief, Jules.'

'Dat zijn de meeste schrijvers niet,' zei Omar.

Arden zei niets.

'Werkte hij er nog aan toen hij stierf? Of was het af?'

'Het was af,' zei Arden.

'En wilde Jules niet dat het gepubliceerd werd? Of...'

'Of wij? Nee, Jules. Adam had er niet over moeten beginnen. Ik had niets moeten zeggen. Zet het uit je hoofd. Het bestaat niet.'

'Bedoel je dat het vernietigd is? Het manuscript?'

'Zet het uit je hoofd,' zei Arden. 'Begin er alsjeblieft niet meer over.'

'Oké,' zei Omar.

Daarna zwegen ze een tijdje, terwijl ze door het bos naar boven klommen. Even later werd het terrein vlakker en het bos minder dicht, en ze kwamen op een grote open plek met gras en riet en doornstruiken.

Arden bleef aan de rand van de open plek staan. 'Dit was het meer,' zei ze. 'Het was groot, maar niet erg diep. Het mocht natuurlijk niet te diep zijn voor de gondel. De riem moet de bodem kunnen raken.' Ze deed de beweging van een gondelier na.

Ze bleven even staan uitkijken over de hete, zonovergoten, met struikgewas begroeide vlakte.

'Het botenhuis is aan de andere kant,' zei ze, wijzend.

'Tussen die bomen. Kom.' Ze sloeg het pad in en Omar volgde haar. In het midden van de open plek was een ondiep, modderig stroompje, waar ze beiden overheen sprongen. Tussen de bomen aan de overkant stond een lang, laag, houten gebouw op palen, met een soort dubbele schuurdeur aan de kant waar zij stonden. 'De deur is aan de achterkant,' zei Arden.

'Wacht,' zei Omar. Hij kreeg opeens een raar gevoel. Het leek wel of hij flauw ging vallen. Kwam het door de hitte? Of misschien door de hoogte? De vermoeiende klim met niets anders dan koffie in zijn maag? Misschien, dacht hij, maar hij wist dat er meer aan de hand was.

'Wat is er?' vroeg Arden.

'Niets,' zei Omar. 'Ik voel me alleen een beetje raar. Misschien komt het door de hoogte.'

'Zo hoog is het niet,' zei Arden. 'Het is helemaal niet hoog.' Ze lachte. 'Kom, ga daar in de schaduw zitten.'

Ze ging hem voor naar wat vroeger de oever van het meer was geweest, waar ze in de schaduw naast het botenhuis op de grond gingen zitten. Arden haalde de fles water die ze had ingepakt uit haar tas en gaf hem aan Omar. Hij dronk een beetje en gaf de fles toen aan haar. Zij dronk ook.

'Voel je je al beter?' vroeg ze.

'Ja,' zei hij. Hij stond op om zijn herstel te illustreren, maar Arden bleef zitten. Omar keek naar de bedding van het leeggelopen meer en probeerde het zich anders voor te stellen, maar het lukte niet: hij had een prozaïsche geest. 'Hoe was het vroeger?' vroeg hij.

Even dacht hij dat Arden hem niet had gehoord, want ze gaf geen antwoord. Hij draaide zich om en keek naar haar. Zij zat ook naar het verdwenen meer te staren.

'Het was een meer,' zei ze. 'Het zag er kunstmatig uit. Je kon zien dat het door mensen was gemaakt, niet door God. Het was te perfect ovaal of zoiets. We zwommen er wel eens in, hoewel het modderig was en vol zat met algen. En slangen.'

'Heb je in de gondel gevaren?' vroeg Omar.

'Nee,' zei ze. Omar kon aan haar stem horen dat ze aan iets terugdacht.

'Nooit?' vroeg hij.

'Nee,' zei ze. 'Die werd niet meer gebruikt na de dood van Jules' vader. Ik weet eigenlijk niet waarom, maar zo was het. Ik heb Jules of Adam er nooit in gezien. Misschien konden ze er niet mee omgaan, maar ik denk dat het iets anders was.'

'Het is verbazingwekkend,' zei Omar. 'Dat ze de gondel meenamen toen ze hiernaartoe vluchtten.'

'Zo is het niet gegaan,' zei Arden.

Omar draaide zich om.

'Ze hebben hem niet meegenomen,' zei Arden. 'Ze hadden vrijwel niets bij zich. De gondel is pas na de oorlog gekomen.'

'Maar in het boek –' begon Omar, en toen zweeg hij.

'Het is een roman,' zei Arden.

'Ja, dat weet ik,' zei Omar. 'Ik nam gewoon aan – dus het meer is pas na de oorlog aangelegd?'

'Ja,' zei Arden. 'Tenminste, dat denk ik.'

'O,' zei Omar. Hij ging weer naast haar zitten. Even zeiden ze niets en keken uit over het zonnige landschap, alsof daar iets te ontdekken viel. Toen zei Arden, zonder haar hoofd om te draaien: 'Wist je dat ik als kind actrice ben geweest?'

'Nee,' zei Omar. Hij keek naar haar. Haar gezicht was onbewogen, maar toch geconcentreerd, en haar ogen waren gericht op iets in de verte, alsof er vijanden op de andere oever stonden die alleen zij kon zien.

'Ja,' zei ze. 'Na de dood van mijn oma, toen ik naar Engeland verhuisde. Mijn vader was regisseur. Hij was een beetje een zuiplap en ik was bang voor hem. Hij leerde me acteren door me bang te maken. Huilen, zei hij, en dan huilde ik.' Ze keek vlug naar hem, en hervatte toen haar confrontatie met de horizon. 'Ik speelde altijd een weeskind in de film, of een ziek meisje. Een meisje dat huilde. Mensen zien graag meisjes huilen in de film. Het zat alle-

maal in me, alles wat hij wilde, net onder de oppervlakte. Soms denk ik dat we met een beperkte hoeveelheid emotie worden geboren. Toen ik als kind op een schip zat, moest ik eraan denken dat alles ergens was opgeslagen, al het eten, al het water, alle voorraden, dat het allemaal op kon raken, dat het schip elke dag lichter werd als het eten door ons werd verteerd en in de oceaan gespoeld. En dat het schip hoger kwam te liggen omdat het steeds leger werd. Ik dacht dat opgroeien net zoiets was: uitgehold worden, leeg raken. Dat volwassenen zo gemeen waren omdat hun emoties op waren. Ik vond dat iets goeds, waard om naar te streven. En dus huilde ik als mijn vader me opdroeg te huilen, keer op keer, zo vaak als nodig was, en het was allemaal echt, het was niet gespeeld, en op een bepaalde manier dacht ik mezelf zo van dat verdriet te bevrijden. Dat het niet meer terug kon komen.'

Weer wierp ze een blik op hem, en weer wendde ze vlug haar hoofd af.

'Door jou moet ik daaraan denken. Gek. Ik begrijp het niet.'

'Wat begrijp je niet?' vroeg Omar.

'Ik huil niet meer. Helemaal niet meer, al jaren. Niet toen Jules stierf. Niet toen –' Ze schudde haar hoofd. 'Nooit. Nooit, in al die jaren. Maar de afgelopen dagen, sinds jij er bent –'

Ze maakte haar zin niet af. Ze kon het blijkbaar niet.

'Waarom?' vroeg Omar.

Ze keek hem recht aan, en haar gezicht was strak en vol emotie. 'Ik weet het niet,' zei ze. Ze glimlachte een beetje. 'Ik weet niet eens wat het is. Angst, misschien. Of verdriet. Ik weet niet of het door jou komt. Of als dat wel zo is, waarom.'

'Het spijt me,' zei hij. 'Het spijt me als ik je van streek heb gemaakt. Misschien had ik niet moeten komen. Het lijkt wel of ik iedereen van streek maak. Ik moest er vanochtend nog aan denken, dat ik beter niet had kunnen komen.'

'Nee,' zei ze. 'Snap je het niet? Juist als je niet gekomen was –'

Ze zaten op de grond, vrij dicht naast elkaar. Misschien raakten ze elkaar zelfs. Het voelde alsof ze elkaar raakten. Ja, ze raakten elkaar. Ardens hand lag op Omars wang, en toen – het leek op vallen in een droom: onafwendbaar en beangstigend, maar tegelijk euforisch – bogen ze zich naar elkaar toe, sloten hun ogen en zoenden.

En toen zaten ze daar, verrast, verbaasd, zwijgend. Omars hand lag op Ardens been. En na een moment bogen ze zich weer naar elkaar toe, en zoenden opnieuw.

Toen stond Arden op. Ze veegde haar kleren af, hoewel die niet vuil waren. Ze durfde hem niet aan te kijken. Ze hadden gezoend, maar ze konden er niet over praten. 'Ik zal je de gondel laten zien,' zei ze. Ze knikte naar het botenhuis.

Omar stond op en liep mee naar de achterkant, waar ze het hangslot openmaakte. Ze duwde de deur open en wenkte hem. Hij liep langs haar heen naar binnen. Zij bleef buiten bij de deur staan, in het daglicht.

Het was donker en koel in het botenhuis en het rook naar modder en bederf. De schaarse ramen waren zwart van het vuil. Omar draaide zich om naar de deur. 'Kom je niet binnen?' riep hij.

'Nee,' zei Arden. Ze zag bleek, of misschien kwam het door de felle zon op haar gezicht, het verschil in licht.

Omar begreep dat ze de gondel niet wilde zien, en plotseling was hij zelf bang om hem te zien. Alsof het zien van de gondel iets zou veranderen, iets in hem zou veranderen.

'Ik kom daar niet graag,' zei Arden. 'Ik vind het eng. Maar kijk jij maar. Ik wacht buiten wel.' Ze verdween uit de deuropening.

Omar draaide zich om. Hij zag een kano en een roeiboot op de houten vloer liggen, en daarachter, ondersteboven op klossen, de gondel. Kleiner dan hij had verwacht. Hij liep om de andere boten heen en voelde aan de romp, waarvan hij de kleur in het schemerdonker niet kon onder-

scheiden. Hij ging op zijn hurken zitten en probeerde er van onderaf in te kijken. Het was te donker om iets te zien, maar hij rook het beschimmelde leer en fluweel. En ineens voelde hij zich belachelijk – of niet belachelijk, hij voelde zich schuldig, alsof hij een zonde beging. Hij voelde dat zijn verlangen om de gondel te zien ongepast was, bijna obsceen. Hij schaamde zich.

En het stemde hem droevig, het had iets heel droevigs dat de gondel daar lag, ondersteboven, in een donkere, afgesloten ruimte naast het verdwenen meer.

Hij had buiten even tijd nodig om aan het licht te wennen. Hij zag Arden nergens. Even dacht hij dat ze ervandoor was gegaan. Hij keek rond, en ten slotte zag hij haar staan, een eindje achter hem, in de schaduw van de bomen. Ze kwam de helling af en liep zonder iets te zeggen langs hem heen. Ze deed de deur van het botenhuis op slot en raapte haar tas op, die ze op de grond had laten liggen. Toen liep ze weer langs hem heen, naar de rand van wat eens het meer was geweest. Daar bleef ze op hem wachten, in het hete, blikkerende zonlicht.

Toen ze uit het bos in de kleine boomgaard kwamen, zagen ze Pete op een ladder staan; hij probeerde een net over een boom te spannen om het fruit te beschermen tegen de vogels.

'Hallo,' riep hij naar hen.

Ze hadden op de terugweg geen woord gezegd, dus Petes onderbreking was welkom. Ze gingen onder de boom staan waarmee hij bezig was. 'Heb je hulp nodig?' vroeg Omar.

'Ja, graag,' zei Pete. 'Met z'n tweeën gaat het misschien gemakkelijker.'

'Dan laat ik jullie alleen,' zei Arden. Ze liep in de richting van het huis.

Pete klom de ladder af. 'Waar zijn jullie geweest?' vroeg hij aan Omar.

'We zijn naar de gondel gaan kijken,' zei Omar.

'Vond je het leuk?' vroeg Pete.

Het leek een rare vraag: het was niet iets wat je leuk of niet leuk vond. 'Ik ben blij dat ik hem gezien heb,' zei Omar.

'Kom,' zei Pete, 'dan laat ik je de bijenkast zien.'

De kast stond in het lange gras aan de rand van de boomgaard. Hij was van hout en zag eruit als een dressoir, met smalle verticale laden die je kon uittrekken. Pete trok er een uit waar een honingraat in zat, omzwermd door bijen. De bijen kropen op zijn hand, bedekten die als een zoemende handschoen. Hij stak zijn hand naar Omar uit, maar Omar gilde en deinsde terug. Pete lachte. Hij zwaaide zijn hand door de lucht alsof hij met een zaklantaarn trage figuren maakte. De bijen vlogen er slaperig af. Hij zette de la terug in de kast en kwam naast Omar staan. Ze keken hoe de bijen in de lucht een draai maakten en terugkeerden naar de kast, waar ze via de onderkant naar binnen vlogen.

Pete reikte omhoog, plukte een perzik van een boom en gaf die aan Omar.

'Dank je,' zei Omar.

Pete koos er een voor zichzelf uit. Het waren kleine, zeer rijpe perziken, met een heel dunne, bleek-blozende schil. Het vruchtvlees was ook bleek en smaakte een beetje naar banaan. Misschien waren het geen perziken. Pete at de zijne in een paar grote happen op, de perzik voor zich uit houdend zodat het sap op de grond droop. Hij zoog het vruchtvlees van de pit en gooide die in de richting van het bos. Hij ging in het lange gras liggen op de door de zon bespikkelde grond onder de bomen en deed zijn armen achter zijn hoofd. Zijn T-shirt schoof omhoog en liet een stukje huid rond zijn middel bloot. Hij trok het shirt over zijn broek, maar het ging weer omhoog zodra hij zijn armen onder zijn hoofd legde. Hij sloot zijn ogen. Blijkbaar wilde hij een dutje doen.

Omar at zijn perzik op en gooide de pit in het hoge gras. Hij wist niet goed wat er van hem verwacht werd. Blijven, of Pete alleen laten. Maar het was prettig om daar gewoon

te staan. In de stilte kon hij de bijenkast horen gonzen. Hij moest plassen. Hij liep een eindje weg en waterde in het lange gras.

Hij liep terug en ging bij Pete zitten. Na een tijdje deed Pete zijn ogen open en ging rechtop zitten. Hij keek naar de bijenkast, waar nog een paar bijen omheen vlogen. 'Hoe oud ben je?' vroeg Pete.

'Achtentwintig,' zei Omar.

'Ik ook,' zei Pete. 'We zijn net broers.'

Omar bedacht dat het niet waarschijnlijk was dat broers even oud waren, maar hij zei niets.

Pete stond op. Omar ook. 'Ik ga nog een ladder halen,' zei hij. 'Ik ben zo terug.'

Omar ging weer zitten. Hij zag Pete weglopen naar de moestuin. Hij was alleen. Hij kon de kast horen gonzen, een zacht, vriendelijk gebrom. Hij kon het bijna voelen. Ik heb Arden gezoend, dacht hij. Hij ging op zijn rug in het gras liggen. Hij hoorde Pete terugkomen met de ladder. Toen hij overeind kwam had Pete de beide ladders tegen een boom gezet, aan elke kant een.

'Het gaat gemakkelijker als we allebei in de boom zitten,' zei hij. Hij begon de ene ladder te beklimmen. Omar stond op en liep naar de boom. Het was die waar Pete de perziken vanaf had geplukt. De boom hing vol met fruit. Een deel was verrot. Omar klom op de ladder, die telkens wiebelde als zijn gewicht neerkwam. De takken waren niet sterk, maar wel soepel. Hij kon Pete niet zien door het dichte gebladerte. Het gegons kwam ook uit de boom: die zat vol met bijen.

'Ik gooi het net eroverheen,' zei Pete. 'Probeer het op te vangen en omlaag te trekken, goed?'

'Ja,' zei Omar. Hij hoorde Pete worstelen met het net. Er klonk een zoevend geluid toen het net op de boom belandde.

'Zie je het?' riep Pete.

'Nee,' zei Omar.

'Verdorie,' zei Pete. 'Ik probeer het nog een keer.'

Omar wachtte en hoorde Pete het net weer gooien. Ditmaal kwam het bij hem in de buurt terecht.

'Zie je het?' vroeg Pete.

'Ja,' zei Omar. 'Ik probeer het te pakken.'

'Pas op,' zei Pete.

Omar reikte naar het net. Hij voelde iets branden op zijn hand, alsof hij in een vlam greep. En toen viel hij.

DEEL TWEE

Die gouden avond wilde ik eigenlijk niet verdergaan;
meer dan wat ook wilde ik nog even blijven…

Elizabeth Bishop, *Santarém*

HOOFDSTUK DERTIEN

Hij begreep dat hij in een ziekenhuis lag en dat hij er slecht aan toe was. Hij kon zich niet bewegen; zelfs denken deed pijn. En als hij zich ontworsteld had aan de armen van de slaap, viel hij er bijna onmiddellijk weer in terug, maar ze hielden hem niet goed vast, ze lieten hem telkens vallen, hij viel door de slaap heen in een diep, donker gat, en toen steeg hij pijlsnel weer naar de oppervlakte en opende zijn ogen. Naast hem stond een vrouw die naar hem keek. Ze praatte, maar hij zat onder water en kon haar niet horen.

Hij besefte dat ze hem uit zijn lichaam hadden gehaald en in iets anders gestopt. Dat vertelde hij haar. Hij zei dat hij zijn lichaam terug wilde.

De volgende keer dat hij bijkwam stond er een dokter over hem heen gebogen, alsof ze gingen zoenen. 'Voelt u dit?' vroeg de dokter, terwijl hij teder zijn wang aanraakte. 'Als u dit voelt, knipper dan met uw ogen.'

Hij knipperde.

De dokter haalde zijn hand weg. 'Voelt u dit?' vroeg hij weer. 'Als u dit voelt, knipper dan even.'

Hij probeerde uit te leggen dat ze zijn lichaam hadden weggehaald, maar de dokter wilde niet luisteren. Hij herhaalde zichzelf alleen: 'Voelt u dit? Als u dit voelt, knipper dan even.'

Dokter Peni betrad zijn spreekkamer en ging achter zijn bureau zitten. De vrouw zat tegenover hem zoals vrouwen doen in zulke situaties, haar gezicht strak van de spanning, wachtend. Even genoot hij van de schoonheid van haar emotie en van zijn macht over haar. Hij tikte zachtjes met twee vingers op het bureau. 'Wel,' zei hij, 'zoals u weet is hij weer bij kennis gekomen. Dat is heel goed.'

'Ja,' zei Arden.

'De koorts geeft ons nog wel reden tot zorg. En er is sprake, moet ik helaas zeggen, van een zekere mate van verlamming.'

'Verlamming?'

'Ja. Ziet u, het gif tast het centrale zenuwstelsel aan, legt het stil. Daarom is het zo belangrijk om het serum onmiddellijk toe te dienen. Door de vertraging in dit geval is er een zekere mate van verlamming. Als u bijen houdt, moet u eigenlijk wat serum achter de hand hebben.'

'Is het – is het blijvend?' vroeg ze.

'Daar valt op dit moment nog niets over te zeggen. Het lichaam kan ongelooflijk goed reageren. Of soms helemaal niet. Hij is jong en gezond. Ik ben geneigd tot optimisme, maar zonder verdere tests kunnen we onmogelijk zeggen hoeveel schade er is aangericht aan het zenuwstelsel.'

'Hebt u zijn vader gesproken? Ik begrijp dat hij ook arts is.'

'Ja, hij belde vanochtend. Een hoogst onaangenaam mens.'

'Maar hebt u de informatie gekregen die u nodig had?'

'Ja,' zei dokter Peni. 'De jongeman – mag ik vragen: is hij familie van u?'

'Nee,' zei Arden. 'Een vriend. Hij logeerde bij ons.'

'Juist,' zei dokter Peni. 'Een speciale vriend, dunkt me.'

Arden keek verbaasd. 'Ik begrijp niet goed wat u bedoelt.'

'Neem me niet kwalijk,' zei dokter Peni. 'Uit uw manier van doen leidde ik af dat hij een speciale vriend van u was. U lijkt erg met hem begaan. Maar misschien veronderstel ik te veel. Ik dacht dat u hem wel zou willen zien, als hij een speciale vriend was.'

'O,' zei Arden. 'Mag dat?'

'Ja,' zei dokter Peni. 'Hij is bij kennis, maar hij reageert nergens op. Zijn hersenen – nou ja, we weten nog niets. Maar het zou misschien goed zijn als u naar hem toe ging. Goed voor hem, bedoel ik.'

'Ja,' zei Arden. 'Ik wil hem graag zien.'

'Komt u dan maar mee, dan breng ik u bij uw vriend.'

Hij vergist zich volkomen, dacht Arden, terwijl ze achter hem aan door de gang liep. Hij denkt dat we geliefden zijn, maar misschien is dat juist goed – als hij denkt dat er iemand van Omar houdt, zal hij harder zijn best doen om hem te redden. Voor mij, dacht ze. Hij zal hem voor mij redden.

Ze slaakte een kreet toen ze in de kamer kwamen. Dat kon niet – er was iets afschuwelijks gebeurd – hij was helemaal opgezwollen en had een lelijk oudemannengezicht –

'Kent u señor Miquelrius?' vroeg dokter Peni.

'O!' zei Arden, die haar vergissing inzag. 'Ik dacht – ik dacht dat dit Omar was.'

Dokter Peni lachte. 'Nee,' zei hij. 'Uw vriend is hier.' Hij wees naar het scherm om het andere bed. 'Als u even meekomt, laten we señor Miquelrius genieten van zijn schoonheidsslaapje.' Hij trok het scherm opzij zodat ze naast het bed konden staan. Omar zag er niet goed uit, maar hij leek tenminste nog wel op zichzelf. Zijn ogen waren gesloten. Dokter Peni tilde een van Omars oogleden op en tuurde naar de naakte oogbol. Hij liet het ooglid weer zakken. 'Hij slaapt,' verklaarde hij. Hij zette zijn stethoscoop op Omars borst en luisterde. 'Zijn hart klinkt goed,' zei hij.

Arden keek naar Omar. Het was alsof het de eerste keer was dat ze naar hem keek. Ze liet haar blik op hem vallen.

'Misschien wilt u hem aanraken?' vroeg dokter Peni zich hardop af.

'Wat?' vroeg Arden.

'Als u hem wilt aanraken, mag dat,' zei dokter Peni. 'Voorzichtig natuurlijk.' Hij wees met een vinger naar Omars wang. 'Hier misschien.'

Arden stak haar hand uit en legde de achterkant van haar vingers tegen Omars wang. Omar reageerde op de aanraking door zijn hoofd een beetje te bewegen op het kussen; er gleed een zachte trek over zijn gezicht. Ze zagen het allebei. Dokter Peni glimlachte.

Maar toen ze de volgende dag terugging naar de kliniek, was Omar weer in coma geraakt. Het baarde dokter Peni zorgen, maar hij verzekerde Arden dat de vitale tekens allemaal in orde waren. Bewustzijnsverlies is soms in het belang van het lichaam, legde hij uit: zo geneest het lichaam zichzelf. Het zou goed zijn, dacht hij, als Arden tegen Omar praatte: gesproken taal was een goede stimulans, zelfs voor een comateus brein. Hij bracht haar naar Omars kamer en liet haar daar achter.

Señor Miquelrius was naar huis gestuurd, en het witte scherm om Omars bed was weggehaald. Arden ging op een metalen stoeltje naast hem zitten. Eerst keek ze alleen maar naar hem; zijn gezicht was een beetje gezwollen, alsof hij was opgepompt, en er zat een lelijke korst om zijn oogleden. Hij ademde moeizaam. Op een wastafel in de hoek van de kamer lag een stapel waslapjes; Arden hield er een onder de kraan, wrong het uit en bette voorzichtig Omars gezicht.

Praat, dacht ze, praat tegen hem, maar ze kon geen woord uitbrengen. Ze zat er een hele tijd en probeerde te bedenken wat ze moest zeggen, al wist ze dat het er niet toe deed wat ze zei. Maar het deed er wel toe. Ze voelde dat het er wel toe deed. Zelfs als ze alleen maar steentjes in een put liet vallen, zouden ze daar blijven liggen, in zijn onbewuste. Het leek gevaarlijk, bijna misdadig. Praten tegen iemand die zich niet kon verzetten. En toen bedacht ze dat juist zwijgen onnatuurlijk was, onhartelijk, wreed. Waarom kon ze niet tegen hem praten? Als het hem hielp, waarom kon ze het dan niet?

'Het spijt me,' zei ze.

Ze zat naar hem te kijken. Ze vroeg zich af of haar nabijheid misschien, op een bepaalde manier, net zo heilzaam was als praten. Wie weet wat voor uitwerking dat had op het onderbewuste? Ze stak haar hand uit en raakte zijn blote arm aan, die op de deken lag, maar trok hem snel weer terug. Ik heb niet het recht om hem aan te raken, dacht ze. Ze stond op en gooide het natgemaakte lapje in de wasbak. Ze vertrok zonder dokter Peni gedag te zeggen.

Deirdres telefoonnummer, dat Arden in Omars paspoort had gevonden, stond op het blocnootje dat op de telefoontafel in de hal lag, en Arden draaide het onmiddellijk toen ze thuiskwam. Ze had Deirdre op de avond van het ongeluk gesproken en verteld wat er gebeurd was: Omar was door een bij gestoken, had een allergische reactie gekregen, was uit een boom gevallen en had zijn pols gebroken, maar het zou allemaal weer goed komen.

De telefoon werd beantwoord door een apparaat dat haar vroeg een boodschap in te spreken.

'Met Arden Langdon,' zei ze. 'Ik wil je niet aan het schrikken maken, maar Omar ligt helaas weer in coma. Ik vermoed dat dokter Peni contact heeft met Omars vader, maar ik vond dat ik jou moest bellen. Ik denk dat je beter hiernaartoe kunt komen. Bel me alsjeblieft zo gauw mogelijk terug.'

Ze legde neer en liep door de terrasdeuren de binnenplaats op. Zo, dacht ze: Dat is het einde. Als zijn vriendin komt, kan er niets gebeuren. Hij zal niet doodgaan en ik zal niet verliefd op hem worden.

Het kleed lag nog op de tafel. Het was pas drie avonden geleden dat ze champagne hadden gedronken. Ze pakte het bij elkaar. Er zaten vlekken in; het zou gebleekt moeten worden.

HOOFDSTUK VEERTIEN

Omar had moeite gehad om in Ochos Rios te komen omdat hij eigenlijk niet geloofde dat hij er kon komen; Deirdre werd niet gehinderd door twijfel, en haar onverschrokkenheid ging gepaard met het gevoel dat het dringend was. Twee dagen nadat ze Ardens oproep had ontvangen arriveerde ze in Tranqueras, de dichtstbijzijnde stad. Hoe dichter bij het einddoel, hoe moeilijker de reis: er scheen geen mogelijkheid te zijn om door te reizen vanuit Tranqueras – of in elk geval geen commercieel georganiseerde mogelijkheid. In haar haast om te vertrekken en dus te arriveren had ze niet goed naar Ardens aanwijzingen geluisterd en evenmin de juiste vragen gesteld, en had ze aangenomen dat het huis in de stad lag, niet vijftien kilometer daarbuiten.

Ze dacht dat ze Arden misschien kon bellen om te vragen of ze in de stad kon worden opgehaald, of instructies kon krijgen voor het vervolg van haar reis, maar nergens was een telefooncel te vinden. Onder andere omstandigheden zou Tranqueras een charmante plaats zijn geweest om te luieren: er was één winkelstraat, een parkachtig plein voor een kerk, een kleine markt met teenslippers, accu's en broodmagere, slordig geplukte kippen, en een café met een paar tafeltjes die gewoon op de straatstenen waren neergezet. Het was voor dit café dat Deirdre uit de bus stapte. Ze ging aan een tafeltje zitten onder een parasol die reclame maakte voor Duits bier. Een keurig geklede jonge man kwam uit het café en liep op haar af. Deirdre sprak vrij goed Spaans: ze had het gestudeerd en een semester in Sevilla doorgebracht. Ze bestelde een *agua mineral*, nadat ze te horen had gekregen dat de *bebida típica de la región* Coca-Cola was.

Toen de ober terugkwam met haar mineraalwater vroeg ze of hij Ochos Rios kende; ja, dat kende hij. Wist hij hoe je er moest komen?

Het was een heel eind, moest hij bekennen, maar er was altijd wel iemand die met de auto die kant op ging, zeker 's avonds. Kon ze zo lang niet wachten? Ach, zo: het was dringend. Tja, in dat geval –

Deirdre nam de stampvolle schoolbus met kwebbelende meisjes naar Ochos Rios en stapte samen met Portia uit bij de bocht in de weg, voor het hek.

'Van hieraf moeten we lopen,' legde Portia uit.

'Is het ver?' vroeg Deirdre.

Portia wees naar de oprijlaan en zei: 'Het is ongeveer zo ver als je kunt kijken.'

'O,' zei Deirdre.

'Is dat ver?' vroeg Portia verbaasd.

'Ja,' zei Deirdre, 'in mijn geval wel.'

'Je kunt je koffer hier laten staan als je wilt,' zei Portia. 'En hem later ophalen met de kruiwagen.'

'Ik draag hem liever,' zei Deirdre.

Ze liepen de oprijlaan in.

'Weet je hoe het met Omar gaat?' vroeg Deirdre.

'Hij is door een bij gestoken,' zei Portia. 'En toen zwol hij op als een ballon. Hij kreeg geen adem meer.' Ze bootste iemand na die bijna stikte. 'Hij ligt in het ziekenhuis.'

'Dat weet ik,' zei Deirdre. 'Daarom ben ik hier.'

'Ben jij zijn moeder?' vroeg Portia.

'Nee,' zei Deirdre. 'Ik ben een vriendin.'

'Zijn vriendin?'

'Ja,' zei Deirdre. 'Weet je of het al beter met hem gaat?'

'Nee, dat weet ik niet,' zei Portia. 'Waar woon je?'

'In de Verenigde Staten,' zei Deirdre. 'Weet je waar dat is?'

'Ja,' zei Portia. 'Mijn moeder woonde daar, voor ze hier kwam. En mijn oma ook, maar die is dood.'

Deirdre zette haar koffer neer. 'Laten we even uitrusten,' stelde ze voor. Ze ging op de koffer zitten. 'Heb je Omar nog gezien nadat hij gestoken was?' vroeg ze.

'Ja,' zei Portia. 'Hij lag op de grond met zijn voeten te

trappelen. Zijn schoenen vlogen uit. Toen viel hij flauw. Pete en mijn moeder moesten hem naar de auto dragen. Eén keer lieten ze hem vallen. Hij is zwaarder dan hij lijkt, zeiden ze.'

Deirdre stond op. 'Kom mee,' zei ze. 'Zou je me willen helpen?' vroeg ze toen.

'Jawel,' zei Portia.

'Draag dit dan,' zei Deirdre, terwijl ze haar rugzak aan Portia gaf.

Portia liet Deirdre in de hal achter en ging op zoek naar haar moeder. Ze vond haar in de tuin. 'Hallo,' riep Arden toen haar dochter dichterbij kwam. 'Je moet je uniform uittrekken voor je naar buiten gaat.'

'Omars vriendin is er,' zei Portia. 'Ze heeft samen met mij de bus genomen.'

'Wat?' vroeg Arden.

'Omars vriendin zat bij mij in de bus. Ze is nu binnen, ze wacht op je.'

'In de schoolbus? Weet je het zeker?' vroeg Arden. 'Ik kan me niet voorstellen dat ze hier nu al kan zijn.'

'Ze zegt dat ze Omars vriendin is. Ze komt uit de Verenigde Staten. Ik moest haar rugzak dragen.'

Deirdre wachtte tot het kind verdwenen was en keek toen om zich heen. De hal waarin ze stond was ruim, met aan twee kanten deuren en ramen. Het plafond was drie verdiepingen hoog. Midden in de hal stond een grote houten tafel, waarvan de rand was versierd met houtsnijwerk en ingelegd met parelmoer. Op de tafel stond een grote vaas met morsdode bloemen. De parketvloer was erg beschadigd; veel delen waren losgeraakt of verdwenen. In een hoek onder de gebogen trap stond een tafeltje met daarop een antieke telefoon met draaischijf, en een blocnootje waar Deirdres nummer op was geschreven.

Deirdre probeerde net de deuren naar de binnenplaats te openen toen ze boven iemand een deur hoorde dicht-

doen. Ze liep terug naar het midden van de hal en zag een vrouw de trap afdalen. Even dacht ze dat het Anaïs Nin was. Toen herinnerde ze zich dat Anaïs Nin dood was en dat ze in Uruguay was en dat haar brein van slag was door de reis en de vermoeidheid en de zorgen. Ze had even het gevoel alsof ze zou gaan huilen, maar de kalme, stille blik van de vrouw legde haar het zwijgen op. De vrouw, die tussen de vijftig en zestig leek te zijn, was heel mooi. Ze had een sereen gezicht. Haar haar was in het midden gescheiden en van achteren losjes opgestoken, zodat het in twee vleugels langs haar gezicht hing. Ze droeg een donkerblauwe linnen jurk zonder taille die tot net onder haar knieën kwam. Een ketting van barnstenen en zilveren kralen reikte bijna tot haar navel. De vrouw kwam langzaam de trap af, met rechte rug, zodat de zware ketting nauwelijks bewoog, en ze sprak niet voor ze vaste grond onder de voeten had.

'Kan ik je helpen?' is wat ze zei.

'Hallo,' zei Deirdre.

De vrouw herhaalde haar begroeting. Ze glimlachte op een geduldige, onvriendelijke manier.

'Ik ben Deirdre MacArthur. Bent u mevrouw Langdon?'

'Nee,' zei de vrouw. 'Ik ben Caroline Gund.'

De echtgenote, dacht Deirdre.

'Kan ik je helpen?' zei de vrouw weer.

'Ik ben een vriendin van Omar Razaghi,' zei Deirdre. 'Ik kom voor Omar.'

'O, Omar,' zei de vrouw. 'Omar is hier niet. Hij heeft een ongeluk gehad.'

'Dat weet ik!' zei Deirdre. 'Daarom ben ik hier. Weet u hoe het met hem gaat?'

'Nee, het spijt me,' zei de vrouw. Ze streek met twee vingers over het grote stoffige tafelblad en wreef de vingers toen langs elkaar. Het gebaar had iets beschuldigends, alsof Deirdre verantwoordelijk was voor het afstoffen van het meubilair. 'Jij komt – waarvandaan?'

'Uit de Verenigde Staten,' zei Deirdre. 'Kansas.'

'Ach ja, Kansas. Er duiken hier voortdurend mensen uit Kansas op. Onverwachts,' voegde ze eraan toe.

'Mevrouw Langdon wist dat ik kwam,' zei Deirdre. 'Zij heeft me gevraagd om te komen.'

'Werkelijk?'

'Ja,' zei Deirdre. 'Weet u echt niets over Omar? Ligt hij nog in coma?'

'Ik denk dat hij inmiddels bij kennis is. Maar Arden weet meer. Ik heb me enigszins gedistantieerd van het gebeuren.'

'O,' zei Deirdre.

'Ben je net gearriveerd?'

'Ja,' zei Deirdre. 'Ik ben net gearriveerd. Ik heb uren en uren gereisd. Dagen.'

'Ik zou je je kamer wel willen wijzen, maar ik heb geen idee welke dat is. Arden is de herbergierster. Maar ik kan je wel iets te drinken aanbieden, water, of iets anders als je daar zin in hebt.'

'Graag,' zei Deirdre.

'Water? Of iets sterkers? Je ziet eruit alsof je dat laatste – hoe moet ik het zeggen? – op prijs zou stellen? Goed zou kunnen gebruiken?'

'Water is prima,' zei Deirdre. 'Misschien later iets anders.'

'Natuurlijk,' zei Caroline. 'Excuseer me.' Ze opende de deur onder de trap en verdween door de donkere gang naar de keuken.

Deirdre ging op een van de houten banken naast de deur zitten. Ze zag het kind en een andere vrouw de binnenplaats oversteken. Ze stond op.

Arden deed de deur open en betrad de hal. Portia bleef bij de fontein hangen. 'Hallo,' zei Arden. 'Het spijt me dat ik er niet was om je te begroeten, maar ik had geen idee wanneer je aan zou komen. Je bent er eerder dan ik dacht. Ik ben Arden Langdon.' Ze stak haar hand uit, zag toen hoe vuil die was en trok hem weer terug. Ze lachte. 'Sorry. Ik was in de tuin, en –'

'Hallo,' zei Deirdre. 'Weet je hoe het met Omar gaat?'

'Ja, ja,' zei Arden. 'Het gaat al beter, gelukkig. Hij is

weer bijgekomen; hij is al zeker vierentwintig uur bij bewustzijn. Ik heb hem vandaag niet gezien, maar dokter Peni – dat is de arts die Omar behandelt – belde vanmiddag met heel positieve berichten. Ik ben niet gegaan omdat ik dacht dat jij misschien zou komen.'

'Wanneer zijn de bezoekuren?' vroeg Deirdre. 'Wanneer mag ik naar hem toe?'

'O, daar zijn ze niet zo streng in,' zei Arden. 'Er zijn geen bezoekuren. Ik denk dat je op elk willekeurig moment naar hem toe kunt.'

'Nu?' vroeg Deirdre. 'Kan ik nu naar hem toe?'

De deur onder de trap ging open en daar stond Caroline met een glas water.

'O, Caroline,' zei Arden. 'Hallo. Heb je Deirdre al ontmoet?'

'Ja,' zei Caroline. 'Dit water is voor haar.' Ze overhandigde Deirdre het glas water. 'Ik laat je nu in Ardens handen achter. Zij is, zoals ik zei, de herbergierster.'

Ze liep langzaam de trap op.

'Ik heb ook wel zin in een glas water,' zei Arden, terwijl ze toekeek hoe Deirdre het hare in één teug leegdronk. 'Laten we even in de keuken gaan zitten. Hierlangs.' Ze opende de deur onder de trap en gebaarde naar de gang. Deirdre tilde haar koffer op.

'O, laat die maar hier,' zei Arden. 'Tenzij je hem ergens voor nodig hebt.'

Deirdre zette de koffer neer en volgde Arden door de donkere gang naar de grote, lichte keuken. Arden pakte een fles water uit de koelkast, vulde Deirdres glas en schonk een tweede glas in voor zichzelf. 'Ga zitten,' zei ze met een knikje naar de tafel. 'Ik ga even mijn handen wassen.'

Deirdre ging aan tafel zitten. Het was een tafel met houten poten en een stenen blad. Een verser ogend boeket bloemen puilde uit een glazen pot in het midden. Deirdre legde haar handen plat op het tafelblad.

Arden hield haar ingezeepte handen onder de waterstraal en draaide zich om naar Deirdre. 'Je was hier zo snel.

Hoe ging je reis? Portia vertelde dat je met de schoolbus uit de stad bent gekomen. Wat slim van je.'

'De man in het café stelde het voor,' zei Deirdre. 'Hij was erg aardig. Jij ook trouwens, dat je me belde en dat ik hier mag logeren. Ik stel het erg op prijs.'

'Ja, ik wou alleen dat de reden van je komst niet zo akelig was,' zei Arden. Ze draaide de kraan dicht en droogde haar handen af aan een witte handdoek. 'Al denk ik dat je anders nooit was gekomen. Maar we hebben ruimte zat, zoals je ziet. Of nog zult zien, als ik je het huis laat zien. Het spijt me dat ik nog geen bed voor je heb opgemaakt, maar dat is zo gebeurd.'

'Ik kan in Omars bed slapen,' zei Deirdre. 'Doe maar geen moeite.'

'Het is geen moeite,' zei Arden. Ze ging aan tafel zitten en dronk haar glas leeg. Het was geen moment bij haar opgekomen dat Deirdre in Omars bed zou kunnen slapen. Nee, ze moest een eigen bed hebben.

'Waar is Omar?' vroeg Deirdre.

'O,' zei Arden. 'De kliniek staat vlak buiten Tacuarembó. Vanaf hier is het ongeveer een half uur rijden. Zullen we dan – of misschien wil je je eerst even opfrissen? En daarna gaan we.'

'Ik vind het vervelend om zo afhankelijk van je te zijn,' zei Deirdre. 'Is er in Tacuarembó niet iets waar ik kan logeren?'

'O, alsjeblieft,' zei Arden. 'Zo moet je het niet zien. Je moet hier blijven. Het is echt geen probleem. Je zult wel merken dat je ons nauwelijks in de weg kunt lopen. Er is boven een badkamer die je kunt gebruiken. En we zullen je bagage in een kamer zetten. Heb je echt alleen die koffer in de hal meegebracht?'

'Ja,' zei Deirdre.

'Dat is niet veel,' zei Arden.

'Ik heb niet echt gepakt,' zei Deirdre. 'Ik had zo'n haast –'

'Nou, als je iets nodig hebt, moet je het zeggen. Ik denk dat mijn kleren je wel passen. Kom, dan wijs ik je de badkamer.'

184

In de auto zwegen ze lange tijd. Arden reed en Deirdre zat naast haar uit het raam te kijken. Ze passeerden geen gebouwen of huizen of mensen of andere auto's.

'Hoe is het gebeurd?' vroeg Deirdre.

Arden keek even opzij. 'Wat?' vroeg ze.

'Hoe kwam het dat Omar gestoken werd?' vroeg ze.

'Pete en Omar waren in de boomgaard een net aan het ophangen over een boom. Omar was zo aardig om te helpen. Hij stond op een ladder en blijkbaar is hij gestoken. We hebben een bijenkast, we houden bijen,' zei Arden. 'Pete en ik. Pete is de partner van Jules Gunds broer. Ik weet eigenlijk niet wat er gebeurd is. Ik was binnen. We waren gaan – maar die arme Omar werd gestoken, en – Wist je dat hij allergisch is voor bijensteken?'

'Nee,' zei Deirdre. En daarna zei ze nog eens: 'Nee.'

'Ik denk dat de reactie bij hem meteen begon. Pete kwam naar binnen rennen, hij kon Omar niet in z'n eentje optillen. Eerst wisten we niet dat hij gestoken was. We dachten dat hij alleen uit de boom was gevallen. Dat merkten ze pas in de kliniek, daarom heeft hij het serum niet zo snel gekregen als had gemoeten – maar ja, het is een eind rijden naar Tacuarembó, en toen we daar kwamen moesten ze de dokter halen, en dat kostte allemaal tijd. Het was afschuwelijk. Maar je moet je geen zorgen maken. Het komt allemaal goed, heeft dokter Peni me verzekerd.' Ze keek opzij naar Deirdre, die de lus vasthield die aan het dak van de auto hing. 'Ik moet je nog iets vertellen,' zei Arden.

Deirdre keek ook opzij. Arden zat strak naar de weg te kijken, heel aandachtig, maar haar aandacht was gespeeld voelde Deirdre. 'Wat dan?' vroeg ze.

'Het gaat over dokter Peni,' zei Arden. 'Het is eigenlijk onzin, maar je moet het weten, vind ik. Hij zorgt erg goed voor Omar. Bijzonder goed.'

'Daar ben ik blij om,' zei Deirdre.

'Ja,' zei Arden.

'Wat is er dan?' vroeg Deirdre.

'Dokter Peni denkt dat Omar mijn – nou ja, ik vermoed dat hij aanneemt dat Omar mijn geliefde is. Ik heb dat nooit gezegd, hij legde mijn bezorgdheid gewoon verkeerd uit, en ik heb het maar zo gelaten.'

'Waarom?' vroeg Deirdre.

'Ik had het gevoel dat het in Omars belang was,' zei Arden. 'Dokter Peni is een beetje een romanticus, een macho eigenlijk, nou ja, zo zijn de mannen hier. Hij bekijkt de wereld graag op een bepaalde manier. Hij bekeek Omar en mij op een manier die hem aansprak, denk ik, en ik had het gevoel dat het Omar zou helpen, daarom heb ik het maar zo gelaten. Nu jij er bent zullen we dat natuurlijk rechtzetten, maar ik wilde het je uitleggen.'

'Nee,' zei Deirdre. 'We doen wat het beste is voor Omar. Het kan me niet schelen wat de dokter denkt.'

'Maar hij zal zich afvragen wie je bent, iemand uit de Verenigde Staten die hier zomaar opduikt.'

'Ik zou zijn zus kunnen zijn,' zei Deirdre, 'of een vriendin. Het maakt echt niet uit. Moet je het uitleggen? Laat hem denken wat hij wil. Als hij over jou een idee had, zal hij over mij ook wel een idee hebben, denk je niet?'

'Waarschijnlijk wel,' zei Arden.

'Laat het dan maar zo,' zei Deirdre. 'In elk geval voorlopig. In elk geval tot we zeker weten dat Omar buiten gevaar is. Ik zal zijn zus wel zijn. Of nee, dat kan niet, want ik lijk helemaal niet op hem. Wie kan ik zijn?'

'Een vriendin,' zei Arden.

'Goed,' zei Deirdre. 'Ik ben een vriendin.' Ze keek Arden aan. 'Een goede vriendin,' voegde ze eraan toe.

Arden ging Deirdre voor naar Omars kamer; de deur stond open. Omar sliep. Het bed dat señor Miquelrius had verlaten was overgenomen door een jongeman – een tiener eigenlijk – die in bed zat en zijn avondmaaltijd van een dienblad at. Hij keek even naar de twee vrouwen in de deuropening.

'Goedenavond,' zei Arden in het Spaans. 'We komen voor Omar.'

De jongen had hier niets op te zeggen. Hij richtte zijn aandacht weer op zijn maaltijd.

'Ga bij hem zitten,' zei Arden. 'Ik denk niet dat je hem moet wekken, maar ga zitten. Je kunt dat scherm verplaatsen als je wat privacy wilt hebben.' Ze wees naar het scherm met de panelen van witte stof dat nu tegen de muur stond.

'Dank je,' zei Deirdre.

'Ik ga naar de wachtkamer,' zei Arden. Ze draaide zich om en liep de gang in.

Eerder had Caroline hen vanuit haar toren zien wegrijden. Ze bleef nog een poos uit het raam zitten kijken nadat de auto was verdwenen en het stof was neergedaald op de oprijlaan.

Daarna kwam ze overeind, ging de trap af en stak de binnenplaats over. Deirdres koffer stond nog in de hal. Ze ging door de voordeur naar buiten en liep de oprijlaan af.

Ze liep naar het molenhuis. Ze klopte, maar deed de deur open voor ze antwoord kreeg. Ze bleef bij de deur staan; er was niemand in de woonkamer. Ze keek omhoog. 'Hallo,' riep ze.

Even later verscheen Adam op de overloop van de bovenste verdieping. 'Caroline,' zei hij, 'hallo.'

'Hallo,' zei ze weer, een beetje wezenloos, alsof ze de rest van hun leven bezig konden blijven elkaar te begroeten.

'Het fatsoen vereist waarschijnlijk dat ik naar beneden kom.'

'Ik kan ook naar boven komen,' zei Caroline.

'Ontving Colette op hoge leeftijd geen gasten in haar slaapkamer? Zo aftands ben ik niet. Nog niet. En bovendien, alle drank is op de begane grond. Ik kom wel naar beneden.' Hij voegde de daad bij het woord. Caroline ging in de woonkamer op de bank zitten.

'Waar is Pete?' vroeg ze, toen Adam ten slotte binnenkwam.

'Pete heeft de bestelwagen genomen en haalt oude rom-

mel op,' zei Adam. 'Ik hoop dat jij de drankjes wilt mixen, nu ik me de moeite heb getroost om naar beneden te komen.'

'Mixen?' vroeg Caroline. 'Je bedoelt dat je een cocktail wilt?'

'Een cocktail! Wat een heerlijk woord. Ach, konden we maar een cocktail nemen, een echte cocktail, in stijl, ergens op een barkruk. Maar drank is drank, waar ook ter wereld. Dat is een grote troost. Misschien wel de grootste. Ga maar een cocktail voor ons mixen in de keuken.'

'Wat heb je in huis? Wat wil je?'

'Niets. Ik vrees dat daar een alchemist voor nodig zou zijn. Er is een fles wodka. En er is wijn.'

'Welke van de twee wil je?'

'O, wodka, denk ik, als je ijs kunt vinden. En anders wijn.'

Caroline verdween naar de keuken. Petes afwezigheid werd geïllustreerd door de rotzooi. Gelukkig stak de fles wodka boven de troep uit en was er ijs, zij het nogal pluizig, in de vriezer.

Ze keerde terug met twee glazen wodka on the rocks en gaf er een aan Adam.

'Ik zeg "waar heb ik dit genoegen aan te danken" omdat het werkelijk een genoegen is, weet je.' Hij hief zijn glas. 'Op het genoegen van jouw gezelschap,' zei hij.

'Wat ben je toch lief,' zei Caroline.

'Weet je,' zei Adam, 'vaak denk ik, vaak zeg ik tegen mezelf: Je moet je leven radicaal veranderen. Nu, voor het te laat is. Nu, nu, nu. Bijzondere dingen gebeuren vaak in de laatste hoofdstukken, nietwaar? Beschouw jij je leven wel eens als een roman? Ik wel. Dat is bij mij al heel vroeg begonnen. Ik dacht – waarschijnlijk toen ik hier voor het eerst vandaan ging – ik dacht: Je moet leven alsof je de hoofdpersoon in een roman bent. Je moet altijd iets interessants doen, je ruimte op de bladzijde verdienen. Het is heel moeilijk om zo te leven. Romans zijn wat dat betreft erg misleidend: ze laten zoveel weg. De jaren van verveling, gelukkige jaren misschien, maar saai. Of ongelukkig en saai.'

'Eigenlijk,' zei Caroline, 'wil ik ergens met je over praten.'

'Met andere woorden, kop dicht,' zei Adam.

'Ja,' zei Caroline.

'Ik zwijg al,' zei Adam.

Toen was het stil, terwijl ze alle twee naar de transparante drank in hun glas keken.

En toen zei Adam: 'Waar wilde je precies over praten?'

'Dat weet ik niet goed,' zei Caroline. 'Over loyaliteit, misschien.'

'Loyaliteit?' vroeg Adam.

'Ja,' zei Caroline. 'Dat is het juiste woord, denk ik. Ik heb nagedacht. Vandaag, en misschien al langer dan vandaag. Ja, zeker langer dan vandaag. Sinds dat gedoe over de autorisatie en de biografie, vermoed ik.'

'Loyaliteit?' zei Adam.

Caroline zei niets. Ze hadden een vreemde manier om met elkaar te praten, al was het misschien niet zo vreemd – mensen die hun leven bijna uitsluitend met elkaar hebben doorgebracht, en bepaalde ervaringen hebben gedeeld, zulke mensen praten misschien allemaal op die manier, sprongsgewijs, als steentjes die over een vlakke waterspiegel stuiteren. Nadat ze nog een slokje wodka had genomen, zei ze: 'Misschien bedoel ik geen loyaliteit. Ik weet niet wat ik bedoel.'

'Meestal weet je dat wel,' zei Adam.

'Ja,' zei Caroline. 'Het komt door al dat gedoe over de biografie. Ik vind het niet erg dat jij akkoord bent gegaan, echt niet, maar het zit me dwars zoals de situatie nu is.'

'Hoe bedoel je?' vroeg Adam.

'Ik bedoel dat ik geen tegenstander van jou wil zijn, of van Arden. Vooral niet van jou. In zekere zin is Arden altijd mijn tegenstander. Maar jij niet. Jij nooit. Dat bedoelde ik met loyaliteit. Ik heb jou altijd als een bondgenoot beschouwd, Adam, altijd. En als ik zou denken dat je dat niet was –'

'Maar natuurlijk ben ik dat. Kom nou toch, Caroline.

Die biografie stelt niets voor. Het is nonsens. Het is een verzetje.'

'Zo zie ik het niet. Jij wel, dat weet ik, en misschien heb je wel gelijk, maar ik kan dat niet.'

'En dat respecteer ik. Arden ook. Ik denk dat zelfs die jongen het respecteert. Er is niets aan de hand, schat. Maak je geen zorgen.'

'Ik kan het niet helpen. Er is iets veranderd, zie je. Ik weet niet wat, of waar. Ik weet niet of het iets in mij is, of iets daarbuiten. Maar ik voel me – ik voel me niet prettig meer. Niet op mijn gemak.'

'Wat bedoel je toch?'

'Vind je me dwaas?'

'We zijn allemaal dwazen, vind ik.'

'Adam! Nee. Alsjeblieft, doe niet zo. Alsjeblieft. Help me. Ik probeer – ik meen het ernstig. Voor de verandering.'

'Je bent geen dwaas, Caroline. Je bent een wijze, sympathieke vrouw.'

'Vind je – je moet het eerlijk zeggen, alsjeblieft – vind je dat het goed was dat ik hier gebleven ben?'

'Wat bedoel je?'

'Je weet best wat ik bedoel. Ik bedoel toen Jules terugkwam, met Arden. Vind je het terecht dat ik bleef?'

Adam haalde zijn schouders op. 'Ik had daar geen oordeel over. Het was jouw zaak, en die van Jules.'

'Maar ik wil het weten. Oordeel dan nu.'

'Ik denk niet dat je zo terug kunt kijken. Dat is zinloos.'

'Dat ben ik niet met je eens. Hoe kunnen we – hoe kunnen we iets over onszelf leren als we niet terugkijken?'

'Je kunt beter vragen waarom we iets over onszelf willen leren. Ik weet het liefst zo min mogelijk over mezelf.'

'Adam!'

'Neem me niet kwalijk. Nee, ik vind het niet verkeerd dat je bleef. Dat vond ik toen niet en dat vind ik nog steeds niet. Het was jouw huis en Jules was jouw echtgenoot en je had het volste recht om te blijven.'

'Was, was…' zei Caroline.

'Ja,' zei Adam, 'was.'

'Maar in het heden?'

'O, het heden. Hoe minder aandacht je aan het heden besteedt, hoe beter.'

'Ik heb er nooit veel aandacht aan besteed. Zo doen we dat hier, hè? – stug doorgaan en het leven overlaten aan andere mensen.'

'Van mij mogen ze.'

'Houd jij niet van het leven, Adam?'

'Ja, ik houd van het leven. Ik zou niet eeuwig willen leven, maar voor een tijdje is het best leuk.'

'En ben je gelukkig met je leven hier? Of zou je willen dat bepaalde dingen anders waren gegaan? Zou je willen dat je in Stuttgart was gebleven?'

'Op mijn leeftijd zoek of verwacht ik geen geluk.'

'Laat het geluk dan maar zitten. Zou je willen dat je nog in Stuttgart was? In Europa?'

'Nee,' zei Adam.

'Waarom niet?'

'Je moet voor alles belangstelling hebben, of doen alsof: politiek, mode, cultuur. Dat is zo vermoeiend. Waarom? Overweeg je om terug te gaan naar Europa?'

'Nee,' zei Caroline. 'Dat niet. Ik denk na – ik vraag me af – waarom ik hier ben. Wat me hier houdt. Of dit de plaats is waar ik thuishoor.'

'Wat eng om je zulke dingen af te vragen. Ik zou er meteen mee ophouden als ik jou was. En ik maak geen grapje. Ik meen het serieus.'

'Ik wil er graag mee ophouden. Ik wil graag net zo zijn als jij.'

'Je bent hier omdat het leven je hier gebracht heeft. Je hoort hier niet thuis. Niets houdt je hier. Niemand hoort ergens thuis, en al helemaal niet hier.'

Caroline stond op en keek naar het raam, naar het onstuimige riviertje dat achter het molenhuis liep. Na een tijdje zei ze: 'Het gaat niet om de brief.'

'Wat?' vroeg Adam. 'Welke brief?'

'De brief waarin Jules schreef dat hij geen biografie wilde. Dat is niet de reden waarom ik me ertegen verzet.'

'Bestaat die brief echt?'

Ze wendde zich af van het raam en keek hem aan. Ze schudde haar hoofd. 'Nee,' zei ze.

'Ik vond het al zo'n armzalige smoes,' zei Adam.

Caroline zei niets.

Na een moment zei Adam: 'Wat is dan de reden?'

'Schuldgevoelens, denk ik. Of misschien schaamte.'

'Waarover?'

Caroline trok een plaid recht die opgevouwen over de rugleuning van een bank hing. 'Over zoveel,' zei ze. 'Over alles.'

'Nou, dat maakt het een stuk duidelijker.'

Caroline glimlachte niet. Ze legde haar handen op de gladgestreken plaid.

'Ik begrijp het niet,' zei Adam.

'Dat weet ik,' zei Caroline.

'De schuld ligt bij Jules, de schaamte is aan Jules –'

'Nee,' zei Caroline. 'Niet helemaal.'

'Goed,' zei Adam. 'Natuurlijk. We zijn allemaal schuldig. Niemand bereikt onze leeftijd zonder heel wat schuld op zich te laden. Maar ik denk niet dat meneer Razaghi al te diep in de morele krochten van ons leven gaat graven, of ons te kijk zal zetten op een manier die we niet prettig vinden. Dat is het mooie van een geautoriseerde biografie. Je hoeft nergens bang voor te zijn, schat.'

'Ik ben niet bang!' zei Caroline nogal heftig. 'Natuurlijk ben ik niet bang. Je begrijpt het niet. Zelfs als het boek niets onthult, wil ik niet dat het er komt, omdat ik zal weten dat het niets onthult.'

'Ik kan je geloof ik niet volgen,' zei Adam.

Caroline ging terug naar haar stoel. Ze pakte haar glas en schudde het heen en weer, om te zien of er nog wodka in zat. Daarna zette ze het weer op de lage tafel tussen hen in. 'Weet je hoe ik Jules ontmoet heb?' vroeg ze aan Adam.

'Je hebt hem toch op de boot ontmoet? Toen je terugkwam uit Frankrijk?'

'Nee,' zei Caroline.

'Hoe heb je hem dan ontmoet?'

'Ik ging niet met de boot. Ik ging vliegen. Ik ben teruggevlogen naar New York, maar Margot wilde niet mee. We waren op de heenweg bijna neergestort, en ze had een hekel aan vliegtuigen. Zij nam de boot, en zij ontmoette Jules.' Ze zweeg even. 'Toen ik haar van de boot ging halen waren ze samen en ik kon zien dat ze verliefd was. Ze waren zo'n mooi stel. Margot was erg mooi, zij was het mooie zusje, en hij was – hij was ook erg mooi. Je weet hoe hij er toen uitzag. Hij bleef die zomer in New York. Natuurlijk werd ik verliefd op hem, en hij wist het, we wisten het allemaal, denk ik, maar het was duidelijk dat hij van Margot was en dat ik hem alleen aanbad. Dat sprak vanzelf. En toen gebeurde er iets, er veranderde iets tussen ons. Het voelde niet veilig meer, wat ik voelde, of wat ik voelde dat hij voelde.' Ze zweeg.

'En dat is jouw grote, vreselijke geheim: dat je het vriendje van je zus hebt afgepakt?'

'Ik weet dat het onbelangrijk lijkt, maar dat was het niet. Het was vreselijk wat ik gedaan heb. Het was een misdaad, een zonde.'

'Verliefd worden op iemand is niet vreselijk,' zei Adam. 'Dat valt buiten de moraal. Je weet wat ze zeggen: alles is geoorloofd in liefde en oorlog. Anders zou de wereld wel heel saai zijn. Ik vind dat je je een beetje aanstelt, Caroline.'

Caroline schudde haar hoofd. 'Ik heb Margot sindsdien nooit meer gesproken,' zei ze. 'En mijn moeder heeft het me ook nooit vergeven. Mijn zus en mijn moeder, allebei. En toen had ik alleen nog Jules en het leven hier, en toen verdween mijn liefde voor Jules, want hoe kon ik van Jules houden? Maar ik was te trots, te beschaamd om hem los te laten. Dat is zijn dood geworden, denk ik.'

'Jules heeft er zelf een eind aan gemaakt,' zei Adam.

'Ja,' zei Caroline, 'dat maken we onszelf wijs, natuurlijk. Maar het is niet waar.'

'En jij bent bang dat als die biografie wordt geschreven – waar ben je bang voor? Dat jij wordt ontmaskerd? Dat wij worden ontmaskerd? Ik denk dat je de vermogens van meneer Razaghi overschat.'

'Het heeft niets met de vermogens van meneer Razaghi te maken.'

'Dan kan ik je niet volgen.'

'Adam, vind je het niet gek dat we nooit over Jules' dood hebben gepraat? Of misschien hebben jij en Arden er wel over gepraat. Is dat zo?'

'Nee,' zei Adam.

'En dat vind je niet gek? Mijn man, jouw broer, de vader van haar kind – en we praten er niet over?'

'Nee, dat vind ik niet gek. Wat valt erover te zeggen?'

'Dat weet ik niet. We moeten ontdekken wat erover te zeggen valt door het te zeggen. Maar met meneer Razaghi praten, hem een leven aansmeren dat niet Jules' leven was, want dat gaan jullie doen, jij en Arden, dat weet ik, ik hoor het nu al, het verzonnen verhaal dat we allemaal paraat hebben en dat niet verzonnen meer lijkt omdat we er al zo lang mee leven – dat mag niet gebeuren. Dat mag nooit gebeuren. Ik zal het niet toestaan.' Ze stond op.

'Ik weet niet waar je het over hebt. Werkelijk niet. Wat voor verzonnen verhaal? Ik heb nooit gelogen over Jules. Ik heb niets met zijn dood te maken. En het stoort me dat jij iets anders suggereert. Jules was altijd al zwaarmoedig. Altijd, hij is ermee geboren. Hij heeft ooit een zelfmoordpoging gedaan toen hij zeventien was, wist je dat?'

'Nee,' zei Caroline.

'Toch is het zo. In de garage, met de auto. En vergeet niet dat mijn moeder krankzinnig was. Het zat haar natuurlijk niet mee in het leven, maar ze was van het begin af aan al een beetje gek, en Jules heeft daar iets van meegekregen. En hij schreef een boek dat werd bejubeld en heeft daarna twintig rotjaren gehad omdat hij het succes probeerde te herhalen, wat keer op keer mislukte. Geen wonder dat hij het manuscript vernietigd heeft en het bos in is

gelopen. Ik denk niet dat zijn dood een groot raadsel is. Nee, ik denk niet dat er zoveel over te zeggen valt.'

'Maar dat dan, wat je net zei: dat hij al eerder een zelf-moordpoging had gedaan? Waarom heb je me dat nooit verteld?'

Adam dacht even na. 'Ik weet het niet,' zei hij. 'Ik zal wel gevonden hebben dat het iets persoonlijks was, dat het aan hem was om het je al dan niet te vertellen. En in zekere zin heb je gelijk: we spraken er niet over. Het was iets akeligs dat gebeurd was en we spraken niet over akelige dingen. Zo gingen mijn ouders ook met hun verleden om.'

'Door er niet over te praten?'

'Ja,' zei Adam. 'En ik ben hun kind. En om nu nog met praten te beginnen, daar is het een beetje laat voor.'

Caroline lachte.

'Waarom lach je?' vroeg Adam.

'Het klinkt zo gek, want je praat de hele tijd.'

'Je weet wat ik bedoel,' zei Adam.

'Ja,' zei Caroline, 'en het is een beetje triest.'

'Ach, zoveel dingen zijn een beetje triest,' zei Adam.

Caroline bleef staan. Na een moment zei ze: 'Ik wil niet dat dit boek er komt omdat het geen eerlijk boek wordt. Het vertelt de waarheid niet. Misschien doet geen enkele biografie dat. Ik betwijfel het. Maar ik wil geen onoprecht boek over Jules. Een nepboek.'

'Het hoeft niet zo ingewikkeld te zijn. Nogmaals, ik denk dat je een verkeerd beeld hebt van het boek dat Razaghi wil schrijven. Hij is een broodschrijver. Het gaat hem om data en plaatsen. Dit interesseert hem allemaal niet, Caroline.'

'Ja,' zei Caroline. 'Ik weet het. Precies. Dit interesseert hem allemaal niet: je weet het zo goed te zeggen. Beter dan ik. Het zal een inhoudsloos boek worden. Straks is dat het enige wat er nog over is van Jules en het zal inhoudsloos zijn, onecht.' Ze wachtte even, maar Adam zei niets. Hij wist niet wat hij moest zeggen.

'Het spijt me,' zei hij na een poosje. 'Ik weet niet wat ik moet zeggen.'

Caroline haalde haar schouders op. Ze draaide zich om en liep de kamer uit. Adam hoorde de voordeur open- en dichtgaan. Hij bleef nog een hele tijd zitten. Toen hoorde hij Petes auto aankomen. Mooi, dacht hij: Pete is thuis. Hij probeerde op te staan, maar hij was doodmoe, en een beetje duizelig. Hoeveel wodka had hij gedronken? Hij leunde achterover in de kussens en sloot zijn ogen.

Deirdre kwam de kamer in. Aan het voeteneind van elk bed stond een aluminium stoel; ze trok die van Omar naast het bed en ging met haar gezicht naar de deur zitten. De jongen in het andere bed had alleen aandacht voor zijn maaltijd. Hij zag er kerngezond, zelfs vorstelijk uit· hij droeg een kastanjebruine zijden pyjama met een onleesbaar monogram op de borstzak.

Omars hoofd lag naast het kussen, vreemd scheef, alsof hij erg had liggen woelen in zijn slaap; zijn lichaam lag gedraaid onder de dunne witte deken, maar hij sliep rustig. Zijn beide handen waren verpakt in wanten van gaas. Hij droeg een groene nylon pyjama met een afzichtelijk paars patroon. Lange tijd zat Deirdre daar maar, zonder te praten of Omar aan te raken. Er kwam een verpleegster binnen om het blad van de jongen in het andere bed weg te halen. Ze keek naar Deirdre en knikte, maar zei niets. Toen ze de kamer uit was, pakte de jongen in het andere bed een boek van zijn nachtkastje, deed de lamp boven zijn bed aan en ging op zijn zij liggen, met zijn rug naar Deirdre toe, om haar wat privacy te geven.

Ze stak haar hand uit en raakte Omars arm aan, maar hij verroerde zich niet. Ze boog zich dichter naar hem toe, fluisterde zijn naam in zijn oor en keek aandachtig naar zijn gezicht, dat stil en onbewogen bleef. Ze pakte zijn hand. Ze voelde twee dingen tegelijk, heel sterk: ze voelde een diepe, bijna verlammende genegenheid voor hem, het lieve in hem, het goede, het mooie; en ze voelde ook zijn onbekende kant, het vreemde, het andere, alle gebieden van hem die niet in kaart waren gebracht en waarvan zij geen weet

had. Na een poosje trok hij zijn hand uit de hare, maar hij werd niet wakker.

Ze voelde zich zelf ook erg moe terwijl ze daar zat. De jongen in het bed ernaast deed zijn licht uit, legde zijn boek op het nachtkastje en nam een houding aan die deed vermoeden dat hij weldra in slaap zou vallen. Deirdre stond op. Ze zette de stoel terug aan het voeteneind van Omars bed. Daarvandaan keek ze naar Omar. Ze wilde dat hij wakker werd, om zeker te weten dat hij niet meer in coma lag. Al zouden ze daar natuurlijk niet over liegen tegen haar.

Na een tijdje verliet ze de kamer en liep de gang in. Toen ze aan het eind kwam, besefte ze dat ze de verkeerde kant op was gelopen. Ze ging terug. Ze passeerde de kamer. Natuurlijk lag hij er nog precies zo bij als net. Ze had het irrationele idee gehad dat haar afwezigheid hem misschien zou wekken.

Arden Langdon zat in haar eentje in de wachtkamer, zomaar, zonder een boek of tijdschrift te lezen. Deirdre zag haar vanuit de gang. Het had iets vreemds zoals ze daar zat, volmaakt roerloos, oneindig geduldig.

Op weg naar huis zeiden ze niets. In de lobby had Arden aan Deirdre gevraagd of Omar wakker was, en Deirdre had gezegd dat hij nog steeds sliep. We kunnen morgenochtend terugkomen, had Arden gezegd. Dan zal hij wel wakker zijn.

Deirdre viel in de auto in slaap, met haar hoofd tegen het portier. Arden dacht dat ze vanzelf wakker zou worden als de auto tot stilstand kwam, maar dat gebeurde niet, zodat ze gedwongen was Deirdres schouder aan te raken en haar zachtjes heen en weer te schudden.

'Deirdre,' fluisterde ze, 'we zijn thuis. Nou ja, ik ben thuis. Jij bent er.'

Deirdre sloeg haar ogen op. Ze stonden aan het eind van de oprijlaan geparkeerd, op een strook gras naast het huis. Er zat nog een beetje licht in de lucht, zacht avondlicht, dat

zichzelf van grote afstand uitgoot over de gele bakstenen muur van het huis. Om een reden die volkomen terecht en noodzakelijk leek, liet Arden haar hand even op Deirdres schouder rusten. Arden wist instinctief hoe en wanneer ze mensen moest aanraken. Het was een gave die ze had, een talent.

'Kom mee naar binnen,' zei Arden. 'We maken een bed voor je op, en dan kun je slapen.'

HOOFDSTUK VIJFTIEN

Deirdre ontwaakte de volgende morgen in een vreemd bed in een vreemde kamer. Het was doodstil. Even dacht ze dat ze in een soort sanatorium lag – de linoleum vloer en het witte metalen ledikant deden ouderwets therapeutisch aan; ik heb tbc, dacht ze, en ben naar een sanatorium gestuurd.

Toen zag ze haar koffer openliggen op de vloer en ze herinnerde zich dat ze in Ochos Rios was, in Uruguay, en dat niet zij maar Omar de patiënt was. Ze keek op haar horloge, dat behalve een porseleinen lamp en een glas water het enige voorwerp was op het nachtkastje. Het glas water was op een eigenaardige manier mooi: het bekerglas zelf was fijntjes geëtst met een slinger van gevlochten bloemen, en het water was vreemd licht en helder. Slierten kleine belletjes kleefden aan de loodrechte binnenwand. Het was tien over half elf. Ze had uren en uren geslapen. Ze kwam uit bed en bleef midden in de kamer om zich heen staan kijken. Er waren drie deuren, een per muur, en in de vierde muur zat een raam met een vrij lelijke, ouderwetse jaloezie ervoor en gordijnen van zwaar brokaat die helemaal niet pasten bij de praktische, therapeutische sfeer die de kamer ademde. Het leken ingekorte versies van andere, imposantere gordijnen. Ze waren niet dichtgetrokken. Het licht lekte prismatisch door kieren in de neergelaten jaloezie, drong als het ware begerig de kamer in. Het moet stralend weer zijn, dacht Deirdre. Ze duwde twee stroken van de stoffige jaloezie uit elkaar en gluurde naar buiten: een onverzorgd gazon liep steil af naar een dennenbos. Op het gazon zat een hond zorgvuldig op een zeer groot bot te kluiven. Ze tikte zachtjes tegen de ruit maar de hond reageerde niet, en ze had het vreemde gevoel dat hij zich in een andere wereld bevond, dat het allemaal andere werelden waren, achter het raam en elk van de drie deuren.

Deirdre hoopte dat een van de deuren toegang zou geven tot een badkamer. Dat was helaas niet het geval: achter de eerste zat een grote kast, leeg afgezien van een verschrompelde, onherkenbare vrucht die bij wijze van reukbal met een satijnen lint aan de lange roe hing. Het had iets verontrustends dat het ding daar helemaal alleen in de donkere kast hing, als een soort totem. Een andere deur leidde naar een kamer van exact hetzelfde formaat, waar in plaats van een bed een lange werktafel stond met rollen stof op hoge stapels, en een antieke naaimachine. De derde deur kwam uit op een lange gang met een stuk of tien gesloten deuren. Stoelen in alle soorten en maten stonden langs de wanden, tussen de deuren in, en het was duidelijk dat ze geen enkel doel dienden, dat niemand daar ging zitten wachten, maar dat ze zelf wachtten.

Deirdre herinnerde zich nu vaag dat ze de avond tevoren een badkamer in deze gang had bezocht. Wat was ze moe en uitgeput geweest! Ze hoopte dat ze zich netjes had gedragen. Ze ging op zoek naar de badkamer. Ze klopte op de deur tegenover haar en deed hem open toen er geen antwoord kwam. Dit vertrek, dat ongeveer dezelfde vorm en afmetingen leek te hebben als haar slaapkamer, was leeg, op een grote houten tafel na die voor het raam was geschoven; op de tafel stond een kleine poppenkast met fluwelen gordijntjes. Marionetten hingen, als gemartelde slachtoffers, langs de wanden. Deze kamer had iets griezeligs – althans voor Deirdre – en ze sloot snel de deur. Zelfs als kind – vooral als kind – had ze altijd een hekel gehad aan de zwijgende, starre gezichten van poppen. Ze kon nooit doen alsof ze leefden, en keek neer op meisjes die dat wel deden.

Naast de naaikamer was weer een slaapkamer, vergelijkbaar met de hare. Ze herkende Omars koffer op een stoel, dicht maar niet op slot. Het bed was netjes opgemaakt. Ze stapte naar binnen en sloot de deur. Ze keek in de koffer. Boven op de kleren lagen een paar boeken: Hermione Lee's biografie van Virginia Woolf (die Deir-

dre hem met kerst had gegeven, samen met een horloge), en een Spaanse en Engelse editie van *De gondel*. Er lag ook een goedkoop opschrijfboekje met een pen in de spiraal. Deirdre sloeg het open en herkende Omars zorgvuldige, wat ouderwetse handschrift. Het was blijkbaar een dagboek. Ze keek de kamer rond, overtuigde zich ervan dat ze alleen was en begon te lezen:

Nou, ik ben er. Ik bedoel in Montevideo, wat eigenlijk nog nergens is, neem ik aan, maar het verbaast me toch dat ik zo ver gekomen ben. Al denk ik dat de reis hiernaartoe het gemakkelijkste deel was. Ik voel me een beetje angstig en verloren. Maar ook opgewonden. Montevideo is aan de ene kant prachtig en aan de andere kant een puinhoop, zoals de meeste plaatsen op de wereld. Ik heb net een wandeling gemaakt. Ik logeer in een tamelijk vreselijk hotel, maar het is wel goedkoop. Mijn kamer heeft geen raam. Het voelt heel veilig, net een cocon, maar het is ook een beetje eng. Alsof je erin kunt verdwijnen. Alsof ze behalve het raam ook de deur kunnen weghalen, zodat je opgesloten zit. Het is een heel eenvoudige kamer: vloer, muren, plafond, bed, kleerkast, stoel. Een gloeilamp hangt aan een ketting aan het plafond. Ik zit nu in bed te schrijven. Ik zou overal ter wereld kunnen zijn. De lakens zijn stug en ruw maar wel schoon. Ze ruiken naar chloor. Het bed kraakt als ik beweeg.

Nu ik hier ben (al is het nog maar in Montevideo) en er nog niets echt is bereikt of veranderd, maar nu ik hier ben, zo ver van huis, heb ik het gevoel dat het allemaal wel goed zal komen. Ik bedoel, wat er ook gebeurt. Ik was eerst van plan om ze hiervandaan te schrijven, te zeggen dat ik in aantocht was. Een telegram sturen of zoiets. Maar het lijkt me beter als ik gewoon kom opdagen. Ik kan het vast wel op zo'n manier brengen dat ze bereid zijn toestemming te geven. Tenzij ze volkomen geschift en onredelijk zijn.

In het vliegtuig kreeg iedereen gratis een miniatuurflesje champagne. De vrouw naast me wilde niet, dus ik kreeg er twee. Ik bewaar het extra flesje om met Deirdre op te drinken als ik terug ben, als de problemen opgelost zijn, als ik toestemming heb

gekregen en alles weer in orde is. Dan kunnen we het vieren. Het
is maar een klein flesje, maar we kunnen het samen leegdrinken.
Ik ben moe en het valt niet mee om zittend in bed te schrijven.
Een bureautje is er natuurlijk niet.

Dat was alles wat er in het opschrijfboekje stond.

'Daar ben je,' zei Arden, toen Deirdre de keuken in kwam.
'Ik dacht er net over om je te wekken, maar het voelde een
beetje raar om dat te doen. Heb je goed geslapen?'

'Ja, dank je,' zei Deirdre.

'Je was uitgeput,' zei Arden. 'Ik bedoel echt uitgeput. Fysiek uitgeput. Emotioneel ook, dat moet wel.'

Hoewel Deirdre wist dat uitputting een neutrale toestand was, ervoer ze Ardens opmerking toch als een te-
rechtwijzing, alsof een zwakheid van haar kant de uitputting had toegelaten, of zelfs bevorderd.

'Ik voel me nu veel beter,' zei ze.

'En heb je de badkamer gevonden? Ik hoop dat er genoeg warm water was om behoorlijk te douchen.'

De douche was lauw geweest en naar het eind toe steeds
kouder geworden, maar Deirdre had er niettemin erg van
genoten, wat altijd het geval is wanneer je na een lange reis
kunt douchen. 'Het was prima,' zei ze. 'Ik ben verliefd op je
huis. Al die oude details en meubels –'

'Na een tijdje gaat de aardigheid eraf,' zei Arden. 'Ik was
er ook weg van toen ik hier kwam.' Ze zei het op een manier die duidelijk maakte dat ze er nog steeds weg van was,
maar het door de tijd geheiligde voorrecht had om te kla-
gen. 'Wat wil je voor je ontbijt? Iedereen ontbijt zo anders,
maar we hebben bijna alles wat je kunt bedenken.'

'Koffie zou heerlijk zijn,' zei Deirdre.

'Ja, natuurlijk,' zei Arden. 'Maar verder? Je zult wel honger hebben. Je hebt gisteravond niets gegeten.'

Deirdre besefte dat ze uitgehongerd was. 'Ja, ik geloof
dat ik wel trek heb,' gaf ze toe.

'Natuurlijk heb je trek,' zei Arden. 'Hoe wil je je eieren?'

'Roereieren graag,' zei Deirdre, 'maar laat mij het maar doen. Echt, laat mij maar. Als je me alleen even wijst –'

'Onzin,' zei Arden. 'Tenzij je me niet vertrouwt. Maar roereieren lukt me wel.' Ze lachte. Ze schonk koffie uit een percolator in een mok, zette die voor Deirdre neer en knikte naar de melk en suiker die op tafel stonden. Daarna ging ze aan de slag met de eieren.

De koffie was erg lekker: donker en geurig, met een intens aroma.

Arden keerde naar de tafel terug met een bord roereieren, brood en gebakken aardappelen. Ze zette het bord voor Deirdre neer, schonk een mok koffie voor zichzelf in en ging aan het andere eind van de tafel zitten.

'Dank je,' zei Deirdre. 'Dat ziet er verrukkelijk uit.'

Arden dronk haar koffie met een vage glimlach op haar gezicht.

'Hoe lang woon je hier al?' vroeg Deirdre.

'Een jaar of tien,' zei Arden. 'Elf al, denk ik.'

'En kom je uit Uruguay? Ben je hier geboren?'

'Nee,' lachte Arden. 'Ik ben in Engeland geboren. Mijn vader was een Brit en mijn moeder een Amerikaanse. Ze was actrice.'

'Dus je bent opgegroeid in Engeland?'

'Ja, afgezien van een korte periode in Los Angeles en Wisconsin. Meestal zat ik op kostschool. Mijn ouders waren allebei nogal met zichzelf bezig. Ze zijn kort na mijn geboorte gescheiden.'

'Acteert je moeder nog?' vroeg Deirdre.

'Ik denk het niet,' zei Arden. 'Ze is dood.'

'O, sorry,' zei Deirdre.

'Het is al heel lang geleden,' zei Arden.

'Ik wilde acteur worden,' zei Deirdre, 'maar ik kon me op het toneel nooit ontspannen. Ik zag er altijd gespannen uit, zeiden ze.'

'Tja,' zei Arden.

'Vind je het vervelend als ik vragen stel?' vroeg Deirdre.

'Nee,' zei Arden, 'natuurlijk niet.'

'Ik vind het gewoon zo interessant – dat je hier woont. Hoe ben je in Uruguay terechtgekomen?'

'God heeft me hier gebracht,' zei Arden.

'O,' zei Deirdre.

Arden lachte. 'Ik had me tijdens mijn studie aangesloten bij zo'n afschuwelijke christelijke zendelingengroep. Ik zat een beetje met mezelf in de knoop. Ik denk dat ik het vooral deed om mijn vader te kwetsen, want hij was een fervente atheïst. De groep waar ik me bij aansloot heette Joyful Noise. We reisden de wereld rond om met een blijde lach concerten te geven en heidenen te bekeren. Ik zwaaide met de tamboerijn.'

'En zo kwam je in Uruguay?'

'Ja,' zei Arden. 'We toerden met een bus door Zuid-Amerika. Mijn God. Kun je het je voorstellen? Ik ben niet verder gekomen dan Montevideo, daar kwam ik tot bezinning. Om die reden heb ik altijd van Montevideo gehouden. Ik kon niet terug naar huis, dus ik schreef me in aan de universiteit en daar ontmoette ik Jules. Hij was docent. En zo ben ik hier gekomen.'

'Je hebt een boeiend leven gehad,' zei Deirdre.

'Nou, het is een stuk rustiger geworden. Het duurde een poosje voor ik mijn draai had gevonden. Ik had nooit een thuis gehad voor ik hier kwam. Daar hadden mijn ouders geen tijd voor.'

'En alleen jij en Portia en Caroline wonen hier?'

'Ja. Een vreemd huishouden, ik weet het. Adam en Pete wonen iets verderop. Adam is de broer van Jules. Pete is zijn partner. Pete was bij Omar toen hij dat ongeluk kreeg. Hij zit er natuurlijk heel erg over in. Hij voelt zich verantwoordelijk.'

'Steken de bijen vaak?'

'Vast wel,' zei Arden. 'Ik ben vaak gestoken.' Ze bekeek haar handen en blote onderarmen, alsof ze naar sporen zocht. 'Niemand heeft ooit zo op een steek gereageerd als Omar. Ik heb nog nooit zoiets meegemaakt. Ik dacht echt dat hij dood zou gaan.'

'Heeft Omar de kans gehad om met je te praten?' vroeg Deirdre.

'Wat bedoel je?' vroeg Arden.

'Over het boek, bedoel ik. De biografie. En de autorisatie.' Ze hoorde hoe kortaf het klonk. 'Dat vroeg ik me gewoon af,' verbeterde ze zichzelf.

'Ja,' zei Arden. 'En door hem zijn we van gedachten veranderd. Nou ja, ik dan, en Adam. Hoewel, Adam was er al voor. Ik ben van gedachten veranderd. Caroline niet. Zij weigert nog steeds toestemming te geven.'

'Hoe heeft hij dat gedaan?' vroeg Deirdre.

'Ik weet eigenlijk niet of hij dat heeft gedaan,' zei Arden. 'Ik bedoel, ik ben van gedachten veranderd en ik neem aan dat het door hem komt, maar zeker weet ik dat niet. Caroline beweert dat Jules haar kort na het verschijnen van *De gondel* heeft geschreven dat hij niet wilde dat er ooit een biografie over hem kwam. Ik denk dat hij destijds een biografie aan het lezen was – ik weet niet van wie – en erdoor geschokt was. Biografieën kunnen schokkend zijn. En toen we Omars brief kregen, heb ik me laten overhalen om op grond daarvan toestemming te weigeren, maar nu...' Ze haalde Deirdres lege bord weg en bracht het naar de gootsteen. Ze spoelde het af onder de kraan en draaide zich toen om naar Deirdre, die aan tafel was blijven zitten. 'Nu lijkt dat een minder dwingende reden. Het is al zo lang geleden dat hij die brief schreef. Jules is dood. Deze biografie kan hem geen kwaad doen. En Omar leeft, en de biografie kan hem helpen. Het was niet moeilijk kiezen.'

'Dus om Omar te helpen ben je van gedachten veranderd?' vroeg Deirdre.

Arden keek Deirdre aan en glimlachte. 'Ja,' zei ze. 'Ik neem aan van wel. Je zit vast te popelen om hem weer te zien. Zullen we gaan? Ik wil je niet opjagen, maar ik zou graag weer thuis zijn voor Portia uit school komt.'

'Ik vind het zo vervelend dat jij me moet brengen,' zei Deirdre. 'Ik wou dat ik zelf kon rijden.'

'Iedereen wil tegenwoordig zo onafhankelijk zijn,' zei Arden. 'Dat is een beetje jammer.'

'Ik heb er gewoon een hekel aan om me op te dringen –'

'Maar je dringt je niet op,' zei Arden.

Deirdre dacht dat ze in de verkeerde kamer was, maar het nummer op de deur bewees dat dit niet het geval was. Ditmaal stond het scherm om het bed van de jongen en uit de cocon kwamen prevelende stemmen. Ze liep om het afgeschutte bed heen en zag dat Omar wakker was. 'Deirdre!' zei hij.

Ze ging op het bed zitten en kuste hem. 'Hallo,' zei ze.

'Mijn God. Wat doe jij hier?'

'Arden belde me. Je lag in coma. En je was verlamd. Kun je alles bewegen?'

'Ja,' zei Omar. 'Ik denk het wel.'

'Heb je al gelopen?'

'Nee,' zei Omar.

'Hoe voel je je?'

'Een beetje raar. Suf. Dat komt door de medicijnen, denk ik.'

'En hoe gaat het met je arme hand? Doet het nog pijn?'

Omar keek naar zijn gazen want. 'Nee,' zei hij. 'Het jeukt alleen. Ik kan niet geloven dat je hier bent. Dat was echt niet nodig. En mijn God – wat heeft het wel niet gekost?'

'Zit daar maar niet over in,' zei Deirdre. 'Het belangrijkste is dat ik er ben en dat het goed met je gaat.'

'De verpleegster zei al dat ik gisteravond bezoek had. Ik kon me niet voorstellen wie dat was. Afgezien van Arden, bedoel ik. Waarom heb je me niet wakker gemaakt?'

'Dat mocht niet. Is Arden op bezoek geweest?'

'Ja,' zei hij. 'Heb je haar al ontmoet?'

'Natuurlijk,' zei Deirdre. 'Ik logeer daar.'

'Vind je het niet bijzonder? Ik bedoel het huis en alles.'

'Ik vind het net een spookhuis,' zei Deirdre.

'Heb je Caroline ontmoet?'

'Ja. Even.'

'En Adam?'

'Nee,' zei Deirdre. 'Ik ben gisteravond pas aangekomen.'

'Ik begrijp niet waarom Arden je gebeld heeft. Ik maak het prima.'

'Maar eerst niet, denk ik. Ze was erg bezorgd. Kun je je herinneren wat er gebeurd is?'

'Nee,' zei Omar. 'Ik kan me van die dag niets duidelijk herinneren. Ik was een beetje misselijk, ik had een kater, dat weet ik nog. We waren de avond ervoor uit eten geweest.'

'Dat weet je nog wel?'

'Ja,' zei Omar. 'We gingen naar een restaurant. Een Italiaans restaurant. Adam, Arden en ik. Caroline wilde niet mee. Zij doet moeilijk.'

'Ja, dat heb ik gehoord,' zei Deirdre. 'Maar ik hoor dat Arden van gedachten is veranderd. En de broer ook. Gefeliciteerd!'

'Ja,' zei Omar. 'Al denk ik dat de broer, Adam, er van het begin af aan al voor was. Maar Arden is van gedachten veranderd. Caroline zal dat niet doen, denk ik. Hoewel Adam zegt...'

'Wat zegt Adam?'

'Hij zegt – hij vertelde me dat hij haar wel op andere gedachten kon brengen. Hij zou zorgen dat ze van gedachten veranderde. Als ik...'

'Wat?'

'Niets,' zei Omar. 'Ik ben het vergeten.'

'Wat?' zei Deirdre. 'Omar, ik ben dat hele eind gekomen. Wat is er aan de hand? Ik kan je niet helpen tenzij ik weet wat er aan de hand is.'

'Er is niets aan de hand,' zei Omar. 'Maar er is nog een boek.'

'Wat bedoel je?'

'Jules heeft nog een boek geschreven.'

'Is het gepubliceerd?'

'Nee.'

'Heb jij het gelezen?'

'Nee. Maar blijkbaar is het gebaseerd op hun ménage à trois.'

'Geweldig! Als je opschiet, kun je de biografie tegelijk met dat boek laten verschijnen. Dat zou fantastisch zijn.'

'Ze willen het boek niet publiceren.'

'Waarom niet?'

'Dat weet ik niet precies. Het moet geheim blijven, denk ik. Adam liet het zich ontvallen en toen zei Arden dat ik het uit mijn hoofd moest zetten. Dus begin er niet over.'

'Oké,' zei Deirdre, 'maar het is wel heel opwindend nieuws.'

'Ja,' zei Omar.

Ze hoorden dat het scherm om het andere bed werd verschoven en hielden op met praten. Een arts en een verpleegster kwamen tevoorschijn. De verpleegster verliet de kamer, maar de arts waste zijn handen bij een fonteintje in de hoek en kwam toen naast Omars bed staan.

'Ik ben dokter Peni,' verklaarde hij, terwijl hij zijn hand uitstak. 'En u bent een vriendin van onze arme gestoken Omar?'

'Ja,' zei Deirdre. Ze schudde zijn hand, die nog vochtig was.

'Komt u uit de Verenigde Staten?'

'Ja,' zei Deirdre.

'U bent een goede vriendin, om zo'n lange reis te maken.'

'Ik ben erg bezorgd om Omar.'

'Natuurlijk. We zijn allemaal bezorgd. Maar ik denk dat al het nieuws goed nieuws is. Hij is al twee dagen bij bewustzijn. Ik denk dat het nu voorgoed is. Je gaat ons toch niet weer verlaten, hè, Omar?'

Omar beloofde dat niet te zullen doen.

'Ziet u wel,' zei hij, zich tot Deirdre wendend. 'U moet zich geen zorgen maken. Daar bent u te mooi voor. Alle vrouwen die Omar bezoeken zijn mooi. Geen wonder dat hij zo snel herstelt. Dat is niet mijn verdienste: de schoonheid van vrouwen heeft hem genezen.'

Deirdre was niet gediend van de richting die de dokter insloeg. 'Is zijn verlamming helemaal over?' vroeg ze.

'Ja, Omars gevoel is teruggekeerd, in ieder deel van zijn lichaam. Binnenkort is hij weer zo fit als een hoentje. Dan kan hij weer het haantje uithangen. U moet zich geen zorgen om Omar maken,' zei hij. 'Ik zal u geruststellen.'

'Ik wil niet dat u me geruststelt,' zei Deirdre. 'Ik wil dat u me de waarheid vertelt.'

'O, maar de waarheid is geruststellend. De waarheid is altijd geruststellend,' zei hij.

Hoewel Deirdre het niet eens was met deze stelling, wist ze dat het zinloos zou zijn hem tegen te spreken. 'Hoe is het met zijn gezondheid?' vroeg ze. 'Hij schijnt een beetje last te hebben van geheugenverlies.'

'Zijn gezondheid is naar omstandigheden uitstekend. Al zijn organen werken normaal. Het geheugenverlies is een tijdelijk en normaal gevolg van hersenletsel. Alles zal vrij snel weer op zijn plaats vallen, vermoed ik. Maar we moeten geduld hebben. Omar boft dat hij zo populair is en zulke goede vrienden heeft. Het speelt een grote rol bij zijn herstel, dat verzeker ik u. Ik speel mijn rol, die natuurlijk nuttig is, maar we moeten het menselijke aspect niet onderschatten. Bent u gelovig, mevrouw –'

'MacArthur,' zei Deirdre. 'Deirdre MacArthur. Nee, ik ben niet gelovig.'

'Als u gelovig was, zou ik u aansporen om voor uw vriend te bidden. U doet uw werk en ik doe het mijne. Maar in dit geval moeten we de gebeden maar aan anderen overlaten.' Hij aaide Omar over zijn hoofd, gaf Deirdre weer een hand en verliet de kamer.

Toen ze terugreden zei Deirdre tegen Arden: 'Woont meneer Gund bij jullie in de buurt?'

'Bedoel je Adam?' vroeg Arden.

'Ja,' zei Deirdre. 'Ik denk het wel. De broer van Jules Gund. De andere executeur.'

'Ja,' zei Arden. 'Die woont vlakbij.'

'Denk je dat ik hem zou kunnen spreken?' vroeg Deirdre.

'Natuurlijk,' zei Arden. Ze keek even naar Deirdre. 'Waarover?'

'O,' zei Deirdre. 'Ik wil hem gewoon graag leren kennen. En er is iets – iets persoonlijks – dat ik met hem wil bespreken.'

'Natuurlijk,' zei Arden. 'Ik kan je er op de terugweg afzetten.'

'Ik wil je geen last bezorgen,' zei Deirdre.

'Dat doe je niet,' zei Arden. 'Het ligt op de route.'

Arden parkeerde voor het molenhuis. 'Misschien moet ik even met je meegaan, om te kijken of hij er is,' zei ze. 'En om je voor te stellen.'

'Graag,' zei Arden.

De twee vrouwen stapten uit en liepen naar het huis. Arden klopte op de houten deur. Na een kort ogenblik deed ze de deur open en riep Adams naam.

Hij kwam de trap al af. 'Kom binnen, kom binnen,' zei hij. 'Wie is dat?' vroeg hij toen hij Deirdre door de open deur zag.

'Dat is Deirdre MacArthur,' zei Arden. 'Omars vriendin uit Kansas. We zijn net bij Omar geweest. En Deirdre wilde jou graag spreken.'

'O ja?' zei Adam.

'Ja,' zei Deirdre, 'maar ik kan ook een andere keer terugkomen als dat u beter schikt.'

'Nee, ik heb de rest van mijn leven helaas alle tijd,' zei Adam. 'Nu is uitstekend. Ik had eigenlijk vanmiddag naar het grote huis willen lopen om een babbeltje met je te maken.'

'Dan laat ik jullie verder alleen,' zei Arden. 'Vind je het erg om terug te lopen, Deirdre? Het is niet zo ver.'

'Natuurlijk niet,' zei Deirdre. 'Dank je.'

Arden ging naar buiten en sloot de deur.

'Laten we gaan zitten,' zei Adam. 'Wat een genoegen, al dat bezoek. Eerst Omar en nu jij. Wij zijn zoveel gezelschap niet gewend.'

Deirdre volgde hem naar de woonkamer. 'Wil je iets drinken? Iets kouds? Iets warms? Iets lauws?'

'Iets kouds zou lekker zijn,' zei Deirdre. 'Gewoon een glas mineraalwater, als u dat heeft.'

'Ja, ja,' zei Adam. 'Ga zitten.' Hij wees naar de bank en verdween de keuken in, om even later terug te komen met twee glazen water. Hij gaf er een aan Deirdre, die niet was gaan zitten. 'Dus jij bent Omars paramour?' vroeg hij. 'Het is bijna een palindroom: Omars paramour. Of is het alleen een anagram?'

'Geen van beide, denk ik,' zei Deirdre. 'En het is ook niet het woord dat ik zou gebruiken om onze relatie te beschrijven.'

'Ik denk dat woorden heel slecht in staat zijn relaties te beschrijven,' zei Adam. 'Althans mijn relaties. Die zijn veel te gecompliceerd voor louter woorden.'

Deirdre zei niets.

'Ga toch zitten, beste meid,' zei Adam. 'Je kijkt alsof je elk moment de benen kunt nemen. Ik word er zenuwachtig van.'

Deirdre ging zitten, maar stijf rechtop, als een soort compromis. Adam ging tegenover haar zitten. 'Het was niet mijn bedoeling je te beledigen. Ik zie dat je beledigd bent. Je bent waarschijnlijk Omars partner of significante ander of zoiets moderns. Maar ik vind dat zo saai klinken! Het is veel fijner om een paramour te zijn. Je moet het eens overwegen.'

'Dat zal ik doen,' zei Deirdre.

'Misschien ben je niet het type voor een paramour,' zei Adam.

'U wel?' vroeg Deirdre.

'Ja, vroeger wel: in mijn jeugd. En ik ben heel lang jong geweest. Misschien kwam dat door het paramour zijn. Het vertraagt het verouderingsproces, maar roept het helaas geen halt toe: op een ochtend werd ik wakker en was ik een oude man. Bij jou gaat het ouder worden geleidelijker, wat volgens mij een zegen is: er is niets ergers dan op een och-

tend wakker worden en ontdekken dat je een oud lijk bent.'

'Is het beter om geleidelijk een oud lijk te worden?'

'Ja,' zei Adam. 'Dan merk je het niet. Tenzij je de stommiteit begaat om een oude foto te bekijken. Daarom heb ik alle oude foto's van mezelf vernietigd.'

'Ik zou denken dat sommige mensen graag aan hun schoonheid herinnerd willen worden,' zei Deirdre.

'Het is beter om je die in gedachten te herinneren,' zei Adam. 'Herinnerde schoonheid is overtuigender dan vastgelegde schoonheid.'

'Hebt u echt al uw oude foto's verbrand?' vroeg Deirdre.

'Nee,' zei Adam, 'maar dat ga ik doen zodra jij weg bent. Ik leg een vuur aan op het erf en offer mijn verleden op de brandstapel. Ik vind dat je de wereld heel netjes moet achterlaten. Het is ongemanierd om sporen achter te laten – dat is net zoiets als rommel laten slingeren, vind ik. Ik zal niets achterlaten.'

'Heeft Jules Gund veel achtergelaten?'

'Je gaat me toch niet vertellen dat jij ook een biografie over Jules Gund schrijft?'

'Nee,' zei Deirdre, 'ik vroeg het me gewoon af. Zijn er veel brieven en foto's en manuscripten en zo?'

'Misschien moet jij de biografie schrijven. Jij toont meer belangstelling dan onze arme Omar. Hoe maakt hij het? Ben je bij hem op bezoek geweest?'

'Ja,' zei Deirdre.

'En hoe maakt hij het?'

'Naar omstandigheden vrij goed.'

'Geldt dat niet voor ons allemaal?'

'Geldt wat niet voor ons allemaal?' vroeg Deirdre.

'Dat we het naar omstandigheden vrij goed maken,' zei Adam.

Deirdre gaf geen antwoord.

'Je lijkt me een verstandige vrouw,' zei Adam. 'Beschouw je jezelf als een verstandige vrouw?'

'Ja,' zei Deirdre. 'Ik denk het wel.'

'Het is voor mij een nieuwe ervaring: praten met een

verstandige vrouw. Ik ben vooral bedreven in de omgang met hysterica's.'

'Wij vinden dat niet zo'n prettig woord,' zei Deirdre.

'O,' zei Adam. 'Nee? Wie zijn wij?'

'Vrouwen,' zei Deirdre. 'Het heeft met onze baarmoeders te maken. Het is een term die naar mannelijke onderdrukking riekt.'

'Baarmoeders! Ik ben omringd door vrouwen die geobsedeerd zijn door baarmoeders.'

'Ik had het alleen over de Latijnse herkomst van het woord,' zei Deirdre. 'Ik ben niet geobsedeerd door mijn baarmoeder. Of die van anderen.'

'Daar ben ik erg blij om. Ik bedoelde te zeggen dat ik niet bedreven ben in de kunst van het ronduit spreken, want alles wat we hier in Ochos Rios tegen elkaar zeggen gaat op zijn best via omwegen. En tegen jou wil ik ronduit spreken, zonder blad voor de mond te nemen.'

'Graag,' zei Deirdre.

'Ik zal het proberen. De dag voordat onze arme Omar met die giftige bij in aanvaring kwam, had ik een gesprek met hem. In feite meerdere gesprekken, maar het is me om één bepaalde conversatie te doen.'

'Over de biografie?' vroeg Deirdre.

'Ja,' zei Adam, 'onder andere. Het komt erop neer dat we een kleine deal hebben gesloten. En ik maak me zorgen dat hij in zijn huidige zwakke toestand zijn verplichtingen misschien vergeet.'

'Het is juist in verband met die kleine deal dat ik naar u toe gekomen ben,' zei Deirdre.

'Aha! Dus hij is het niet vergeten. Heeft hij het jou verteld?'

'Ja,' zei Deirdre. 'Hij bracht het ter sprake.'

'Mooi. Dan is hij het niet vergeten.'

'Misschien toch wel. Ik bedoel, hij herinnert zich dat er een deal is gesloten, maar hij herinnert zich de details niet.'

'Het is eigenlijk heel simpel: mijn moeder had schilderijen bij zich toen ze uit Duitsland hiernaartoe kwam –

hiernaartoe vluchtte. Ik wil die schilderijen nu graag verkopen. Omar heeft beloofd ze voor mij naar New York te brengen, naar een handelaar die voor de verkoop zal zorgen.'

'Smokkelen, bedoelt u?'

'Nee.'

'En Omar heeft beloofd dat te doen?'

'Ja, inderdaad.'

'U zei dat het een deal was. Wat stelt u ertegenover?'

'Ik sta garant voor autorisatie. Ik heb Arden overgehaald om van gedachten te veranderen.'

'Met andere woorden, u heeft hem gechanteerd.'

'Smokkelen… chanteren. Je hebt een romantische kijk op de dingen. Waarschijnlijk heb je te veel negentiende-eeuwse romans gelezen.'

'Nee, ik ben een modernist. En Arden vertelde me dat ze zelf van gedachten is veranderd.'

'Natuurlijk denkt Arden dat ze zelf van gedachten is veranderd. Dat is de enige manier waarop je mensen van gedachten kunt laten veranderen: door ze het idee te geven dat ze het zelf hebben gedaan. Caroline zal ook dat idee hebben.'

'Misschien moet u die belachelijke deal die u Omar hebt opgedrongen maar vergeten. Misschien kunt u zich in plaats daarvan beter bekommeren om Omars herstel.'

'Natuurlijk bekommer ik me daar om! Ik ben niet harteloos. Maar naar ik heb vernomen is hij buiten gevaar en gaat hij geweldig goed vooruit. Hij zal in een ommezien weer honing verzamelen, daar ben ik van overtuigd.'

Deirdre stond op. 'Ik ben blij het te horen,' zei ze. 'Als u me wilt excuseren, ga ik nu weer terug naar Ochos Rios. Ik ben moe.'

'Wacht,' zei Adam. 'Alsjeblieft.'

Deirdre was al naar de deur gelopen, maar draaide zich om. 'Wat?' vroeg ze. 'Weet u, ik vind het echt schandalig van u om Omar zo te manipuleren! Het is vast en zeker illegaal wat u hem gevraagd hebt te doen. Maar ik laat dat

niet gebeuren. En trouwens, hij is niet de juiste persoon om zoiets te doen. U kunt beter iemand anders zoeken.'

'Dat ben ik met je eens,' zei Adam.

'O,' zei Deirdre.

'Dat is nu precies waarover ik met je wil praten.'

'Waarover?'

'Over het feit dat Omar niet geschikt is voor deze taak. Dat ik iemand anders moet zoeken.'

Deirdre zei nogmaals: 'O,' en talmde bij de deur.

'Wil je niet gaan zitten? Even maar. Je ziet er helemaal niet moe uit.'

'Ik ben wel moe,' zei Deirdre, een beetje kribbig. Maar ze ging toch zitten.

'Ik heb Omar gevraagd de schilderijen ter verkoop naar New York te brengen – iets waartoe ik moreel gerechtigd ben, dat verzeker ik je – omdat hij als enige beschikbaar was om ze naar New York te brengen. Maar ik ben het met je eens, hij is niet bepaald de ideale man voor deze taak.'

'Hoe bedoelt u: moreel gerechtigd? Is het legaal of niet?'

'Je bent geobsedeerd door semantiek. Dat is de vloek van de academische geest. Probeer daar even boven te staan.'

'Ja, zeg dat maar tegen de douane! Zeg maar dat zij erboven moeten staan!'

'Wind je niet op. Mogen we de juridische kant van de zaak even laten rusten? Of kun je geen enkel ander perspectief zien?'

'Ik weet niet waarom u me dit allemaal vertelt. Als u denkt dat Omar die schilderijen gaat brengen, hebt u het mis. En ik doe het ook niet. Dus het is zinloos om hier nog verder over te praten.'

'Je lijkt zo zeker van jezelf. Wil je zelfs niet naar me luisteren? Je hebt toch niets beters te doen?'

'Ik ben moe,' zei Deirdre. 'En ik ben bezorgd om Omar. U heeft geen idee hoe bezorgd ik ben. Hij is er niet best aan toe. Ik kan me niet bezighouden met een schilderijensmokkel op een moment als dit.'

'Ik heb die uitdrukking nooit begrepen: een moment als

dit. Je bedoelt waarschijnlijk op dit moment, niet een ander moment dat vergelijkbaar is met dit moment?'

'Wie is hier nu geobsedeerd door semantiek?' Deirdre stond op.

'Je bent een minder boeiende persoonlijkheid dan ik dacht,' zei Adam. 'Al mag ik je graag. Je bent stimulerend. Het is jammer dat je geen gevoel voor avontuur hebt. Je begraaft jezelf: je leest te veel boeken – of misschien lees je zelfs geen boeken meer. Je leest waarschijnlijk alleen literaire kritieken: je leeft uit de tweede hand. Je komt helemaal naar Uruguay, maar bemoeit je niet met wat je hier aantreft. Daar zul je je hele leven spijt van hebben. Of nee: het zal even duren voor je spijt krijgt – op een dag, als je net zo oud en aftands bent als ik, zul je denken: Waarom heb ik die schilderijen toen niet gesmokkeld?'

'Dus het is toch smokkelen. Ik had gelijk.'

'Ik beschouw het liever als een discrete verplaatsing.'

'Waarom moet het discreet gebeuren?'

'Om de herkomst te kunnen aantonen moet het lijken of de schilderijen in Duitsland zijn gebleven. Die man in New York heeft iemand die ze naar Duitsland zal brengen – of smokkelen, zoals jij het graag noemt – en dan worden ze daar verkocht. De juwelen zijn een ander verhaal. Die kunnen moeiteloos in New York worden verkocht.'

Deirdre stond op. 'Nou, het spijt me,' zei ze, 'maar Omar noch ik kan u helpen met deze transacties. U moet uw kleine deal met Omar maar als ontbonden beschouwen. We kunnen ook zonder uw hulp wel toestemming van Caroline krijgen.'

'Weet je dat zeker?'

'Nou ja,' zei Deirdre. 'We kunnen het in elk geval proberen. Op een eerlijke manier, zonder deals te sluiten en te chanteren en te manipuleren.'

'Je wilt de koninklijke weg bewandelen, zogezegd,' zei Adam. 'Toch vind ik het vreemd – vreemd en zelfs een beetje dom, als ik zo vrij mag zijn – dat je me op deze ma-

nier tegen je inneemt. Wat let mij per slot van rekening om van gedachten te veranderen?'

'O,' zei Deirdre. 'Ik had begrepen dat u een voorstander was van de biografie. Ik dacht niet dat uw steun ter discussie stond of moest worden gekocht. Ik dacht niet dat dat een probleem was.'

'Alles kan een probleem worden, beste meid.' Adam stond op. 'Hoewel ik je ondernemingslust bewonder, lijkt het me beter als Omar en ik deze zaak afhandelen. Ik had een afspraak met Omar; het is aan hem om die te ontbinden. Enfin. Ik heb erg genoten van ons babbeltje, maar ik houd rond deze tijd meestal een siësta. Wil je me excuseren?' Hij verliet de kamer en Deirdre hoorde hem de trap op gaan.

Ze wachtte nog even, maar het was stil. Ze liep naar de hal, maar hij was verdwenen. Ze voelde zich een beetje voor gek staan, dus ze deed de voordeur open en ging naar buiten. Ze wist niet precies hoe ze terug moest lopen naar Ochos Rios. Ze besloot om via het pad naar de weg te gaan en dan óf de ene óf de andere richting in te slaan. Een van de twee moest goed zijn.

HOOFDSTUK ZESTIEN

Wat waren die mensen vervelend, dacht Deirdre terwijl ze naar Ochos Rios liep. Arme Omar, die er met hen uit moest zien te komen. Het was maar goed dat zij er nu was om orde op zaken te stellen. Misschien was die bijensteek wel een geluk bij een ongeluk geweest.

De schoolbus zette Portia net af bij het hek toen ze aan kwam lopen. Portia wachtte op haar, met haar schooltas in de hand.

'Hallo,' riep Deirdre.

'Hallo,' zei Portia. 'Waar ben je geweest?'

'Bij je oom op bezoek,' zei Deirdre. Ze liepen de oprijlaan in. Ze probeerde iets aardigs te bedenken om tegen Portia te zeggen. Ze wilde net zeggen dat ze zo'n mooie jurk aanhad toen ze zag dat Portia een uniform droeg. Ze kon niets anders bedenken, dus vroeg ze: 'Hoe ging het vandaag op school?'

'Goed,' zei Portia.

'Omar en ik geven allebei les,' zei Deirdre.

'Zijn jullie nonnen?' vroeg Portia.

'Nee,' zei Deirdre. 'We geven geen les op een katholieke school. We geven les op een universiteit. Een openbare universiteit.'

'O,' zei Portia. Blijkbaar was ze niet in het onderwerp geïnteresseerd.

'Wat wil je later worden als je groot bent?' vroeg Deirdre.

'Ik wil verpleegster worden,' zei Portia.

'Waarom geen dokter?'

'Ik word liever verpleegster.'

'Waarom?'

'Omdat het dan niet jouw schuld is als mensen doodgaan. Als je dokter bent wel. Maar als ze toch beter worden, helpt de verpleegster ze.'

'O,' zei Deirdre. Daarna zei ze: 'Ik zag vandaag nog een verpleegster. In de kliniek waar Omar ligt.'

Portia keek haar aan. 'Natuurlijk,' zei ze. 'Daar werken verpleegsters.'

'Ja,' zei Deirdre. De rest van de weg werd er niet meer gepraat; het fijne van kinderen was dat je ze kon negeren als je wilde: ze vatten het niet persoonlijk op.

Arden stond te wachten in de hal. Ze knuffelde Portia en zei tegen Deirdre: 'Dokter Peni heeft gebeld. Hij zei dat Omar misschien morgen wordt ontslagen. Als hij een rustige nacht heeft.'

'O, fijn,' zei Deirdre.

'Maar hij mag zeker een week niet reizen. Hij heeft veel rust nodig en moet het grootste deel van de dag in bed blijven.'

'Dan kan ik maar beter hier blijven en samen met hem teruggaan. Is dat goed?'

'Natuurlijk,' zei Arden. 'Hoe ging het gesprek met Adam?'

'Prima,' zei Deirdre.

'Hij heeft je vast geen lunch aangeboden. Je zult wel honger hebben.'

'Mag ik mijn tussendoortje?' vroeg Portia.

'Ja,' zei Arden. 'Kan ik iets voor jou halen?' vroeg ze aan Deirdre.

'Nee, dank je,' zei Deirdre. 'Ik ben moe. Ik denk dat ik even een dutje ga doen.'

'Natuurlijk,' zei Arden. 'We eten om een uur of zeven. Eet je vlees?'

Deirdre zei dat ze vlees at en vroeg of Caroline bij de maaltijd aanwezig zou zijn. Dat wist Arden niet.

Caroline at niet met hen mee. 'Ik wil graag met haar praten,' zei Deirdre aan het eind van de maaltijd. 'Zou dat kunnen, denk je?'

Arden zweeg. Ze wist dat Caroline sociale interactie waartoe ze niet zelf het initiatief had genomen als een in-

breuk op haar privacy beschouwde, maar ze zag geen reden om Deirdre tegen Caroline te beschermen. Ze deed erg haar best om Deirdre aardig te vinden, omdat ze het kleinzielig en flauw vond om Deirdre niet aardig te vinden, maar het kostte haar moeite. Deirdre was heel vriendelijk, attent, beleefd, vol waardering, zelfs behulpzaam – ze had geholpen met koken en aangeboden om te helpen met de afwas – maar ze was ook een tikkeltje agressief en weinig fijngevoelig, en dat stond Arden tegen. Zoals die vraag of ze Caroline kon spreken. En of ze Adam kon spreken. Tenslotte was ze hier te gast, en Arden vond het raar dat ze steeds het initiatief nam. Ze was erg terughoudend geweest over haar gesprek met Adam: Arden had er tijdens het eten nogmaals naar gevraagd en het antwoord was even kort en vaag geweest als eerst. Arden nam aan dat dit betekende dat het slecht was verlopen, zoals zoveel gesprekken met Adam verliepen, en ze vermoedde dat Deirdre het er bij Caroline niet veel beter af zou brengen, misschien zelfs nog slechter. Enerzijds wilde ze Deirdre beschermen en haar afraden om Caroline lastig te vallen (want zo zou Caroline het opvatten), maar anderzijds dacht ze: Wil ik Deirdre beschermen of Omar? En ze dacht: Dit is absurd, ik moet me er helemaal niet mee bemoeien.

Ze vertelde Deirdre dat Caroline waarschijnlijk te vinden was in haar studio in de toren, aan het eind van de trap. Zelfs voor Deirdre had het beklimmen van de toren iets intimiderends. Ze bleef voor de gesloten deur staan en probeerde te luisteren of Caroline er inderdaad was. Maar voor ze een geluid kon opvangen ging de deur open.

'Hallo,' zei Caroline. 'Ik dacht dat ik iemand de trap op hoorde komen.' Ze droeg een wit mannenoverhemd dat over een beige pantalon hing. Ze had haar haar in een wrong gedraaid en vastgezet met een penseel.

'Ja,' zei Deirdre. 'Ik hoop dat ik u niet stoor.'

Caroline bevestigde dit door het niet tegen te spreken. Ze hield zwijgend de deur open en lachte een beetje eigenaardig naar Deirdre.

'Ik wilde met u praten,' vervolgde Deirdre. 'Maar ik kan later terugkomen, of ergens anders met u afspreken...'

'Nee, nee,' zei Caroline opgewekt, want ze had gezien hoe effectief haar korte stilte was. 'Kom binnen. Nu is prima. Kom binnen en ga zitten.'

Deirdre betrad de studio. Ze keek rond of ze een schilderij zag voor een complimentje, maar alle doeken waren naar de muur gekeerd. Slechts één schilderij was zichtbaar, een vrij nietszeggend stilleven dat op een ezel stond, het soort schilderij dat Deirdre haatte, waarop een stel moeilijk te schilderen dingen die niet bij elkaar hoorden (in dit geval druiven, dode konijnen en een kristallen karaf met wijn) samen op een tafel waren gekwakt zodat de schilder kon laten zien hoe goed hij was. 'Erg mooi,' zei Deirdre, knikkend naar het schilderij.

'Het is een Meléndez,' zei Caroline.

Deirdre wist niet of dit op de kunstenaar of de techniek sloeg – ze had voornamelijk zitten slapen bij kunstgeschiedenis – dus ze zei niets.

'Zitten,' zei Caroline, alsof Deirdre een hond was.

Er stond een lage, moderne – nou ja, jaren vijftig – bank die bijna helemaal vol lag met kunstboeken, en daartegenover stond een gemakkelijke stoel. Deirdre schoof een stapel boeken opzij en ging op de bank zitten. Caroline nam tegenover haar plaats.

'Het is prachtig,' besloot Deirdre. 'Die druiven zien er heerlijk uit!' Ze besefte dat dit absurd klonk, maar ze werd nerveus van de bedachtzame, zwijgende blik waarmee Caroline haar opnam. 'Schildert u alleen stillevens?' vroeg ze.

'Nee,' zei Caroline, zonder nadere toelichting.

Deirdre keek rond of er nog een schilderij was om commentaar op te geven, maar haar eerste indruk was juist geweest: alle andere doeken waren naar de muur gekeerd. Deirdre had het gevoel dat Caroline, hoewel ze met een flauwe glimlach tegenover haar zat, op de een of andere manier ook naar de muur was gekeerd: ze was aanwezig op

een afwezige, bijna vijandige manier. 'Wat een prachtige ruimte,' zei Deirdre. 'Het moet heerlijk zijn om hier te schilderen.'

Caroline bevestigde dit door haar zuinige glimlach iets te verbreden. Na een moment vroeg ze: 'Wil je iets drinken? Ik heb whisky.'

'Ja, graag,' zei Deirdre.

Caroline stond op en ging naar een tafel, waar ze twee glazen whisky inschonk, puur. 'Water?' vroeg ze. 'Ik heb helaas geen ijs of soda.'

'Een beetje water graag,' zei Deirdre. Ze keek toe terwijl Caroline water uit een plastic fles in een van de glazen schonk en terug kwam lopen. Ze gaf Deirdre haar glas en ging weer zitten.

'Hoe maakt Omar het? Ik neem aan dat je hem gesproken hebt.'

'Ja,' zei Deirdre. 'Hij maakt het goed, naar omstandigheden. Ik geloof dat hij morgen naar huis mag – nou ja, hiernaartoe, bedoel ik.'

'Ach, fijn,' zei Caroline. 'En dan vertrekken jullie?'

'Pas over een week,' zei Deirdre. 'De dokter zegt dat hij nog minstens een week niet mag reizen.'

'Ach,' zei Caroline weer.

Deirdre nam een slokje. 'Mmmmm,' zei ze. 'Dank u. De whisky is heerlijk.' Toen herinnerde ze zich dat ze de druiven en de ruimte ook heerlijk had genoemd. Heerlijk, heerlijk, dacht ze: Niet alles kan heerlijk zijn, anders denkt ze dat ik achterlijk ben. Ze nam nog een slokje. 'Rokerig,' zei ze. 'Is het moutwhisky?'

'Ja,' zei Caroline. 'Laphroaig.'

Deirdre voelde hoe de warmte van de whisky zich door haar lichaam verspreidde. Haar vader had gezegd dat je van alcohol jenevermoed kreeg. Moed houden, dacht ze: Flink zijn. Ze nam nog een slokje en zei toen: 'U zult zich wel afvragen waarom ik u wil spreken.'

'Nee, eigenlijk niet,' zei Caroline monter.

'O,' zei Deirdre. Dit was een tamelijk ontmoedigende

reactie. Maar vooruit, moed houden. 'Nou,' zei ze, 'mag ik het u vertellen?'

'Natuurlijk mag dat.' Caroline lachte.

Ze is echt afschuwelijk, dacht Deirdre, ze geniet hiervan. Die mensen zijn vreselijk. Ze zijn zo gefrustreerd en verknipt. Ze hebben een hoop therapie nodig.

'Goed,' zei ze, 'ik begrijp dat u de enige executeur bent die toestemming weigert. Ik weet niet wat Omar u heeft verteld, maar ik kan u verzekeren dat hij van plan is heel nauw met u drieën samen te werken aan de biografie, en uw wensen te respecteren. U hoeft nergens bang voor te zijn.'

'Ik weiger geen toestemming omdat ik bang ben,' zei Caroline.

'Natuurlijk niet,' zei Deirdre. 'Ik bedoelde niet letterlijk bang.'

'Wat bedoelde je dan?' vroeg Caroline.

'Ik bedoelde – ik bedoelde… nou ja, waarom weigert u toestemming? Als u me dat vertelde, zou ik uw bezwaren misschien kunnen wegnemen.'

'Ik heb dit al met Omar besproken. Diverse malen. Vergeef me als ik geen noodzaak zie dit met jou te bespreken.'

'Het spijt me,' zei Deirdre. 'Ik wil niet onbeleefd zijn. Echt niet. Maar als u wist wat dit voor Omar betekent, hoeveel ervan afhangt dat hij toestemming krijgt en dit boek kan schrijven, dan denk ik…'

'Wat denk je?'

'Ik denk dat u zou terugkomen op uw besluit. Tenminste, ik hoop dat u zou willen overwegen om erop terug te komen.'

'Maar mijn besluit heeft niets met Omar te maken. Ik twijfel er geen moment aan dat dit veel voor hem betekent. Alleen al zijn komst hier – dat illustreert wel hoe hoog de nood is. Maar zijn nood is niet mijn verantwoordelijkheid. Ik heb in deze kwestie andere loyaliteiten.'

'Tegenover Jules Gund, bedoelt u?'

'Ik vind niet dat het jou iets aangaat wat ik bedoel. Maar

inderdaad: tegenover Jules Gund. En tegenover mezelf, wat dat betreft.'

Deirdre dacht even na. Het ging helemaal mis. Die mensen waren onmogelijk. Ze had het allemaal willen regelen voor Omar. Het was een geschenk dat ze hem wilde geven, de autorisatie. Ze had zich voorgesteld hoe ze hem het formulier zou overhandigen, compleet met de drie handtekeningen, als hij terugkwam uit het ziekenhuis. Misschien zouden ze een klein feestje organiseren, om hem welkom te heten en te proosten op de biografie. En hij zou zo blij en dankbaar zijn. Als die mensen maar naar rede wilden luisteren!

Ze keek Caroline aan en zei: 'Het spijt me. Ik denk dat ik uw tijd verknoei.'

'Tijd is hier niet zo kostbaar,' zei Caroline.

'Nee,' zei Deirdre. 'Maar toch. Ik heb het gevoel dat uw besluit vaststaat. Het heeft in feite geen zin dat ik of Omar met u praat.'

'We hebben ons besluit al maanden geleden genomen. Voordat Omar hier was. Toen hebben we ons besluit genomen.'

'Maar Arden is van gedachten veranderd,' zei Deirdre.

'Ja,' zei Caroline, 'zij wel. Maar ik zal dat niet doen.'

'Dan verknoei ik uw tijd,' zei Deirdre.

'Als dat de enige reden is waarom je met me praat, ja, dan wel, denk ik,' zei Caroline. Ze leek een beetje gekwetst.

Deirdre stond op. 'Dan laat ik u alleen. Het spijt me dat ik u lastig heb gevallen.'

'Je hebt me niet lastiggevallen,' zei Caroline.

Was het maar zo, dacht Deirdre: Kon ik dat maar. 'Bedankt voor de whisky,' zei ze.

'Geen dank,' zei Caroline. Ze stond op en opende de deur. 'Nog een prettige avond,' zei ze.

In plaats van het huis weer in te gaan, stak Deirdre de binnenplaats over en liep door de poort in de achtermuur. Ze wilde even met niemand iets te maken hebben, zelfs niet met

Arden. Arden had trouwens ook iets dat een beetje eigenaardig was, iets waarop ze niet de vinger kon leggen. Het leek of ze te veel nadacht over alles wat ze zei en deed, zodat het er allemaal perfect uit kwam.

De zon was nog niet onder, maar de hoge, donkere dennen rondom het huis zorgden voor een vroege schemering. Het eerste wat ik zou doen als ik hier woonde is een stel van die bomen omhakken, dacht Deirdre. Ze liep het grindpad af en stapte door de poort in de heg. Bij het tuinhek bleef ze staan. Een sproeier die op een soort verhoging midden in de tuin stond wierp lange, sidderende waterstralen in het rond. De planten dropen in het afnemende licht. Het rook naar kruiden. Een paar grote zwarte vogels, kraaien misschien, pikten in de vochtige aarde.

Ze bleef daar staan tot het donker was, of bijna donker. De sproeier ging vanzelf uit. Er zit zeker een timer op, dacht ze. Daarna was het heel stil. Ze had zich niet gerealiseerd wat een herrie het ding had gemaakt. Ze keek omhoog naar de sterren die net tevoorschijn kwamen en zich vastprikten in de hemel. Ze rilde, hoewel het niet koud was: alleen een beetje koel, een briesje. Als Omar geen toestemming krijgt, wat zal er dan gebeuren? vroeg ze zich af. Wat zal er met hem gebeuren? Met mij? Met ons?

Ze sloot haar ogen. Weer die geur van kruiden, en dennen, en natte aarde. Ze had zin om te bidden, maar verder dan dat kwam ze niet. Maar voor Deirdre was dat al heel wat.

HOOFDSTUK ZEVENTIEN

Omar werd de volgende morgen bij hen afgeleverd in een stationcar die voor een ambulance moest doorgaan. Hij had een zware, om niet te zeggen exorbitante dosis pijnstillers gekregen voor de reis en arriveerde in een toestand van verdoving waaruit hij pas aan het begin van de avond bijkwam. Deirdre maakte soep voor hem – nou ja, ze warmde soep op die Arden had gemaakt – en bracht die naar boven.

Hij lag in bed en was wakker, al keek hij nog een beetje glazig. Zijn gazen want was verwijderd en daaronder bleek een elastische spalk te zitten, die zijn rechterpols en handpalm bedekte maar de duim en vingers vrijliet.

'O, ben jij het,' zei hij.

Ze was gepikeerd over deze reactie – wie zou het anders zijn? – maar probeerde vrolijk en opgewekt te blijven. 'Ja,' zei ze. 'Ik kom je soep brengen. Heb je honger?'

'Ja,' zei hij, 'een beetje. Wat is het voor soep?'

'Avocado en waterkers,' zei Deirdre. 'Ik denk dat je het koud hoort te eten, maar ik heb het opgewarmd. Ik dacht dat je iets warms wel lekker zou vinden.' Ze zette het blad met de soepkom, brood en een glas water op het nachtkastje. 'Ga maar rechtop zitten,' zei ze. 'Wacht, ik haal nog een kussen uit mijn kamer. Ik ben zo terug.'

Toen ze terugkwam met het kussen zat Omar rechtop in bed soep te eten. 'Het is erg lekker,' zei hij.

'Goed zo,' zei Deirdre. Ze ging naast het bed zitten en keek hoe hij at. Hij leek erge honger te hebben, al kon hij met zijn gespalkte hand niet vlug of netjes eten.

'Wil je dat ik je help?' vroeg ze. 'Moet ik je misschien voeren? Je maakt er een knoeiboel van.'

'Nee,' zei hij, 'het gaat best.'

Ze pakte het servet van het blad, stopte het in zijn kraag en spreidde het uit over zijn borst. Hij had de pyjama met

de paarse motieven weer aan. 'Hoe kom je aan die pyjama?' vroeg ze.

'Geen idee,' zei hij. 'Die was er gewoon ineens.'

'Misschien is het er een van Jules Gund,' zei Deirdre. 'Arden kan hem wel gebracht hebben. Misschien draag je de pyjama van Jules Gund.'

'Ik denk dat ze hem gewoon overhadden in het ziekenhuis,' zei Omar. 'Waarschijnlijk van een vent die dood is gegaan.'

'Ik had een pyjama van huis voor je mee moeten nemen,' zei ze. 'En een ochtendjas. Ik heb er niet aan gedacht.'

'Ik heb geen pyjama's,' zei Omar.

'Weet ik,' zei Deirdre. 'Ik bedoel, ik had er een moeten kopen en die mee moeten nemen.'

'Deze is prima,' zei Omar. 'Ik vind hem mooi.'

'Omar, het is een afzichtelijk ding.'

Hij bekeek de pyjama. 'Nee,' zei hij. 'Ik vind hem mooi. Ik wil hem mee naar huis nemen.'

Ze besloot niet met Omar in discussie te gaan over de afzichtelijke pyjama. 'Goed,' zei ze. 'Hoe voel je je? Je was volgestopt met pijnstillers. Ik weet niet wat ze je allemaal gegeven hebben. Volgens mij is die dokter een beetje een kwakzalver. Zodra we thuis zijn moet je naar een echte dokter gaan en je grondig laten onderzoeken.'

'Ik voel me best,' zei Omar. 'Is er nog meer soep?'

'Nee,' zei Deirdre. 'Eet het brood maar. Hoor eens, Omar. We moeten praten. Ben je fit genoeg? Is je hoofd helder en zo?'

'Natuurlijk,' zei Omar.

Deirdre schoof haar stoel dichter bij het bed. 'We moeten een strategie bespreken. We moeten dit strategisch aanpakken. Ik heb geprobeerd ze een beetje te pushen sinds ik hier ben, maar dat valt niet mee. Ze zijn allemaal een beetje getikt volgens mij. Vooral Adam en Caroline, maar Arden ook, al is zij tenminste akkoord gegaan. We moeten ons op die andere twee concentreren.'

'Adam is ook akkoord gegaan. Hij was er van het begin af

aan voor. En zoals ik al zei, hij wil me helpen om Caroline –'

'Daar moeten we juist over praten, Omar! Ik heb Adam gisteren gesproken. Hij vertelde over jullie deal. Ik kan niet geloven dat je daarmee zou instemmen. Nee toch, hè?'

Omar zei niets.

'Je hebt toch nee gezegd, hè?'

Omar schudde zijn hoofd. 'Nee. Ik heb gezegd dat ik het zou doen. Zoals hij erover praatte leek het wel oké. En hij zei dat hij Caroline en Arden zou overhalen. Ik weet het niet. Misschien was het dom van me. Maar het leek het enige wat ik kon doen.'

'Omar! Je bent gek. Dat is smokkelen. Je draait de bak in. Herinner je je *Midnight Express* nog?'

'Volgens hem niet. Ik denk echt niet dat hij me iets zou laten doen wat gevaarlijk is, of verboden. Ik weet dat het naïef klinkt, maar ik vertrouw hem.'

'Nou, ik niet. En jij gaat voor hem geen dingen het land uit smokkelen. Dat heb ik tegen hem gezegd. Hij werd een beetje nijdig en dreigde van gedachten te veranderen –'

'Deirdre! Adam mag niet van gedachten veranderen. Als hij van gedachten verandert, krijg ik die autorisatie nooit.'

'Maak je geen zorgen. Ik denk dat hij gewoon zin had om dwars te liggen. Hij houdt volgens mij niet erg van vrouwen. Sterke vrouwen. Hij is zo'n homoseksueel die vrouwen intimiderend vindt, denk ik.'

'Nou, dan moet jij niet met hem praten. Alles ging goed. Hij mocht me.'

'Natuurlijk mocht hij je. Je bent leuk en je zou voor hem gaan smokkelen. Waarom zou hij je dan niet mogen? Maar dat is niet de manier om toestemming te krijgen, Omar.'

'Nou, wat stel jij dan voor?'

'Geen idee. Daarom moeten we praten. Caroline is nog lastiger, want die is volgens mij echt knettergek. Er valt niet met haar te praten. Ik heb het geprobeerd.'

'Ik wou dat jij je erbuiten had gehouden,' zei Omar. 'Het ging zo goed. Alles ging goed.'

'Alles ging niet goed, Omar! Je lag in het ziekenhuis en je zat al bijna achter de tralies. Dat noem ik niet goed!'

'Nou, ik deed het toch maar. Ik deed het op mijn manier. En het werkte.'

'Nee, het werkte niet, Omar. Als het werkte, zou ik hier niet zijn.'

'Ik heb je niet gevraagd om te komen,' zei Omar.

'O,' zei Deirdre. 'Sorry hoor! Het spijt me dat ik acht-tienduizend kilometer of zoiets heb gevlogen omdat ik hoorde dat je in coma lag – in coma! Het spijt me dat ik drie dagen met een stel gekken ben opgetrokken om gedaan te krijgen dat ze een boek autoriseren dat jij moet schrijven. Het spijt me –'

'Hou op,' zei Omar. 'Sorry. Ik bedoelde het niet zo. Ik bedoelde alleen dat je me niet als een klein kind moet behandelen.'

'Gedraag je dan niet als een klein kind! Ga geen schilderijen smokkelen! Val niet uit een boom!'

'Dat ik uit de boom viel was een ongeluk.'

'Je weet hoe ik over ongelukken denk.'

Omar probeerde een half opgegeten broodkorst de kamer in te gooien, maar door zijn gewonde pols kwam die niet verder dan het voeteneind van het bed. 'Ja, en ik ben het spuugzat dat jij me een schuldgevoel wilt aanpraten! Ik ben niet achterlijk. Ik ben geen sukkel. Een ongeluk overkomt mensen, Deirdre. We zijn niet allemaal zo volmaakt als jij.'

Deirdre raapte het brood op. Ze legde het op het blad en veegde haar handen af. 'Ik ben niet volmaakt,' zei ze. 'Ik weet dat ik niet volmaakt ben. Ik denk niet dat ik volmaakt ben. En het spijt me als ik me zo gedraag. Ik probeer je gewoon te helpen, Omar. Omdat ik van je hou.'

'Dat weet ik wel,' zei Omar. 'Het spijt me.'

'Zou je echt willen dat ik niet gekomen was?'

'Nee,' zei Omar.

'Want ik kan ook weggaan. Ik kan weggaan wanneer je maar wilt.'

'Nee,' zei Omar. 'Ik wil dat je blijft.'

Ze pakte de lege soepkom uit zijn handen en zette die weer op het blad. Ze pakte het servet en begon zijn gezicht af te vegen, maar hij duwde haar hand weg.

'Omar!' zei ze. 'Je hebt je pols gebroken. Laat me alsjeblieft de soep van je gezicht vegen.'

'Oké,' zei Omar. Hij onderwierp zich aan deze vernedering en wendde toen zijn hoofd af.

'Waarom ben je zo boos? Voel je je echt wel goed?'

Omar zei niets.

'Omar?'

Hij keek haar weer aan. 'Het spijt me,' zei hij.

'Nee,' zei Deirdre. 'Dat hoeft niet.' Ze raakte zijn gezicht even aan. 'Rust maar goed uit,' zei ze.

Arden en Pete waren in de tuin aan het werk. Pete schoffelde en Arden trok onkruid uit. Het was verbijsterend hoe snel het onkruid groeide, dacht Arden. Het leek haast onmogelijk. Je kon het bijna zien groeien.

Plotseling viel er een schaduw over haar heen. Ze keek op en zag Pete naast haar staan, zijn handen rustend op de schoffel.

'Wat is er?' vroeg ze.

'Zal je ze missen?' vroeg Pete. 'Als ze weg zijn?'

'Wie?' zei ze, al wist ze dat natuurlijk wel, maar ze wilde niet met Pete over hen praten, ze wilde met niemand over hen praten, ze wilde alleen maar dat ze weggingen.

'Omar,' zei Pete. 'Omar en Deirdre.'

Arden leunde achterover op haar hurken. Even was ze verblind, maar toen begreep ze dat Pete van plaats was veranderd en dat de zon vol in haar gezicht scheen. Ze sloot haar ogen. Pete veranderde weer van plaats en de schaduw keerde terug. Ze opende haar ogen.

'Nee,' zei ze. 'Waarom zou ik ze missen?'

'Ik denk dat ik ze zal missen,' zei Pete. 'Omar bedoel ik. Ik zal Omar missen.'

'Het moet hier voor jou wel eenzaam zijn,' zei Arden. Ze

trok nog wat onkruid uit en liet het in de emmer vallen. Ze verkruimelde een kluitje aarde tussen haar vingers.

'Ben je verliefd op hem?' vroeg Pete.

Arden keek op. 'Nee,' zei ze. Ze schudde haar hoofd. 'Nee,' zei ze weer. 'Ik ben niet verliefd op Omar.' Ze stond op. 'Ik heb hoofdpijn,' zei ze. 'Ik denk dat ik even ga liggen.'

Ze trok haar handschoenen uit en gooide ze in de emmer, boven op de berg onkruid. Ze liet de emmer staan, midden in de rij.

In de keuken zag ze de pan in de gootsteen. Het ergerde haar. Waarom had Deirdre de soep opgewarmd? Die hoorde koud te zijn, hij was koud het lekkerst, heel fris, de smaak zou bij verhitting helemaal bederven – maar stel je niet zo belachelijk aan, dacht ze: Het doet er allemaal niet toe. Het doet er niet toe.

Ze liep de trap op en ging op bed liggen. Het was lastig dat Deirdre er was. Het vergde veel van haar. Maar het was wel goed. Als Deirdre er niet was, zou zij Omar moeten verplegen en dat zou niet goed zijn. Nu Deirdre er was kon ze Omar ontlopen. Ze zou hem ontlopen en straks was hij weg, over een kleine week was hij weg. Maar misschien ging hij niet weg. Misschien veranderde Caroline van gedachten en bleef hij om aan het boek te werken. Deirdre zou weggaan, maar hij zou blijven. Een hele tijd misschien, want hij moest aan het boek werken. Maar Caroline veranderde niet van gedachten.

Omar was vast vergeten dat ze gezoend hadden; ze was het zelf bijna vergeten, zo volledig was de zoen verdrongen, uitgewist door de calamiteit die er onmiddellijk op volgde. Toch wist ze dat het gebeurd was, ze hadden gezoend toen ze daar zaten, bij het botenhuis, in de hete zon. Ze hadden gezoend. Misschien was hij het toch niet vergeten. Misschien wist hij het nog wel, maar betekende het niets voor hem. Het is moeilijk te zeggen wat een zoen betekent. Ze dacht niet dat Omar de gewoonte had om lukraak vrouwen te zoenen, maar dat wilde nog niet zeggen dat hun zoen iets bijzonders voor hem had betekend. Iets

bijzonders! Hoe dom kun je zijn. Gewoon zielig. Het kwam door al die jaren waarin ze alleen had gewoond, ver weg van dingen, mensen, mannen. Al die jaren waarin ze niet was gezoend. Ze had één kortstondige relatie gehad sinds Jules' dood. Met de broer van de zusjes Van Deleer, vriendinnen van Caroline. Hij was een maand komen logeren; zij was te eten gevraagd, en op de een of andere manier waren ze samen in bed beland. Al had het destijds helemaal niet zo vreemd geleken: vanaf het moment dat ze hem tegenkwam in de loggia van de Van Deleers, waar ze een aperitief dronken, wist ze, en wist ze dat hij wist, dat ze met elkaar naar bed zouden gaan. Hij heette Henrik. Het was erg leuk geweest, maar aan het eind van de maand was hij natuurlijk vertrokken. Hij had een vrouw in Kaapstad, en een dochter, die merkwaardig genoeg ook Portia heette. Natuurlijk was ze verliefd op hem geworden, dat kon niet anders onder die omstandigheden, maar het was een onstuimige, oppervlakkige verliefdheid die niet veel sporen naliet. Zij had hem die eerste avond gezoend, de avond dat ze hem ontmoette bij het etentje. Na de maaltijd was ze opgestaan om naar het toilet te gaan en hij was haar gevolgd; hij stond in de donkere gang op haar te wachten toen ze weer tevoorschijn kwam, en hij keek naar haar. Om terug te gaan naar de kamer moest ze langs hem heen lopen. De gang was smal. Even dacht ze dat hij ook naar het toilet moest, maar nee, hij wachtte op haar. Ze dacht: Het is stom om te doen alsof ik dit niet wil; dat doe ik niet. Daar pas ik voor. Ik wil dit. Ze liep naar hem toe in de donkere smalle gang, en kuste hem.

De zusjes Van Deleer kwamen er natuurlijk achter en mochten haar daarna niet erg meer. Arden vermoedde dat ze het ook aan Caroline hadden verteld, maar Caroline had er nooit iets over gezegd.

In Henriks geval was de aantrekkingskracht heel duidelijk geweest, heel open en onverhuld, maar in Omars geval niet. Alles was schimmig, klungelig en schimmig, en dan die ene merkwaardige zoen in de brandende zon. Misschien,

dacht ze, houden we op een bepaalde manier wel van elkaar, want die zoen was – wat? Echt? Ja, die zoen was echt geweest, dus misschien houden we wel van elkaar, maar het is geen praktische liefde. Het maakte niet uit. Dat het gebeurd is betekent niets: het betekent niet dat het erkend moet worden, of aangemoedigd, of omgezet in daden. Daden! Ze bedacht hoe het zou zijn om met Omar te vrijen. Hij was erg mooi. Zijn huid, zijn haar en ogen... ze begon zichzelf te betasten in het vreemde schemerlicht van haar slaapkamer. Waarom had Pete gevraagd of ze verliefd was op Omar? Wat wist Pete daarvan? Had Omar met Pete gepraat? Toen ze bezig waren met de netten? Wat had hij gezegd? Had hij Pete verteld dat hij verliefd op haar was? Dat ze gezoend hadden? Ze stond op van het bed. Ze ging naar de badkamer en waste haar gezicht met koud water. Ze bekeek haar gezicht in de spiegel. Soms kon ze zien dat ze mooi was als ze naar zichzelf keek, maar ze wist het nooit zeker. Er was altijd iets wat niet klopte. Het dateerde uit de tijd dat ze in de film speelde: het was vreselijk om haar gezicht reusachtig groot op het witte doek te zien. Ze was toen niet mooi geweest.

Ze ging terug naar de tuin. Pete was nog aan het schoffelen. Ze bleef bij het hek staan en riep hem.

Hij draaide zich om. 'Wat?' zei hij.

Ze wenkte hem. 'Kom eens,' zei ze.

Hij stak de schoffel rechtop in de aarde en liep naar het hek. Zijn gezicht was bezweet. Hij veegde het af met zijn blote arm. Hij bleef staan wachten tot ze iets zei.

Ze keek de andere kant op. Ze keek langs de tuin, naar de boomgaard, naar de ingepakte bomen. Ze zagen er lelijk uit: de netten waren van oranje plastic. Het was zonde dat ze ingepakt moesten worden. Misschien konden ze netten vinden die minder lelijk waren. Die onzichtbaar waren.

'Wat is er?' vroeg Pete.

Nog steeds naar de bomen kijkend zei Arden: 'Heeft Omar iets tegen je gezegd, laatst, toen jullie met de netten bezig waren?'

'Wat bedoel je?' vroeg Pete.

Ze keek hem aan. 'Waarom vroeg je dat zonet?'

'Wat?'

'Zonet,' zei ze, 'wat je vroeg over Omar?'

'Ik was gewoon benieuwd,' zei Pete.

'Heeft hij niets tegen jou gezegd? Over mij? Die dag?'

'Nee,' zei Pete.

'O,' zei ze. En na een stilte: 'Ik was gewoon benieuwd. Ik vond het raar dat je dat vroeg.'

'Sorry,' zei Pete. 'Ik dacht alleen, als ik jou was...'

'Wat dan?'

'Dan was ik misschien wel verliefd op hem.'

'Maar we kennen hem amper, Pete. Hij is hier nog maar zo kort. Hij heeft een vriendin. En hij vertrekt binnenkort –'

'Ja,' zei Pete. 'Dat is allemaal waar.' Hij ging terug naar zijn schoffel, trok hem uit de grond en hervatte zijn werk. Na een tijdje hield hij op en draaide zich om. Arden stond nog bij het hek. Pete lachte naar haar.

Caroline stond midden in de keuken afwezig om zich heen te kijken, alsof ze nooit eerder een keuken had gezien. 'O, daar ben je,' zei ze toen Arden terugkwam uit de tuin. 'Ik wilde je alleen even zeggen dat ik een paar dagen wegga.'

'Waarheen?' vroeg Arden.

'Naar Gianfranco en Donatella. Ik voel me hier niet prettig, met al die patiënten en klaplopers om me heen.'

Gianfranco en Donatella Norelli waren een Italiaans stel dat een wijngaard bezat op ongeveer een uur rijden.

'Oké,' zei Arden. 'Wanneer ga je?'

Caroline keek op de klok. 'Het is nu al vrij laat. Ik denk dat ik tot morgen wacht.'

'Hoe lang blijf je weg?'

'Tot ze vertrekken,' zei Caroline. 'Je moet me bellen als de kust veilig is.'

'Ik pieker er niet over,' zei Arden. Ze keek naar de pan die nog in de gootsteen stond. Ze kon het niet laten om aan haar heerlijke koude soep te denken, die was opgewarmd...

'Wat?' zei Caroline.

'Ik… ga maar als je wilt, ga maar, maar geef me geen bevelen. Schrijf me niet voor wat ik moet doen.'

'Gunst,' zei Caroline, 'zo te horen moet jij er ook even tussenuit. Je mag wel mee als je wilt.'

'Ben je van plan weg te gaan zonder met hem te praten?'

'Met wie?'

'Met Omar!' Arden schreeuwde bijna. Ze zette de pan met een klap neer en liet hem vollopen met water.

'Waarom zou ik met Omar praten? Ik heb al vrij veel met Omar gepraat.'

Arden wilde zeggen: Als je weggaat, kun je niet van gedachten veranderen. Maar daarom ging Caroline natuurlijk, besefte ze; ze is bang dat ze van gedachten verandert als ze hier blijft.

'Je bent bang dat je van gedachten verandert als je hier blijft,' zei ze.

'Nee,' zei Caroline. 'Ik ben bang dat ik gek word als ik hier blijf. Mensen zullen me dag en nacht aanklampen om dat te proberen, ja: om me zover te krijgen dat ik van gedachten verander, maar ik wil niet van gedachten veranderen. Ik wil dat die mensen weggaan, maar omdat ze alleen maar uit bomen vallen en zich vermeerderen, ga ik zelf weg.'

'Mij best,' zei Arden. 'Ga maar.'

De volgende morgen bracht Deirdre Omar ontbijt op bed.

'Waar is iedereen?' vroeg hij.

'Wie?' vroeg Deirdre. 'Wie is iedereen?'

'Caroline en Adam en Pete en Arden en Portia. Ik heb behalve jou niemand gezien sinds ik terug ben.'

'Ze zijn allemaal druk bezig met wat ze hier zoal doen. Schilderijen vervalsen en moordlustige bijen kweken. Weet je dat er verderop in de gang een griezelig, voodooachtig poppentheater staat?'

'Nee,' zei Omar. 'Heb je zomaar deuren opengedaan?'

'Ik zocht de badkamer. En naast mijn kamer is een naaikamer, met zo'n ouderwetse trapnaaimachine.'

'En?'

'Ik meld het alleen maar.' Ze zette het dienblad op het nachtkastje. 'Waarom trek je die pyjama niet uit? Dan zal ik zorgen dat hij gewassen wordt.' Of vernietigd, dacht ze. 'Wil je in bad?'

'Dat zou fijn zijn,' zei Omar.

'Ze hebben een lekker bad,' zei Deirdre. 'Ik zal het aanzetten.'

Omar hoorde de kranen piepen toen ze werden opengedraaid en het water met donderend geraas in de kuip stromen. Maar het duurde verscheidene minuten voor Deirdre terugkwam. Ze deed de deur dicht en leunde ertegenaan. 'O, nee,' zei ze.

'Wat is er?'

'Caroline heeft de benen genomen.'

'Wat bedoel je?'

'Ik had net het bad aangezet toen ik haar met een koffer voorbij zag komen. Ik ben haar naar beneden gevolgd. Ze gaat een poosje bij vrienden logeren.'

'Hoe lang?'

'Daar deed ze vaag over. Haar koffer was vrij groot.'

'Is ze er nog?'

'Nee, ze is weggereden.'

'Waarom heb je haar niet tegengehouden?'

'Hoe dan? Had ik haar soms moeten tackelen?'

'Maar ik wil met haar praten. Ik moet met haar praten. Als ik niet met haar kan praten is het afgelopen.'

'Ik weet het,' zei Deirdre. 'Ik raakte in paniek. Maar wat kon ik doen?'

'Waar is ze heen?'

'Dat zei ik – op bezoek bij vrienden.'

'Dat weet ik, maar waar? Hoe ver is het? Ze gaat het land toch niet uit, hè?'

'Ik heb geen idee.'

'We moeten het uitzoeken. Vraag het aan Arden. Is die in de buurt?'

'Ze zal wel ergens zijn,' zei Deirdre.

'Wil je tegen Arden zeggen dat ik even met haar wil praten?'

'Goed, maar je moet eerst in bad. Shit! Het bad. Ik heb de kranen niet dichtgedraaid.'

HOOFDSTUK ACHTTIEN

Twee dagen later bracht Pete Omar met de auto naar Las Golondrinas, zoals de wijngaard heette waar Caroline bij haar vrienden op bezoek was. Het was niet eenvoudig geweest om een afspraak te maken: eerst weigerde Caroline met hem te praten, maar hij hield vol en ten slotte kwam ze aan de telefoon om te zeggen dat hij haar en haar vrienden niet meer lastig moest vallen. Omar beloofde dat hij ermee op zou houden als ze een kwartier met hem wilde praten. Wonder boven wonder ging ze akkoord.

Natuurlijk had Deirdre mee gewild, maar dat had Omar geweigerd. En wonder boven wonder was ze akkoord gegaan. Dus nu denderde hij in Petes gammele bestelwagen over de vlakte. De graslanden strekten zich in alle richtingen uit, zover als Omar kon kijken. Overal waren ondiepe poelen waar wilgen omheen groeiden, en in de schaduw van die bomen stonden vaak koeien.

'Het is prachtig,' riep Omar, om het lawaai van de auto en de wind die door de open raampjes gierde te overstemmen.

'Ja,' beaamde Pete.

'Het is net Kansas,' zei Omar. 'Helemaal plat.'

Pete minderde vaart en stopte: een kudde koeien werd door twee mannen te paard naar de overkant van de weg gedreven.

'Zijn dat gaucho's?' vroeg Omar.

'Ja,' zei Pete. Hij leunde opzij en viste een pakje sigaretten uit het handschoenenkastje. Hij hield Omar het pakje voor.

'Nee, dank je,' zei Omar.

'Rook je niet?' vroeg Pete.

'Nee,' zei Omar.

Pete stak een sigaret in zijn mond en drukte de aansteker op het dashboard in. 'Ik rook alleen in de auto. Ik rook graag tijdens het rijden.'

'Rijd je veel rond, op zoek naar meubels?' vroeg Omar.

'Ja,' zei Pete.

'Ga je naar de ranches?'

'Soms wel. Maar meestal naar kleine plaatsen, waar mensen oude meubels hebben. Zij vinden ze niet mooi, zij willen nieuwe spullen, dus ze verkopen me hun oude spullen voor heel weinig.'

De aansteker schoot naar buiten en Pete hield hem bij het uiteinde van zijn sigaret. Plotseling was daar de aangename, warme geur van tabak. De koeien hadden de oversteek voltooid. De gaucho's zwaaiden naar hen. Pete zwaaide terug en reed door. 'Zo,' zei hij, 'dus je moet Caroline spreken over je boek?'

'Ja,' zei Omar. 'Arden en Adam hebben toegestemd, maar Caroline niet.'

'Caroline is koppig,' zei Pete.

Omar beaamde dit. 'Wat was Jules voor iemand?' vroeg hij.

'Ik mocht Jules niet erg,' zei Pete.

'Waarom niet?' vroeg Omar.

Pete haalde zijn schouders op. Hij gooide zijn sigaret uit het raampje. 'Ik vond hem niet zo aardig,' zei Pete. 'Hij leek niet erg gelukkig. Hij trok altijd zo'n gezicht –' Pete keek kwaad.

'Wat deed hij?' vroeg Omar.

'Hoe bedoel je?'

'Hoe bracht hij zijn tijd door?'

'Hij reisde veel. Naar Europa en de Verenigde Staten. En als hij hier was, zat hij altijd te schrijven. Altijd in zijn studeerkamer, maar ik denk dat hij vooral dronk. Maar ik heb hem niet lang meegemaakt. Een paar jaar maar. Ik denk dat hij gelukkiger was voor ik hier kwam.'

'Ben je met Adam meegekomen?'

'Ja, uit Duitsland.'

'Bevalt het je hier?'

'Ja,' zei Pete. 'Het doet me een beetje aan Thailand denken. Meer dan Duitsland. Ik hield niet van Duitsland. Niet van het land en niet van de mensen. Hier is het leuker.'

'Lijkt dit op Thailand?' vroeg Omar.

Pete keek naar de grasvlakte. 'Nee,' zei hij. 'Maar het is hier mooi weer. Het was zo koud in Duitsland. Ik heb een hekel aan kou.'

'Dan zou je niet van Kansas houden.'

'Hou jij van kou, en van skiën?'

'Nee,' zei Omar.

'In Duitsland gaat iedereen skiën.'

'Ik hou van de zon en het strand,' zei Omar.

'Ja, dat is heerlijk,' zei Pete. 'In het zuiden heb je hier mooie stranden. Daar zou je naartoe moeten voor je vertrekt. Houdt Deirdre ook van het strand?'

'Ze houdt van zwemmen, maar ze ligt niet graag in de zon,' zei Omar.

'Ik vind het heerlijk om de zon te voelen,' zei Pete. Hij stak zijn blote arm uit het raam en draaide hem rond in de hete wind. 'Misschien moeten we nu naar het strand gaan. We kunnen gewoon doorrijden. Er is een goede weg.'

'Maar Caroline verwacht ons in Las Golondrinas,' zei Omar. 'Ik moet met haar praten.'

Pete trok zijn arm terug. 'Ik wil je graag het strand laten zien,' zei hij. 'Misschien een andere keer.'

'Ja,' zei Omar. 'Dat zou leuk zijn.'

'Dus je komt terug?'

'Ik hoop het,' zei Omar. 'Het ligt eraan hoe het gesprek met Caroline verloopt.'

'Dan hoop ik dat ze ja zegt.'

'Ja,' zei Omar. 'Ik ook.'

Ze zwegen even, terwijl ze allebei naar de weg staarden die het landschap in tweeën sneed, en toen zei Pete: 'Omar, volgens Adam is er geen brief.'

'Wat?' vroeg Omar. Hij legde zijn hand op het dashboard.

'Adam vertelde me dat er geen brief van Jules is, over de biografie. Caroline doet maar alsof.'

'Wanneer vertelde hij je dat?'

'Een paar dagen geleden. Ik kwam thuis en hij was uit zijn doen. Hij was boos op Caroline. En hij vertelde dat ze de brief verzonnen heeft.'

'Waarom is ze dan tegen de biografie?' vroeg Omar.

'Ik denk niet dat Caroline erg gelukkig is. Net als Jules.' Hij trok weer dat gezicht. 'Er kunnen allerlei redenen zijn. Het is altijd ingewikkeld met ongelukkige mensen.'

'Ja,' zei Omar.

Pete keek hem van opzij aan. 'Misschien moet je haar vragen of je die brief mag zien.'

'Dat is een goed idee,' zei Omar.

Na enige tijd verlieten ze de hoofdweg en sloegen een onverharde weg in. Ze stopten voor een laag metalen hek dat dwars over de weg stond. 'Je moet het hek opendoen,' zei Pete, 'en het weer dichtdoen als ik erdoor ben gereden.'

'Oké,' zei Omar. Hij stapte uit en duwde het hek open. Pete reed door en stopte. Omar sloot het hek en stapte weer in de auto.

'Dit is Las Golondrinas,' zei Pete.

'Wat betekent dat, Las Golondrinas?'

'Het is een vogel. Ik weet de naam niet in het Engels. Een klein vogeltje dat zingt en vliegt.' Ze staken een brede maar ondiepe rivier over. De houten brug klepperde wild onder de auto. Daarna reden ze tussen wijngaarden door omhoog. Het huis lag op de top van een heuvel die oprees vanuit de vlakte. Het werd omringd door grote bomen en een paar bijgebouwen. Het was een huis van twee verdiepingen, gepleisterd en bijna roze geschilderd. Pete parkeerde in de schaduw van een van de acaciabomen. Ze hoorden een hond blaffen, en meteen daarna stormde hij op de auto af: een grote koperkleurige hond, met weerborstels over de hele lengte van zijn rug.

Een vrouw kwam het huis uit en klapte in haar handen. '*Cállate*, Faustus!' schreeuwde ze tegen de hond. 'Hij doet niets,' riep ze naar de mannen in de auto. 'Hij blaft wel maar hij bijt niet.' Ze was een jaar of vijftig, nonchalant ge-

kleed in een spijkerbroek en een topje. Blote voeten. Haar haar was geblondeerd.

Omar stapte uit, maar Pete wachtte tot de vrouw de hond bij zijn halsband had gepakt. Hij blafte nog steeds. '¡Cállate!' schreeuwde ze weer, en sloeg hem hard op zijn snuit. Toen hield hij op.

'Stap uit, stap uit,' zei ze, nogal ongeduldig, tegen Pete. 'Hij doet niets.'

Omar liep om de auto heen. 'Hallo,' zei hij tegen de vrouw. 'Ik ben Omar Razaghi.'

De vrouw wilde hem een hand geven en ontdekte zijn blessure. 'Ik heb een ongeluk gehad,' zei Omar.

'Ik zie het,' zei ze lachend. 'Ik ben Donatella. Gianfranco en Caroline zijn achter. We wilden net gaan lunchen.'

'O, neem me niet kwalijk,' zei Omar. 'We wilden u niet storen bij het eten. We kunnen hier wachten tot u klaar bent.'

'Onzin,' zei Donatella. 'Er is genoeg voor jullie allebei. Maar jullie zijn een beetje stoffig geworden van de rit, denk ik. Kom eerst maar even binnen, oké?'

Ze lunchten – een verrukkelijke lunch – op een met blauwe regen begroeide patio achter het huis, met uitzicht op de wijngaarden. Toen Caroline haar espresso ophad, kwam ze overeind en gooide haar linnen servet op tafel. 'Zo,' zei ze, 'misschien moeten Omar en ik even een wandelingetje maken.' Na de heerlijk ontspannen maaltijd kwam haar abrupte manier van doen een beetje merkwaardig over, alsof het Omar was die het tempo had bepaald, die had zitten treuzelen en nu moest worden aangespoord. Ze droeg een witte getailleerde pantalon en een roze katoenen shirt met een wijde, vierkante hals. Ze had haar zwart omrande zonnebril op haar hoofd gezet tijdens de maaltijd, maar ze liet hem nu zakken en glimlachte naar hem, alleen met haar mond.

Hij stond op. 'Natuurlijk,' zei hij, 'dat zou fijn zijn. Excuseer me. Nogmaals bedankt voor de heerlijke lunch,' zei hij tegen zijn gastheer en gastvrouw.

Caroline had de patio al verlaten en liep weg van het huis, over een grindpad onder een pergola die ook was begroeid met blauwe regen. Omar ging haar vlug achterna.

Zwijgend liepen ze samen verder. Zonlicht drong door het bladerdak en viel in spikkels op de grond en op Carolines vrijwel blote schouders. Ze had een bloem van een tak geplukt en scheurde die methodisch in stukken: eerst de bloemblaadjes, dan de meeldraden.

'Bedankt dat ik u nog een keer mocht spreken,' zei hij.

Ze haalde haar schouders op. 'Het spijt me dat je dat hele eind moest rijden. Of Pete – arme Pete.'

'Ik heb namelijk een idee gekregen en dat wilde ik graag aan u voorleggen.'

'Wat voor idee?' vroeg ze.

'Nou, u weet hoe de zaken staan. Arden en Adam hebben allebei toegezegd de biografie te autoriseren. En u niet.'

'Ja,' zei Caroline.

'Ik weet niet wat uw redenen zijn –'

'Maar dat heb ik je verteld!' Ze draaide zich geërgerd naar hem om. 'Ik heb een brief van Jules waarin hij heel duidelijk stelt, in niet mis te verstane bewoordingen, dat hij geen biografie wilde –'

'Ik weet dat die brief niet bestaat,' zei Omar.

'Wat?'

'Doe alstublieft niet alsof er een brief is van Jules. Ik weet dat die niet bestaat.'

'Hoe weet je dat? Wie heeft je dat verteld?'

'Pete. Adam had het hem verteld.'

Caroline smeet de verminkte bloem op de grond. 'Ze hadden het recht niet om dat aan jou te vertellen,' zei ze.

'Het geeft niet,' zei Omar. 'Tot nu toe geloofde ik in de brief. Wat ik wilde zeggen is dat ik uw redenen niet ken, en ze ook niet hoef te kennen. Uw redenen zijn privé. Als u geen biografie van Jules wilt, dan begrijp ik dat. Dat recht heeft u. Maar Arden en Adam hebben ook rechten. Ik heb rechten.'

'Ik denk dat jij in deze kwestie geen enkel recht hebt –'

'Ja,' zei Omar. 'Dat heb ik wel. Ik heb het recht om een biografie van Jules Gund te schrijven. U heeft het recht om niet met me samen te werken. Dat is mijn recht en dat is uw recht.'

'En ik heb het recht om geen toestemming te geven,' zei Caroline.

'Ja,' zei Omar, 'dat is zo. Maar dat zal mij er niet van weerhouden de biografie toch te schrijven.'

'Ik dacht dat dat niet kon zonder autorisatie.'

'Jawel. Ik raak dan alleen mijn beurs kwijt. En het boek wordt niet uitgegeven door de Universiteit van Kansas. Maar ik kan wel een biografie van Jules Gund schrijven. En die elders laten uitgeven.'

'Maar lukt je dat? Ben je dat van plan?'

'Ja,' zei Omar.

'Volgens mij niet. Volgens mij bluf je.'

Ze liep verder over het pad. Toen bleef ze weer staan en draaide zich naar hem om. 'Je zei dat je een idee had. Wat is dat idee?'

'Mijn idee is dat u toestemming verleent. En dan zelf bepaalt wat u met me wilt delen. Misschien wel niets, als u dat liever wilt. U hoeft niet met me te praten. U hoeft me Jules' brieven aan u niet te laten lezen. U hoeft op geen enkele manier mee te werken. Ik praat wel met Arden en Adam en andere bronnen. Ik kan zelfs in het boek laten opnemen dat u de biografie niet hebt geautoriseerd.'

'Ja, en dan vindt iedereen mij een onmens.'

Ze hadden het eind van het beschaduwde laantje bereikt. Het werd doorsneden door een tweede grindpad, en daar voorbij liep het terrein in een reeks terrassen steil af tot waar de wijngaarden zich uitstrekten in de stralende middagzon. Langs dit pad stond een stenen balustrade en daarachter waren op regelmatige afstand cipressen geplant, die het panorama in vakken verdeelden. Onder het dak van bladeren bleven ze even naar het uitzicht staan kijken.

Toen ging Caroline op de balustrade in de zon zitten,

met haar rug naar het uitzicht. 'Wat is dit allemaal verve-lend,' zei ze. 'Laten we even gaan zitten.'

Omar stapte in het felle licht en leunde tegen de stenen muur, een eindje van Caroline vandaan. Zij had zich omge-draaid zodat ze kon uitkijken over de regimenten wijnstok-ken.

In andere omstandigheden zou het een mooi moment zijn geweest: de heerlijke maaltijd op de patio, de verrukke-lijke rosé, de espresso in goudgerande kopjes, de wandeling over het laantje onder de pergola, de warmte van de stenen onder hen, de vage maar sterke geur van aarde en blauwe regen en verbena. En in het bladerdak kwetterden kleine vogeltjes – misschien golondrina's, dacht Omar, want ze zongen en vlogen. Een groene hagedis schoot langs de muur omlaag en verstarde in de vorm van een ster. Hij be-woog zijn kop met kleine schokkerige bewegingen, als de wijzers van een klok. Plotseling stortte hij zich van de muur in de wirwar van onkruid aan hun voeten.

Caroline zei iets, maar omdat ze nog met haar rug naar Omar zat, verstond hij het niet.

'Sorry,' zei hij. 'Ik hoorde niet wat u zei.'

Ze stond op en ging weer zitten, met haar gezicht naar hem toe. 'Wat hebben ze je nog meer verteld?'

Hij herinnerde zich dat ze een gestoorde indruk op hem had gemaakt toen hij haar die ochtend in haar studio be-zocht, en hij voelde dat nu weer; ze was onnatuurlijk ge-spannen, en haar hautaine kalmte kon dat niet volledig ver-hullen.

'Niets,' zei hij.

'Enfin,' zei ze, 'wat er ook gebeurt, ze zullen me een on-mens vinden.'

'Wat bedoelt u?'

'Als je het boek schrijft zullen ze me een onmens vinden, en als je het boek niet schrijft zullen ze me ook een onmens vinden.'

'Niemand zal u een onmens vinden,' zei Omar. 'U bent geen onmens.'

'Je kent me niet,' zei ze. En daarna zei ze het nog eens: 'Je kent me niet.'

'Ik ken u een beetje,' zei Omar.

Ze had haar ogen neergeslagen en friemelde aan het pluizige korstmos dat op de stenen groeide, maar toen keek ze op. Hij zag zijn gezicht weerspiegeld in de donkere cirkels van haar zonnebril. 'Weet je waarom Jules zelfmoord heeft gepleegd?' vroeg ze.

'Nee,' zei hij.

'Weet je dat hij nog een boek heeft geschreven? Na *De gondel*?'

'Ja,' zei Omar.

'Dus dat hebben ze je verteld? Hebben ze je alles verteld?'

'Nee,' zei Omar. 'Ik weet alleen dat er nog een boek is, gebaseerd op – op uw situatie, maar dat Jules niet wilde dat het werd uitgegeven.'

'Wie heeft je dat verteld?'

'Arden. Adam bracht het boek ter sprake, en Arden vertelde me waar het over ging.'

'En ze zei dat Jules niet wilde dat het werd uitgegeven?'

'Ja,' zei Omar.

'Arme Omar,' zei Caroline. 'Iedereen liegt tegen je.'

Vertel me dan de waarheid, had Omar willen roepen, maar hij zei niets.

'Is er geen ander boek?' vroeg hij.

'Nee,' zei Caroline. 'Er is geen ander boek. Jules heeft een tweede boek geschreven, een boek over onze situatie, zoals je zegt. Hij heeft er jaren aan gewerkt. Het had misschien een heel mooi boek kunnen worden, wie weet? Maar het is er niet meer.'

'Wat is ermee gebeurd?' vroeg Omar.

'Het is vernietigd,' zei Caroline. 'Ik heb het verbrand.'

'O,' zei Omar. Daarna vroeg hij: 'Waarom?'

Hij zag Caroline ineenkrimpen. Ze boog haar hoofd. Ze legde haar hand plat op de stenen balustrade en keek ernaar. 'Ik weet het niet,' zei ze. 'Misschien vond ik dat ik

hem te veel had gegeven, en moest ik iets terugnemen. Of misschien had ik hem niet genoeg gegeven, en wilde ik iets terugnemen. En het is afschuwelijk als je zelf niet iets kunt maken, geen kind, geen schilderij, en een ander maakt iets van jouw materiaal –' Ze balde haar hand tot een vuist, ontspande hem langzaam en klopte op de steen. 'Het kan ook iets heel anders zijn geweest. Misschien haatte ik hem gewoon. Of haatte ik mezelf. Of Arden. Of ons allemaal, iedereen. Of misschien hield ik van hem en kon ik dat niet verdragen. Ik zou het echt niet weten. Maar jij zult het vast allemaal uitzoeken en het me dan uitleggen. Want er moet natuurlijk een verklaring zijn: alles is begrijpelijk, of kan begrijpelijk worden gemaakt, met mensen zoals jij in de buurt die dat voor ons doen. Die de stukken oprapen en ze weer aan elkaar lijmen, ook al waren ze verbrijzeld. Of verbrand.'

Omar zei niets. Het was heet in de zon. Hij wilde dat hij geen wijn had gedronken bij de lunch. Dokter Peni had gezegd dat hij zeker tien dagen geen alcohol mocht drinken. Maar hij was zo nerveus geweest en de wijn zag er zo lekker uit. Caroline stond op. Ze stak het pad over en bleef onder het baldakijn van bloeiende ranken staan. 'Ik zal toestemming geven,' zei ze. 'Je proberen tegen te houden is nog erger. Dat doet meer kwaad, denk ik. Het doet mij meer kwaad. Dus ga je gang, schrijf je boek. Leg het ons uit. Verklaar ons aan onszelf. Wat zullen we je dankbaar zijn.' Ze draaide zich om en liep door het beschaduwde laantje naar de patio, waar Donatella en Gianfranco en Pete nog op hun gemak aan tafel zaten, lachend en pratend.

Ze zwegen toen ze wegreden. Pete stopte bij het hek; Omar stapte uit, deed het open en liet de auto passeren, deed het weer achter hen dicht en liep terug naar de auto. Hij was moe en misselijk. Ze staken de ratelende brug over en toen het lawaai ophield vroeg Pete: 'Hoe ging het, je gesprek met Caroline?'

'Ze heeft ja gezegd,' zei Omar.

'Dus je hebt gekregen wat je wilde?' vroeg Pete. 'Waar je voor kwam?'

'Ja,' zei Omar.

Ze draaiden de verharde weg op en reden een tijdje in stilte, en toen zei Pete: 'Je lijkt er niet blij om, dat je gekregen hebt wat je wilde.'

'Ik voel me niet zo lekker,' zei Omar. 'En ik ben moe.'

'Maar ben je blij?' vroeg Pete.

'Nee,' zei Omar, 'ik ben niet blij.'

Pete zei niets, maar even later gaf hij Omar een klopje op zijn been. Daarna legde hij beide handen op het stuur en concentreerde zich helemaal op het rijden, hoewel de weg zover als ze konden kijken kaarsrecht was.

Pete zette hem af bij het grote huis en reed weg. Omar liep de trap op naar de badkamer en gaf over. Hij spoelde zijn mond, waste zijn gezicht en ging naar zijn kamer. Hij trok zijn broek uit en ging op bed liggen.

Hij wilde dat hij met Arden kon praten; hij wilde Arden vragen wat hij moest doen. Maar hij wist dat Arden hem ontliep. Ze had er spijt van dat ze hem had gezoend; ze hoopte dat hij het was vergeten. Maar hij was het niet vergeten. Het had een droom geleken maar het was geen droom. Ze waren naar de gondel gelopen en hadden gezoend bij het botenhuis. Ze had haar handen op zijn gezicht gelegd…

De deur ging open en Deirdre kwam binnen. Ze draaide zich om, deed de deur achter zich dicht en keek naar Omar op het bed. 'Wat is er?' vroeg ze.

Omar veegde zijn wangen af maar zei niets.

'Wat is er?' herhaalde ze.

'Niets,' zei hij.

'Natuurlijk wel,' zei ze. 'Je huilde. Je huilt.'

Hij sloeg zijn handen voor zijn gezicht. Ze kwam naar het bed en raakte met haar hand zijn blote been aan. Hij droeg een boxershort en lag boven op de sprei; het was warm in de kamer. 'Vertel me alsjeblieft wat er aan de hand is,' zei ze.

'Ik weet het niet,' zei hij na een korte stilte.

'Ben je ergens verdrietig om?' vroeg ze.

'Ja,' zei hij.

'Heeft Caroline nee gezegd?'

'Nee,' zei hij, 'ze heeft ja gezegd.'

'Dan begrijp ik het niet. Waarom ben je dan verdrietig? Of ben je opgelucht?'

'Ik ben verdrietig,' zei Omar.

'Waarom?' vroeg Deirdre. 'Zeg het maar. Waar ben je verdrietig om?'

'Ik weet het niet,' zei hij. 'Om alles, denk ik.'

'Maar alles is oké, Omar,' zei ze. Hij voelde dat ze naast hem op het bed kwam zitten. 'Je hoeft niet verdrietig te zijn. Je hebt nu toestemming, je kunt de beurs houden, je kunt het boek schrijven. Alles is in orde. Over drie dagen zijn we terug in Kansas en wordt alles weer normaal. Je kunt gaan lesgeven en met je onderzoek beginnen. Je hoeft je nergens zorgen over te maken of verdrietig om te zijn. Waarom ben je verdrietig?'

Omar schudde zijn hoofd, zijn handen nog steeds voor zijn ogen.

Deirdre trok zachtjes zijn handen weg en streek het haar van zijn voorhoofd. 'Het viel zeker niet mee,' zei ze, 'het gesprek met Caroline. En zo'n eind rijden. En je bent nog niet beter. Je had niet moeten gaan. Maar ik ben zo trots op je, Omar! Ik vind het geweldig wat je gedaan hebt. Hoe heb je haar overtuigd? Wat heb je tegen haar gezegd?'

Omar schudde zijn hoofd. 'Ik wil er niet over praten,' zei hij.

'Oké,' zei Deirdre. Een ogenblik later vroeg ze: 'Omar, gaat het wel goed met je?'

'Jawel,' zei hij.

'Ik maak me zo'n zorgen om je,' zei Deirdre.

'Waarom?'

'Dat weet ik niet. Ik begrijp het niet. Je lijkt zo anders. Misschien komt het gewoon door wat er gebeurd is, en

doordat we hier zijn, ik weet het niet, misschien wordt alles weer normaal als we thuis zijn. Ik bedoel, niet normaal, niet precies hetzelfde natuurlijk, anders natuurlijk, maar –'

'Maar wat?'

'Ik weet het niet.' Deirdre was even stil en zei toen: 'Ik heb nagedacht. Ik heb bedacht dat je misschien maar niet terug moet gaan naar Yvonnes huis. Ik vind niet dat je daar in je eentje moet zitten. Zeker 's winters, met jouw auto, en de sneeuw, en je pols – misschien kun je beter bij mij intrekken. Ik denk dat het goed voor ons zou zijn om samen te wonen. Ik denk dat het tijd wordt. Wat vind jij?'

'Waarvan?'

'Van samenwonen.'

'Ik weet het niet,' zei Omar. 'Vroeger zei je dat ik te onverantwoordelijk was om mee samen te wonen.'

'Dat was vroeger,' zei Deirdre. 'De dingen veranderen. De dingen zijn veranderd.'

'Hoe dan?' vroeg Omar.

'Ze zijn – o, Omar: ik ben veranderd. We zijn allebei veranderd. Ik heb me gerealiseerd dat ik ontzettend veel van je hou. En je bewonder. En je nodig heb.' Ze zweeg. Ze raakte zijn vochtige wang aan, zachtjes, met de rug van haar hand. 'En naar je verlang,' zei ze. 'Het spijt me als dat allemaal niet blijkt uit hoe ik me soms gedraag. Het spijt me omdat het allemaal waar is, het is er allemaal, onder alles wat ik zeg of doe zijn er altijd die gevoelens voor jou, altijd. Begrijp je?'

'Ja,' zei Omar.

'Goed,' zei Deirdre. 'Ik denk dat we moeten proberen het anders aan te pakken als we terug zijn. Ik denk dat samenwonen een stap in de goede richting is. Denk je ook niet?'

'Ik weet het niet,' zei Omar.

'Nou, we kunnen erover nadenken,' zei Deirdre. 'We hoeven nu nog niet te beslissen.'

'Nee,' zei Omar.

'Wil je slapen?'

'Ja,' zei Omar. 'Misschien even.'

'Oké.' Deirdre stond op. 'Wil je iets drinken? Een glas water?'

'Nee, dank je,' zei Omar.

Deirdre bleef naast het bed staan. 'Ik ben blij dat we gepraat hebben,' zei ze. 'Wees alsjeblieft niet verdrietig. En gefeliciteerd, Omar. Je hebt iets geweldigs gedaan. Ik ben erg trots op je.'

Ze verliet de kamer en trok zachtjes de deur achter zich dicht.

's Avonds voelde Omar zich beter en hij en Deirdre gingen een eindje wandelen, de oprijlaan af, het hek uit, en de weg op in de richting van het molenhuis, waar niets anders was dan de weg en het bos en de lucht. Het was een warme, windstille avond: de dalende zon raakte de bomen aan de ene kant van de weg bijna met grof geweld, en veranderde het groen in goud. Ze bleven midden op de weg staan, terwijl hun schaduwen zich grillig achter hen uitstrekten. Ze hadden niet veel gepraat tijdens de wandeling, en ze spraken helemaal niet toen ze midden op de verlaten weg stonden. Omar knielde en raakte het asfalt aan, dat nog warm was van een hele dag zon. 'Ik weet nog dat ik de eerste keer over deze weg liep,' zei hij.

'Wanneer was dat?' vroeg Deirdre.

'De eerste dag dat ik hier was. Nee, de tweede. Ik ging bij Adam op bezoek. Ik weet nog dat ik om de een of andere reden heel gelukkig was toen ik hier liep. Hoopvol.' Hij stond op. Na een korte stilte zei hij: 'Ik denk dat ik iets besloten heb.'

'Wat?' vroeg Deirdre. 'Wat heb je besloten?'

Omar keek naar de weg. Even dacht Deirdre dat hij weer op zijn hurken zou gaan zitten om de weg nog eens te liefkozen. Maar dat deed hij niet.

'Ik heb besloten – ik denk dat ik besloten heb om geen biografie van Jules Gund te schrijven. Ik denk dat ik dit hele gedoe maar liever wil vergeten.'

'Omar? Wat bedoel je? Waarom denk je dat?'

Hij schudde zijn hoofd. 'Ik weet het niet,' zei hij. 'Ik zie er gewoon het nut niet van in. Ik heb er geen zin in. Ik denk niet dat ik het goed zou doen. Ik zou het verprutsen. Het is verkeerd, vind ik.'

'Verkeerd? Hoezo verkeerd?'

'Ik kan het niet uitleggen. Ik begrijp het zelf niet. Gewoon verkeerd. Echt helemaal fout. Het is net een vijver waarin alles naar de bodem is gezakt, zodat het water stil en helder is, en als ik dan – ik zou alles in beroering brengen, ik zou er een troep van maken.'

'Omar! Dat is belachelijk. Ten eerste is het niet allemaal stil en helder, en ten tweede – ik denk dat je gewoon in de war bent. En moe. Je hebt een shock gehad, en dan al die ervaringen – het is te veel voor je geweest, Omar. Denk er nu maar niet meer aan. Als we weer thuis zijn, en je voelt je beter, kijk je er heel anders tegenaan. Je ziet het niet helemaal scherp, denk ik. Je zit er op de een of andere manier te dicht bovenop.'

'Ik denk niet dat het een kwestie van perspectief is,' zei Omar.

Dat vond Deirdre een vreemde opmerking voor Omar.

'Oké,' zei Deirdre. 'Kun je het niet even laten rusten? Alsjeblieft, Omar – je hoeft nu nog niets te beslissen. Laten we hier weggaan, laten we naar huis gaan, en als je je beter voelt, als je weer jezelf bent, dan kun je over al die dingen nadenken. Maar niet nu. Niet hier. Beloof het me. Alsjeblieft, beloof het me.'

Omar zei niets.

'Alsjeblieft, Omar. Beloof het me. Beloof me dat je tegen niemand hier zegt dat je het boek niet gaat schrijven.'

'Oké,' zei Omar. 'Ik beloof het.' Ze bleven nog even staan, en toen zei Omar: 'Ik denk dat ik Adam ga opzoeken.'

'Adam? Waarom?'

'Ik moet hem spreken voor ik vertrek. Zeggen dat ik de schilderijen niet naar New York ga brengen.'

'O,' zei Deirdre. 'Weet je het zeker? Het was een onzinnige deal, Omar. Hij zal heus niet verwachten dat je het echt doet. Misschien kun je het maar beter laten zitten.'

'Nee,' zei Omar. 'Ik moet het hem vertellen. Dat ben ik hem toch in elk geval verschuldigd.'

'Wat ga je zeggen?'

'Dat weet ik niet. Iets. Dat ik besloten heb dat ik het niet kan doen, om, om – om praktische redenen.'

'Nou, als je maar niets over het boek zegt. Denk erom, dat heb je beloofd.'

'Ja,' zei Omar.

'Wil je dat ik meega? Misschien is het gemakkelijker als ik erbij ben.'

'Nee,' zei Omar. 'Het lijkt me beter als ik alleen ga.'

'Je hoeft het niet te doen,' zei Deirdre. 'Het was fout van Adam: hij heeft je gedwongen. Je bent niet moreel verplicht om hem iets uit te leggen.'

'Ik wil gewoon met hem gaan praten,' zei Omar. 'Ik zie je straks wel weer. Ik blijf niet lang weg.' Hij draaide zich om en liep in de richting van het molenhuis. Deirdre keek hem na, tot hij het pad insloeg en verdween.

Adam zat op een houten stoel op het erf voor het molenhuis en dronk zo te zien een glas rosé. Als zijn pak een beetje minder gekreukt was geweest en zijn haar wat netter gekamd, had hij eruitgezien als iemand in een advertentie. 'Goedenavond,' zei hij, toen Omar het hek opendeed en het erf betrad.

'Hallo,' zei Omar.

'Wat fijn om je te zien,' zei Adam. 'Dus je bent weer op de been. Niet ziek meer?'

'Ik voel me veel beter,' zei Omar.

'Wil je een glas wijn? Ik heb de fles hier; je moet alleen een glas halen.'

'Nee, dank u,' zei Omar. 'Ik mag geen alcohol drinken.'

'Ik denk dat een glaasje wijn heel goed voor je zou zijn,' zei Adam. 'Het heeft zo'n stimulerende uitwerking.'

'Ik heb pas nog wijn gedronken, in Las Golondrinas, en daarna voelde ik me doodziek,' zei Omar.

'En dat wijt je aan de wijn? Ik denk dat het aan het gezelschap lag. Maar ik begrijp dat je in triomf bent teruggekeerd. De zegevierende held.' Adam hief zijn glas wijn, dat een roze gloed had in het afnemende licht. 'Gefeliciteerd.'

'Dank u,' zei Omar. 'Ik ben eigenlijk gekomen om u iets te vertellen.'

'Ongetwijfeld,' zei Adam. 'Mensen komen mij altijd iets vertellen. Nooit datgene wat ik wil horen, natuurlijk. Dat is maar één keer gebeurd, of één keer die ik me kan herinneren. Toen ik net zo jong was als jij – of nog jonger misschien; ik studeerde in Heidelberg – kwam een jongen op wie ik verliefd was naar me toe en zei: "Ik moet je iets vertellen." Namelijk dat hij verliefd op me was, maar dat durfde hij niet te zeggen. Door dat te zeggen, door te zeggen "ik moet je iets vertellen", dacht hij dat ik wel zou begrijpen wat hij bedoelde. En natuurlijk begreep ik het. Maar ik was net zomin een held als hij. Ik had moeten zeggen: "Zeg maar niets, ik begrijp het", maar dat kon ik niet. Dat wilde ik niet. We leefden toen nog in de donkere middeleeuwen. Die waren behalve donker ook stil. En dus zaten we daar, zonder iets te zeggen, en lieten de kans voorbijgaan. Ik neem niet aan dat jij komt vertellen dat je verliefd op me bent?'

'Nee,' zei Omar.

Adam zei niets, maar toen Omar bleef zwijgen, zei hij: 'Wat kom je me dan vertellen?'

'Ik kom u vertellen dat ik die schilderijen niet voor u naar New York kan brengen.'

'Kun je het niet?' vroeg Adam. 'Of wil je het niet?'

'Ik wil het niet.'

'O,' zei Adam. Hij bekeek de roze gloed van de wijn. 'Je hebt vast een heel goede reden om dat te zeggen.'

'Het punt is – nou ja, de deal was dat u Caroline zou overhalen om akkoord te gaan, maar dat hebt u niet gedaan. Dat heb ik gedaan.'

'Ja,' zei Adam. 'De zegevierende held.' Hij hief zijn glas op naar Omar en dronk het daarna in één teug leeg.

'Zeg dat alstublieft niet,' zei Omar. 'Noem me niet zo. U begrijpt het niet. Ik heb besloten –'

'Wat heb je besloten?'

'Niets. Dat ik de schilderijen niet kan – niet wil – brengen. Maar u begrijpt het niet.'

'O ja, toch wel. Een beetje. Ik begrijp het een beetje. En wie kan ooit meer dan een beetje begrijpen? Wie zou dat willen? Ik niet.' Adam stond op. 'Het was een beetje dom van me. Je kunt de dingen nu eenmaal niet naar je hand zetten. Naarmate je ouder wordt, wordt dat steeds duidelijker, drukt het steeds zwaarder op je. Je zou niet verwachten dat het zo moeilijk zou zijn.' Hij richtte deze tirade tot de stenen bij zijn voeten.

Omar begreep niet goed wat hij bedoelde, dus hij zei maar niets. En daarna zei hij: 'Het spijt me.'

'Nee,' zei Adam, terwijl hij Omar aankeek. 'Je moet geen spijt hebben. Ik zou het niet kunnen verdragen als je spijt had. Trouwens, je hebt vast wel iets beters om spijt van te hebben. Vergeet onze kleine deal maar.'

'Ik wilde u echt graag helpen,' zei Omar. 'Echt waar. Misschien is er iets anders wat ik voor u kan doen.'

'Ik zou op het moment niets weten,' zei Adam, 'maar als ik iets bedenk, zal ik niet aarzelen contact met je op te nemen.'

'Het spijt me,' zei Omar. 'Ik meen het serieus.'

'En ik niet?'

'Nee. Ik denk het niet.'

Adam stapte naar voren en deed iets ongewoons: hij raakte Omars wang aan. 'Wees daar maar niet zo zeker van,' zei hij. 'Dat is bij mij moeilijk te zeggen.'

HOOFDSTUK NEGENTIEN

Pete zou hen naar Tacuarembó brengen, waar ze een bus konden nemen die rechtstreeks naar Montevideo ging. Ze zouden daar één nacht blijven en de volgende ochtend vertrekken.

Deirdre was klaar met pakken en sloot haar koffer. Ze bracht hem naar beneden en zette hem op de bank naast de voordeur. Toen ging ze weer naar boven, naar Omars kamer. Hij zat op zijn bed naast zijn geopende koffer.

'Ben je klaar met pakken?' vroeg ze.

Hij knikte. Er was iets met hem aan de hand; hij had nauwelijks meer tegen haar gepraat sinds hun gesprek op de weg, maar ze wist niet wat ze moest doen behalve hem hier vandaan zien te krijgen, thuis zien te krijgen. 'Laten we dan naar beneden gaan,' zei ze. 'Pete komt zo.'

'Weet je waar Arden is?' vroeg hij.

'Die is op haar kamer. Ze zei dat ze naar beneden zou komen om afscheid te nemen.'

Omar stond op. 'Ik moet met Arden praten. Ik zie je beneden wel.'

'Omar –'

'Wat is er?'

'Waarom moet je met Arden praten? Misschien moeten we maar gewoon gaan.'

'Ik wil gewoon afscheid van haar nemen, en haar bedanken.'

'Dat kun je ook beneden doen.'

'Ik wil het doen zonder anderen erbij.'

'Vergeet niet wat je me beloofd hebt,' zei Deirdre.

'Nee,' zei Omar, 'dat vergeet ik niet.' Hij verliet de kamer. Hij wist waar Ardens kamer was, al was hij er nooit geweest: het was een van de twee grote kamers aan de voorkant, op de eerste verdieping. Hij liep de gang uit en over de galerij naar de andere kant van het huis. Haar deur was dicht. Hij klopte.

Na een moment deed ze open. 'Omar,' zei ze.

'Mag ik binnenkomen?' vroeg hij.

Ze keek verward, alsof ze eigenlijk dacht dat hij al vertrokken was, maar ze ging een eindje achteruit en deed de deur verder open zodat hij binnen kon komen. Ze deed de deur niet achter hem dicht.

De kamer was heel groot, en donkerder dan hij had verwacht; alle gordijnen waren dicht. Een reusachtig onopgemaakt hemelbed stond tegen de achterwand, en een openstaande deur ernaast gaf toegang tot een badkamer. Tussen de ramen aan de voorkant stond een lange empiresofa, met daartegenover een aantal bijpassende stoelen. Een heel groot, versleten, gedessineerd tapijt bedekte het grootste deel van de vloer, en alle muren waren lichtgroen geverfd.

Een moment lang zeiden ze geen van beiden iets, maar toen vroeg Arden: 'Is Pete er? Gaan jullie al weg?'

'Nee,' zei Omar.

'Ik wilde naar beneden komen om afscheid te nemen. Portia is boos. Ze wilde thuisblijven van school, zodat ze afscheid kon nemen. Maar ik zei dat ik dat wel voor haar zou doen. Dus: de groeten van Portia.'

'Waarom ontloop je me de hele tijd?' vroeg Omar.

Ze keek hem aan. 'O, Omar,' zei ze.

'Waarom?'

'Het leek me het beste, nu Deirdre hier is, om niet in de weg te lopen –'

'Ik denk dat ik van je hou,' zei Omar.

'O,' zei ze. Ze boog even haar hoofd en keek hem toen aan. 'Dank je,' zei ze. 'Ik ben gevleid dat je dat denkt. Maar natuurlijk hou je niet van me. Je kent me amper.'

'Maar ik –'

'Nee,' zei ze, 'luister naar me. Ik had je niet moeten zoenen. Het spijt me. Het was verkeerd van me, Omar, het was verkeerd van ons allebei. Ik mag je erg graag, maar je moet niet denken dat je van me houdt.' Ze schudde haar hoofd. 'Dat moet je niet denken.'

'Waarom niet?' vroeg Omar.

'Daarom,' zei ze. 'Ik kan het niet uitleggen zonder je te kwetsen en ik wil je niet kwetsen. Vertrouw me nou maar, Omar.'

'Je zult me niet kwetsen,' zei Omar.

Ze stond op. 'Ja,' zei ze, 'wel waar. En dat wil ik niet. En ik wil ook niet dat jij mij kwetst. Alsjeblieft – ze raakte zijn arm even aan. 'Alsjeblieft, het zal pijn doen, het doet pijn, maar het is beter als je gaat. Er is niets om over te praten, Omar, echt niet. Er valt niets te zeggen. Laten we vrienden zijn.'

Ze hoorden buiten het grind knerpen en een portier dichtslaan.

'Daar is Pete,' zei ze. Ze raakte hem weer aan. 'Ga nu maar. Anders mis je de bus nog.'

Maar Omar verroerde zich niet. Hij stond maar naar haar te kijken. Even keken ze elkaar aan. Toen ging Arden de deur dichtdoen. Ze kwam terug en bleef vlak voor Omar staan. Ze raakte hem weer aan – zijn arm, en toen zijn gezicht. Hij sloot zijn ogen, bewoog zijn gezicht langs haar hand, tastte in den blinde naar haar, voelde haar, opende zijn mond, vond de hare.

Ze waren alle drie stil in de auto, bijna alsof ze vreemden voor elkaar waren. Deirdre zat voorin naast Pete. Ze sloot haar ogen en deed alsof ze sliep, maar Pete wist dat ze wakker was, en hij kreeg een beetje een hekel aan haar vanwege dit bedrog. Ze is niet dapper of eerlijk genoeg om naast me te zitten zonder te praten, dacht hij. In de achteruitkijkspiegel kon hij Omar uit het raampje zien staren. Pete keek vele malen in de spiegel, maar Omars blik veranderde nooit; hij zat de hele tijd uit het raampje te kijken, met doffe ogen, ongeïnteresseerd.

Toen ze in Tacuarembó aankwamen was het nog te vroeg voor de bus en Pete bood aan bij hen te blijven, maar Deirdre stuurde hem weg, bijna op een lompe manier. Het was helemaal niet zoals Pete het zich had voorgesteld. Hij had gedacht dat hij een van hen was, omdat hij jong was; hij had gedacht dat ze onderweg zouden praten en lachen en

elkaar omhelzen voor ze in de bus stapten; hij had gedacht dat ze hun hoofd uit het raampje zouden steken en zouden zwaaien als de bus wegreed. En hij had gedacht – onzinnig, onmogelijk – dat ze hem misschien zouden vragen om mee te gaan. Maar nee: ze haalden hun bagage uit de kofferbak en stuurden hem weg, of liever gezegd, Deirdre stuurde hem weg. Ze was beleefd: ze bedankte hem voor de rit, voor alles wat hij voor hen had gedaan, maar ze stuurde hem wel weg. Je moet nog zo'n eind rijden, zei ze, het heeft geen zin om hier bij ons te blijven. Wie weet hoe laat de bus komt...

Pete bleef nog even besluiteloos staan, terwijl hij een reden probeerde te bedenken waarom hij bij hen moest blijven, maar hij was niet slim genoeg, en dus zat er niets anders op dan te vertrekken. Hij kon niet blijven als zij dat niet wilden. Blijkbaar wilden ze het niet. Natuurlijk wilden ze het niet. Wat was hij stom geweest om te denken dat ze hem zouden vragen mee te gaan, terwijl ze nauwelijks konden wachten tot ze van hem verlost waren.

Deirdre ging naar binnen om de kaartjes te kopen, en Pete bleef alleen achter met Omar. Hij legde zijn hand even op Omars arm. 'Ik ben blij dat ik je heb leren kennen. Jammer dat je weg moet.'

'Ik vind het ook jammer,' zei Omar. 'Dank je, Pete.' Hij omhelsde Pete. Het ging heel vlug, een vlugge knuffel. Over Omars schouder heen zag Pete Deirdre bij het loket staan. Omar rook schoon en lekker, en hij was warm. Omar klopte Pete op de rug en daarna lieten ze elkaar los.

'Je komt wel weer terug,' zei Pete.

'Ja,' zei Omar, 'ik denk het wel.'

'Goed zo,' zei Pete. 'Dan neem ik je mee als ik op zoek ga naar meubels. We zullen het leuk hebben samen. En we gaan ook naar het strand.'

'Ja,' zei Omar.

Deirdre kwam terug met de kaartjes. Ze liet ze zien alsof het trofeeën waren, alsof ze erom gevochten had. Misschien was dat ook zo. Ze nam een houding aan die duide-

lijk maakte dat het voor Pete tijd was om te vertrekken. Hij stak zijn hand uit. 'Tot ziens, Deirdre,' zei hij.

Ze schudde zijn hand en raakte die met haar andere hand even aan. 'Tot ziens, Pete,' zei Deirdre. 'Nogmaals bedankt voor het brengen en de hele rest –' Ze meende het, zag hij. Misschien vergiste hij zich in haar, misschien had ze echt zitten slapen in de auto.

'Graag gedaan,' zei Pete. 'Goede reis.'

'Ja,' zei Deirdre. 'Jij ook.'

Maar ik ga nergens heen, dacht Pete. Hij nam nog een keer afscheid van Omar en liep toen naar de auto. Na het starten keek hij of hij ze nog zag, maar ze waren in het busstation gaan zitten. Hij reed weg. Hij wist niet wat hij was kwijtgeraakt. Of nee, hij was niet eens iets kwijtgeraakt. Alleen de hoop op iets, de absurde mogelijkheid van iets, die was hij kwijt. Hij reed Tacuarembó uit, zette de auto aan de kant en ging zitten wachten. Hij wilde niet zo gauw weer thuis zijn.

Pete kwam pas heel laat thuis. Hij was op de terugweg ergens gestopt, had in een bar drie biertjes gedronken en daarna in de auto een dutje gedaan, en later was hij weer gestopt om in een wegrestaurant iets te eten. Adam had het licht voor hem aangelaten. Of misschien had Adam gewoon het licht aangelaten: dat was waarschijnlijker. Pete deed de lampen in de woonkamer uit. Adam had een bende achtergelaten in de keuken, maar Pete liet het maar zo. Hij was uitgeput. 's Avonds rijden vond hij dodelijk vermoeiend. Het was overal pikdonker, en de koplampen leken maar weinig licht te geven. Misschien was er een kapot. Hij bleef een poosje in de donkere woonkamer zitten. Hij had nog steeds het gevoel of hij reed, of de weg onder hem bewoog. Het zou wel even duren voor dat minder werd en ophield.

Na een tijdje liep hij de trap op. Tot zijn verbazing brandde er licht in de slaapkamer, en Adam zat rechtop in bed. Hij las Proust. Hij legde het dikke boek open op zijn schoot en keek Pete aan.

'Ik hoorde je binnenkomen,' zei hij.

'Sorry als ik je wakker heb gemaakt,' zei Pete.

'Nee,' zei Adam. 'Ik wachtte op je. Ik maakte me zorgen. Ik dacht dat je misschien met ze mee was gegaan.'

'Nee,' zei Pete. 'Ze zijn weg.'

'Opgeruimd staat netjes, dunkt me,' zei Adam.

Pete bleef bij de deur hangen.

'Kom naar bed,' zei Adam. En toen leunde hij naar voren, want het leek wel of Pete huilde. 'Wat is er, Pete? Wat heb je?'

Pete had zich omgedraaid; hij legde zijn armen gekruist tegen de deurpost en verborg zijn gezicht erin. Hij snikte.

Adam kwam uit bed. Hij ging naast Pete staan, legde zijn hand zachtjes op Petes rug, die schokte van het huilen. 'Wat is er, Pete?' vroeg hij. 'Waarom huil je?'

'Ik weet het niet,' zei Pete. 'Ik dacht dat ik gelukkig was.'

'Kom naar bed,' zei Adam. 'Kleed je uit en kom naar bed.'

Pete kleedde zich uit, deed het licht uit en kroop in bed. Adam nam hem in zijn armen. Adam hield hem vast en streelde over zijn haar. Hij zei keer op keer zijn naam, tot Pete ophield met huilen. Toen zei hij, in het donker: 'Het is wel goed, Pete. Maak je geen zorgen. Ik begrijp dat je hier weg moet.'

'Ik wil niet weg bij jou,' zei Pete.

'Jawel,' zei Adam. 'Je moet. Er is hier niets voor jou.'

Pete zweeg een tijdje, en toen zei hij: 'Maar jij dan? Wie zorgt er dan voor jou?'

'Er hoeft niet zo erg voor mij gezorgd te worden,' zei Adam. 'Zit er maar niet over in.'

HOOFDSTUK TWINTIG

De terugreis was lang en ellendig en leek speciaal bedoeld om hen psychisch te vloeren, om hen van hun laatste restje waardigheid en geduld te beroven voor ze thuiskwamen. De vernedering begon onmiddellijk en kende nauwelijks onderbrekingen: het vliegtuig was stampvol en ze moesten in het midden van de gehate centrale vijfstoelenrij zitten. 'Dit is absurd,' siste Deirdre tegen Omar terwijl ze hun veiligheidsriemen vastgespten. 'Ik begrijp niet waarom het zo'n gigantisch toestel is. Op de heenweg zat ik in een normaal vliegtuig, met maar één gangpad. Dit is waanzin. Kun je je voorstellen dat we dit acht uur moeten volhouden?'

'Er is niets aan te doen,' zei Omar. 'Dus wind je niet op.'

'Jij hebt makkelijk praten,' zei Deirdre. 'Jij bent lekker verdoofd.'

Omar was onder invloed van de kalmerende middelen die dokter Peni had voorgeschreven. 'Ik heb slaap,' zei Omar. 'Ik wil gewoon slapen. Wek me maar in Miami.'

'Ik kan niet slapen als ik tussen vreemde mensen zit,' zei Deirdre. 'Misschien blijven deze twee plaatsen vrij, en kunnen we ons uitstrekken.'

'Dat betwijfel ik,' zei Omar. 'Zeiden ze niet dat het vliegtuig helemaal vol was toen je vroeg of we andere plaatsen konden krijgen?'

'Ja,' zei Deirdre. 'De vlucht is volgeboekt. Maar misschien komt er iemand niet opdagen. O, nee – kijk: een vrouw met een klein kind. God, alstublieft, laat haar niet naast mij komen zitten.'

God luisterde niet naar Deirdre. De vrouw, jong, goed gekleed en aantrekkelijk, nam de stoel bij het gangpad en gespte haar peuter vast in de stoel naast Deirdre. Daarbij lachte ze naar Deirdre, duidelijk wachtend tot Deirdre een opmerking zou maken over haar schattige kind, maar Deirdre kwam niet verder dan een flauw lachje. Er zou een

aparte luchtvaartmaatschappij voor mensen met kinderen moeten zijn, dacht ze, of in elk geval een aparte afdeling in het vliegtuig.

Het kind kreeg een flesje waarin een dikke, gelige, melkachtige substantie zat. Het leek wel advocaat. Tevreden zuigend staarde het kind naar Deirdre. Deirdre probeerde haar beklag te doen bij Omar, maar zijn aandacht was gericht op de stewardessen, die bezig waren de noodprocedures uit te leggen. Omar schonk altijd zijn volle aandacht aan die toespraakjes; hij haalde zelfs de veiligheidsbrochure uit het stoelvak en bestudeerde die, voornamelijk omdat hij het zielig vond voor de stewardessen dat er niemand luisterde (om die reden kon hij ook nooit echt van toneel genieten, want hij was zich er altijd van bewust hoe sterk de onverschilligheid van het publiek voelbaar was) en deels omdat hij wilde weten wat hij moest doen bij een ramp. Hij vond het jammer dat ze niet echt mochten oefenen met de zuurstofmaskers en reddingsvesten en drijvende stoelkussens: er alleen over praten leek geen adequate voorbereiding.

Ze waren opgestegen en hij sliep al bijna toen Deirdre hem een por gaf. 'Moet je zien,' zei ze. 'Daar. Moet je zien wat dat kind eet.'

Omar keek langs Deirdre heen. De moeder voerde de peuter roze prut uit een blikje.

'Wat is dat?' fluisterde Omar.

'Dat is kattenvoer,' siste Deirdre. 'Ze geeft haar kind kattenvoer.'

'Waarom denk je dat het kattenvoer is?' vroeg Omar.

'Omdat het zo is. Ik ruik het. En kijk maar. Dat is een blikje kattenvoer.'

'Natuurlijk is het geen kattenvoer,' zei Omar. 'En zelfs al was het zo, dan gaat het jou geen steek aan. Ze hebben hier andere gewoonten, andere eetpatronen. Daar moet je niet over oordelen. Het is haar kind.'

De vrouw lachte tegen hen. Ze dacht dat ze haar kind bewonderden omdat het zo goed at. 'Hij heeft honger,' zei ze.

Omar viel in slaap en werd wakker doordat het kind en Deirdre tegelijk begonnen te krijsen. Deirdre probeerde op te staan – het bleef bij een poging, want haar veiligheidsriem zat nog vast – en zwaaide wild met haar armen. Het was duidelijk – overduidelijk zelfs – dat het kind zijn hele maaltijd over haar had uitgespuugd.

Deirdre was op het toilet een uur bezig om haar vieze, stinkende kleren te wassen en te drogen, maar ze bleef zich de hele verdere reis klam en onfris voelen. In Miami misten ze hun aansluiting en waren ze genoodzaakt zes uur zittend in een lounge door te brengen waar de ene na de andere vlucht tot vervelens toe werd aangekondigd, met steeds dezelfde ingewikkelde en hiërarchische instructies voor de passagiers; zodra een vlucht was afgehandeld, begon de hele beproeving opnieuw met de volgende, en ze kwamen tot de slotsom dat dit de hel was: deze door tl verlichte wachtruimte, met de agressieve luidsprekerstem die nooit zweeg en het hun onmogelijk maakte te lezen of te praten of te denken. En ze konden er niet aan ontsnappen omdat ze voor vrijwel iedere vlucht stand-by waren, want er waren allerlei fijne manieren om thuis te komen, via Houston of Atlanta of Pittsburgh of Chicago of St. Louis, en ze hadden opdracht gekregen permanent in de buurt van de balie te blijven.

Ten slotte, na een lange periode waarin ze allebei in een catatonische toestand van verdoving leken te zijn weggezakt, zei Deirdre: 'We zullen hier niet eeuwig blijven. Daar klamp ik me aan vast. Het lijkt wel zo, maar logisch geredeneerd weet ik dat ik niet de rest van mijn leven in deze lounge zal doorbrengen. Ik weet dat we uiteindelijk, over uren of dagen, thuis zullen komen. Eens komt het moment waarop we de trap op lopen en de sleutel in het slot steken. Ik ga mezelf tot die tijd in de wacht zetten.'

'Ik wil alleen graag in mijn eigen bed slapen,' zei Omar.

'Maar ik dacht –'

'Wat?' vroeg Omar.

Deirdre keek opzij, naar het bord dat de aankomst en het

vertrek meldde van alle vluchten behalve de hunne. 'Ik dacht dat je bij mij zou blijven. In elk geval in het begin. In elk geval tot je weer beter bent.'

'Maar ik verlang echt naar mijn eigen bed,' zei Omar. 'Je weet hoe het is. Ik denk dat ik daar lekkerder slaap.'

'Ja, maar het is niet echt jouw bed,' zei Deirdre.

'Hoe bedoel je? O – je bedoelt dat het Yvonnes bed is. Je bedoelt dat ik geen eigen bed heb.'

'Omar, nee. Dat bedoelde ik niet. Ik bedoelde gewoon dat ik vind dat je niet alleen moet wonen voor je weer hele-maal de oude bent. Vooral daar bij Yvonne, zo ver van alles vandaan. En in zekere zin heb je gelijk: het is Yvonnes bed. Of Yvonnes logeerbed. Je kunt niet gehecht zijn aan een bed waar je maar vier of vijf maanden in geslapen hebt. Trouwens, ik wed dat je bijna net zo vaak in mijn bed hebt geslapen.'

Misschien wel, dacht Omar: hij had vele nachten in Deirdres bed doorgebracht. De periode van twee maanden tussen de brand en zijn verhuizing naar Yvonnes huis, en vele nachten daarvoor en daarna, nachten in Deirdres bed, dat altijd netjes was opgemaakt, met schone lakens en een heleboel kussens. Maar het was toch Deirdres bed, in Deir-dres flat, en hij verlangde naar zijn eigen bed. Het ging er niet om hoeveel nachten hij in dat bed had geslapen, of wie de eigenaar was, het ging niet om geschiedenis of onroe-rend goed, het ging erom hoe hij zich voelde als hij in het donker in dat bed ging liggen.

Hij besloot het over een andere boeg te gooien. 'Ik denk dat het rustiger is bij het meer. Ik wil niet in jouw lawaaiige flat wonen, waar Marcus Antonius en zijn nieuwe vriend constant liggen te neuken.'

'Omar! Mijn flat is niet lawaaiig. En ik zei niet dat ze constant neukten. Ik zei alleen dat ik ze twee keer had ge-hoord.'

'In één nacht. Natuurlijk neuken ze constant. Dat doet iedereen in het begin. Trouwens, het is een academische kwestie, want anders dan jij denk ik niet dat we hier ooit

nog weg komen. We moeten ons er maar bij neerleggen dat we hier de rest van ons leven blijven, en er het beste van proberen te maken.'

Maar wat dat betreft had Deirdre toch gelijk: uiteindelijk kwamen ze thuis. Marcus Antonius had hen van het vliegtuig zullen halen, maar vanwege de vertraging namen ze een taxi.

Omar betaalde met het geld van zijn beurs: het waren tenslotte legitieme reiskosten.

Ze praatten niet in de taxi. Ze zaten elk aan een kant van de achterbank met een stapel bagage tussen hen in (Omar durfde zijn bagage nooit in de kofferbak van een taxi te leggen, omdat hij dacht dat je daar extra voor moest betalen). Toen ze Hiawatha Woods naderden, kilometers buiten de stad, keek Omar even opzij naar Deirdre, die uitgeput tegen het raampje leunde. Het fletse winterlicht viel op haar gezicht, dat er verdrietig uitzag. Omar werd overstelpt door tedere gevoelens: ze had zoveel voor hem gedaan, ze was helemaal naar Uruguay gereisd en had hem veilig thuisgebracht. 'Deirdre?' zei hij.

Ze keek hem aan en probeerde een opgewekt gezicht te zetten, maar de vermoeidheid was te groot en liet geen ruimte voor een andere mimiek. Omar had haar nog nooit zo gezien, met zo'n strak, leeg, bijna verslagen gezicht: Deirdre, die onverslaanbaar was. 'Wat?' vroeg ze.

'Misschien heb je gelijk,' zei hij. 'Misschien moet ik nog niet alleen zijn. Mag ik een paar nachten bij jou blijven?'

'Natuurlijk mag dat,' zei ze. Ze stak haar arm over de scheidingsmuur van bagage. 'Je mag blijven zolang als je wilt.'

Hij bleef drie nachten bij Deirdre, en op de ochtend van de derde nacht vrijden ze. Misschien had het met hun dromen te maken, want ze draaiden zich bij het wakker worden eensgezind naar elkaar toe. Het was fijn als het op die manier ging, zo teder en spontaan, langzaam, ongehaast, lekker warm in bed, in het bleke licht van de winterochtend.

En toen het voorbij was, toen ze met succes hadden voltrokken wat voltrokken moest worden, praatten ze niet,
hielden ze elkaar alleen vast en sloten hun ogen terwijl het
licht geleidelijk de kamer vulde. Het was de laatste keer dat
ze vrijden.

's Middags bracht Gwendolyn Pierce, die op het huis en
de hond had gepast terwijl Omar weg was, Omars auto terug naar de stad. Ze liet hem achter op het parkeerterrein
van de bank met de sleuteltjes onder de stoel. Toen Omar
hem ging ophalen, vond hij een briefje dat met plakband
aan het stuur was bevestigd:

Omar,

*Welkom thuis en ik hoop dat je je beter voelt. Bedankt dat ik hier
mocht logeren. Het was heerlijk rustig en ik heb een hoop werk
verzet. Het is een heerlijke plek om te werken. Doet de tv het? Ik
had de indruk van niet maar misschien kon ik niet met de kabel
overweg of zo. Alles ging goed. Ik vroeg me af of de sneeuw op het
dak eraf moest worden geschept of zo. Het is al een flink pak – ik
weet niet of dat een probleem is. Mitzie maakt het goed. Ik heb
haar na de lunch naar buiten gelaten en kon haar niet vinden toen
ik weg moest, maar ze zal straks wel op je zitten wachten, of terugkomen met etenstijd. Ik heb gezocht en geroepen maar ik moest me
haasten want ik heb om 2 uur college. Nogmaals bedankt, Gwen.*

*P.S. Ik heb een paar keer interlokaal gebeld, naar Tempe en
New York. Laat even weten hoeveel ik je schuldig ben als de rekening komt. Er staat nog een restje lasagne in de koelkast (vege-
tarische). Dat kun je vanavond misschien wel eten!*

*P.P.S. Heb je het al gehoord? Garfield is met pensioen (eindelijk)
en Lucy GK is de nieuwe vakgroepvoorzitter (jakkie!)*

Die nacht, eindelijk in zijn bed dat niet van hem was, in het
huis dat niet van hem was, diep in het stille bos, lag Omar
te luisteren naar geluiden die van Mitzie zouden kunnen

zijn. Hij had een groot deel van de avond in het besneeuw-de bos naar haar lopen zoeken, maar ze was weg. Hij dacht aan Mitzie, alleen in het bos. Hij herinnerde zich uit *The Call of the Wild* dat sledehonden een cocon voor zichzelf in de sneeuw groeven om warm te slapen. Zou Mitzie dat ook kunnen? Was het een instinct, of iets genetisch, of aange-leerd gedrag? Of misschien lag Mitzie wel ergens dood langs de weg. Hij zou morgen de auto nemen en een eind rondrijden. O, wat vreselijk: eerst de brand en nu dit. Er stond altijd een tragedie te gebeuren, er lag altijd onheil op de loer, onzichtbaar geweld; hij kon er niet aan ontkomen. Hij was verdoemd. Hij was vergeten dat hij verdoemd was. Hij zou dat zo langzamerhand moeten weten, hij zou dat zo langzamerhand heel goed moeten weten, maar hij ver-gat het altijd weer. Hij herinnerde zich dat hij op de heen-reis champagne had gedronken en een toost had uitge-bracht op zichzelf, Deirdre, zijn toekomst. Wat een sukkel was hij geweest.

De volgende dag was hij op de campus bezig aanplakbiljet-ten met HOND VERMIST op te hangen toen Lucy Green-Kessler hem aansprak.

'Omar!' zei ze. 'Hoe gaat het met je?'

Hij draaide zich om en zag haar staan. Ze droeg een groene loden cape en een mannelijke hoed met een gouden veertje. Haar scherpe ogen waren goudbruin en haar wan-gen waren rood.

'Goed,' zei hij. 'Hoewel, eigenlijk niet. Ik ben mijn hond kwijt.' Hij wees naar het aanplakbiljet. 'Yvonnes hond. Ge-feliciteerd, ik hoorde dat jij de nieuwe vakgroepvoorzitter bent.'

'Nou ja, waarnemend voorzitter,' zei Lucy. 'Maar hoe is het met jou? Hoe voel je je? We maakten ons zorgen om je. We hoorden dat je ernstig ziek was.'

'Ja,' zei Omar. 'Dat klopt. Maar ik voel me al beter.'

'Lag je in coma?'

'Ja,' zei Omar.

'Heb je toch nog wat onderzoek kunnen doen? Het zou afschuwelijk zijn om zo'n verre reis voor niets te maken.'

'Een beetje,' zei Omar. 'Maar ik wil graag met je praten over de beurs.'

'Natuurlijk,' zei Lucy. 'Kun je later op de middag naar mijn kamer komen? Om een uur of vier?'

'Goed,' zei Omar.

'Mooi,' zei Lucy. 'Tot straks dan. O ja, ik ben naar Garfields kamer verhuisd. Dus ga me niet in het souterrain zoeken.'

'Oké,' zei Omar. 'Ik zal eraan denken.'

Lucy had zo te zien veel tijd besteed aan het opknappen van Nicholson Garfields kamer, een ruim vertrek op de bovenste verdieping van Dawe Hall, met een erker en een open haard. Ze had een bank en een paar gemakkelijke stoelen in de erker gezet en de papieren jaloezieën vervangen door gordijnen. Het was heel gezellig allemaal.

Lucy zag Omar rondkijken naar de veranderingen en zei: 'Ik zal hier veel tijd moeten doorbrengen, vandaar dat ik besloten heb de boel een beetje op te knappen, het wat huiselijker te maken. Een tweede huis! Ik begrijp niet hoe Garfield het hier uithield, al deed hij volgens mij niets anders dan vrouwen seksueel intimideren en die smerige pijp roken. Ik heb dagenlang de ramen open gehad om de stank weg te krijgen.' Lucy huiverde. 'Ik ben bijna doodgevroren, maar nu kan ik tenminste ademen. Laten we daar gaan zitten.' Ze wees naar de erker. 'Dat lijkt me gezelliger. Ik voel me te veel als Garfield achter zijn bureau. Hij wilde het bureau meenemen, wat ik prima vond, maar we konden het niet door de deur krijgen. En het had met geen mogelijkheid de trap af gekund. Blijkbaar is het lang geleden door het raam naar binnen getakeld, dus nu zit ik ermee. *C'est* afzichtelijk, *non*?'

'*Oui*,' zei Omar. Het was een enorm bureau, rijkversierd met houtsnijwerk en met een overvloed aan klauwpoten.

Lucy nam op een schommelstoel plaats en knikte naar de

bank. Omar ging zitten. Lucy pakte een sjaal van de rugleuning en drapeerde die om haar schouders. 'Het is kil
hier bij de ramen. Ik wil de onderhoudsdienst naar de open
haard laten kijken. Garfield had hem vol gezet met troep.
Niemand schijnt te weten of dat ding het doet. Zou dat niet
heerlijk zijn? Ik heb bedacht dat ik hier wel theemiddagen
bij het haardvuur kan organiseren, elke week een paar le-
den van de vakgroep, en dan een thema kiezen om over te
discussiëren. Jij kunt een keer over je werk met Gunk komen praten. Ik vind echt dat het intellectuele en sociale leven van de universiteit meer vervlochten moeten zijn.' Ze
strengelde ter illustratie haar vingers in elkaar. 'Of misschien niet alleen de vakgroep Engels, misschien ook mensen van buiten uitnodigen en bijeenbrengen, een chemi-
cus, een historicus, iemand van genderstudies: als je zo'n
groep bijeenbrengt om thee te drinken bij het haardvuur,
kan dat volgens mij een wereld van verschil maken.'
    Omar beaamde dit.
    'Over thee gesproken, heb je zin in een kopje? Ik kan
Kathy vragen om een pot voor ons te zetten als je wilt. Ik
heb heerlijke losse darjeeling.'
    'Nee, dank je,' zei Omar.
    'Goed,' zei Lucy, terwijl ze achteroverleunde en de stoel
een beetje liet schommelen. 'Ik ben zo blij te horen dat je
reis een succes was, ondanks de narigheden. Ik vind het
fantastisch dat je de Siebert Petrie-prijs hebt gekregen,
Omar. Echt waar. Heb ik je dit ooit verteld? Je weet dat ik
in de commissie zat, hè? Sommige mensen – Garfield bijvoorbeeld – waren een beetje sceptisch over jouw project;
ze vonden Gunk te veel een onbekende grootheid.'
    'Hij heet Gund,' zei Omar.
    'Wat?'
    'Hij heet Gund, de man aan wie ik werk: Jules Gund.
Niet Gunk.'
    'Gund, natuurlijk, Gund. Ik dacht dat ik Gund zei. Hoe
dan ook. Mijn punt is, ik heb een goed woordje voor je gedaan. Garfield was helemaal weg van Teresha Lakes werk

over Hawthorne. Persoonlijk vind ik dat we alles wat we over Hawthorne moeten weten al weten, maar iemand als Gund, ja, dat is nieuw terrein. Dat is baanbrekend werk, en daar wil ik met deze vakgroep naartoe.'

Omar stond op. Hij keek langs Lucy heen uit de erkerramen. Het was donker geworden terwijl ze daar zaten en de lantaarns langs de paden brandden. Het sneeuwde, dichte vlokken die snel omlaag vielen, met moedeloos makende volharding, alsof ze haast hadden om de aarde te bedekken.

'Ik heb besloten de biografie niet te schrijven,' zei hij. 'Ik heb besloten de prijs terug te geven.'

'Omar! Wat vertel je me nu? Ik dacht dat je zei dat je daar al wat onderzoek had gedaan –'

'Nee,' zei Omar. 'Het spijt me. Dat was gelogen. Ik heb besloten geen biografie over Jules Gund te schrijven.'

'Waarom?' vroeg Lucy. 'Waarom niet?'

Omar schudde zijn hoofd. 'En ik kom volgend semester niet terug. Ik heb besloten de academische wereld vaarwel te zeggen.'

'Waarom? Heeft het iets met Garfield te maken? Ik ben in voor verandering, Omar, echt waar. Ik wil dat er dingen veranderen in de vakgroep.'

'Het heeft niets met de vakgroep te maken,' zei Omar.

'Dan begrijp ik het niet. Heb je elders een beter aanbod?'

'Nee,' zei Omar.

'Wat dan?' vroeg Lucy.

'Dit is gewoon niet wat ik wil,' zei Omar.

'O,' zei Lucy. 'Wat bedoel je: de biografie schrijven of lesgeven?'

'Allebei,' zei Omar.

'O,' zei Lucy weer. 'Nou ja, je zult zelf wel weten wat het beste voor je is. Dat neem ik tenminste aan. En misschien heb je gelijk. Ik bedoel, ik heb de evaluaties van de studenten zitten bekijken – ik wil in elk geval het niveau van lesgeven over de hele linie verbeteren – en ik las een paar opmerkingen over jou die me eerlijk gezegd wel te denken

gaven. Misschien ben je niet voor het vak van docent in de wieg gelegd, Omar.'

'Nee,' zei Omar. 'Misschien niet.'

'Tja, het kan een vloek zijn, hoor,' zei Lucy, met een gemaakt vrolijke lach. 'Ik zou het niemand toewensen. Je kunt beter nu de mantel afwerpen, voor die te zwaar gaat wegen en alles verloren is.'

'Ik denk er precies zo over,' zei Omar.

'Maar het is wel jammer: je werk aan Gund, en de beurs. Maar misschien is hij niet belangrijk genoeg.'

'Dat denk ik,' zei Omar. 'Er bleek eigenlijk niet veel in te zitten.'

'Ja,' zei Lucy. 'Dat is dikwijls het geval met schrijvers: ze leiden zulke saaie levens! En wij critici maar vruchteloos wroeten om in die prozaïsche troep nog iets te vinden. Daarom is het zo heerlijk om met Woolf bezig te zijn: daar zit zoveel in. Er komt gewoon geen eind aan. Maar iemand als Gund – je mag waarschijnlijk blij zijn dat je er vanaf bent. Maar ik zal je wel missen. Het was fijn om iemand met jouw culturele achtergrond in het programma te hebben. Dat zullen we allemaal missen.'

'Nou ja,' zei Omar, 'ik wilde het je gewoon zo gauw mogelijk vertellen, zodat je er rekening mee kunt houden in je planning voor volgend jaar.'

'Dank je,' zei Lucy. 'Je maakt het semester toch wel af, hè?'

'Natuurlijk,' zei Omar.

'Mooi,' zei Lucy. Ze gaf hem een hand. 'Nou,' zei ze, 'ik moet weer aan het werk. Ik heb al gemerkt dat het werk van een vakgroepvoorzitter nooit af is. Ik snap niet hoe Garfield het deed. Ik denk dat hij het gewoon niet deed.'

'Ja,' zei Omar. 'Dat was vermoedelijk zijn truc.'

Deirdre was op weg naar tai chi toen ze op een straatlantaarn het aanplakbiljet zag met de tekst HOND VERMIST. Ze herkende Omars handschrift:

kleine witharige hond, luistert naar de naam Mitzie
vermist sinds woensdag 16 jan., omgeving Hiawatha
Woods
bel 448-2123 als u iets weet

O God, dacht ze, Omar is Mitzie kwijt. Die stomme hond!

Toen ze langs Kiplings kwam, wierp ze een blik door het raam en zag tot haar verbazing Omar alleen aan de bar zitten, met een biertje. Ze keerde om en stapte het restaurant binnen. Ze ging op de kruk naast hem zitten.

Hij was diep in gedachten en keek pas op van zijn bier toen ze hem aanraakte. 'Deirdre!' zei hij. 'Wat doe jij hier?'

'Ik zag jou. Ik was op weg naar tai chi.' Ze keek op haar horloge. Ze zou te laat komen. 'Ik zag je zitten. Wat doe je hier?' Ze nam een slok uit zijn glas.

'Wil je een biertje?' vroeg hij.

'Nee,' zei ze. 'Ik moet naar tai chi. Maar wat doe je hier? Ik zag het aanplakbiljet voor Mitzie. Hoe lang is ze al weg?'

'Sinds gisteren. Gwendolyn Pierce heeft haar buiten gelaten. En ze is niet teruggekomen. Ik weet niet wat ik moet doen. Ik heb de politie gebeld. Er is geen enkele hond gevonden, dood of levend. Daarom heb ik die biljetten opgehangen.'

'Je had er een foto op moeten zetten. Zodat mensen haar herkennen als ze haar zien.'

'Ik kon geen foto vinden. Yvonne heeft al haar privéspullen verstopt. Of misschien heeft ze geen privéspullen. Daarom heb ik haar beschreven.'

'Ja, maar klein en witharig, dat kan op een heleboel honden slaan.'

'Nou ja, ik wist niks beters.'

'Zit er maar niet over in,' zei Deirdre. 'Het is jouw schuld niet.'

'Natuurlijk is het mijn schuld!' zei Omar. 'Ik ben verantwoordelijk voor Mitzie.'

'Ja, en toen jij wegging was Gwen Pierce verantwoorde-

lijk voor Mitzie. Als zij Mitzie niet buiten had gelaten zou dit niet gebeurd zijn. Het was stom van haar. Onverantwoordelijk.'

Omar zei niets. Hij liet zijn hoofd op zijn handen rusten. 'Je moet naar tai chi,' zei hij. 'Anders kom je te laat.'

Deirdre legde haar hand op zijn rug. Ze had het gevoel dat hij huilde, maar zijn gezicht ging schuil achter zijn handen. 'Wat is er mis, Omar?' vroeg ze.

'Alles,' zei Omar. En toen maakte hij een geluid dat op huilen leek.

'O, Omar,' zei Deirdre. Ze klopte op zijn rug. 'Vertel het maar. Wat is er? Mitzie is maar een hond. Ze komt wel terug. En als ze niet terugkomt, is dat nog niet het einde van de wereld. Je moet het je niet zo aantrekken. Yvonne begrijpt het wel. Het was niet jouw schuld. Als Mitzie is weggelopen, is dat Mitzies zaak, niet jouw zaak.'

'Het gaat niet om Mitzie,' zei Omar. 'Mitzie kan gestolen worden. Kan me gestolen worden, bedoel ik.'

'Wat dan?' vroeg Deirdre. 'Wat is er dan?'

Omar moest hevig slikken. Haar hand wipte op van zijn rug, maar ze drukte hem er weer zachtjes tegenaan. Ze voelde de warmte van zijn huid door zijn overhemd heen. Hij droeg een overhemd dat zij hem twee jaar geleden voor zijn verjaardag had gegeven: een lichtgroen overhemd van zeemleer. Het stond erg mooi bij zijn donkere haar.

Na een poosje vroeg ze weer: 'Wat is er dan?'

Hij hief zijn hoofd op en keek haar aan. 'Ik heb net een gesprek gehad met Lucy Greene-Kessler,' zei hij. 'Ik heb haar verteld dat ik de beurs wil teruggeven. Of wat er van over is. Ik ga geen biografie over Gund schrijven.'

Even zei Deirdre niets. Ze nam nog een slok van Omars bier. Daarna bestelde ze voor zichzelf een biertje. Toen de barkeeper het berijpte glas voor haar neerzette zei ze, voorzichtig, rustig: 'Omar, wat is er in Uruguay met je gebeurd? Ik bedoel, ik weet van die bijensteek, maar wat is er gebeurd waardoor je de biografie niet wilt schrijven? Vertel het me alsjeblieft.'

'Ik heb me gewoon gerealiseerd dat ik geen biografie over Jules Gund wil schrijven. Ik wil over niemand een biografie schrijven.'

'Maar waarom? Waarom niet? Is er iets gebeurd? Heb je iets ontdekt?'

'Nee,' zei Omar. 'Ik kan het niet zeggen. Ik kan het niet uitleggen.'

'Omar, je mag je niet door je gevoelens in de weg laten zitten.'

'Waarom niet?'

'Omdat je toestemming hebt om het boek te schrijven. Dat is het enige wat telt. Wat er ook voor gekibbel tussen hen was, of wat voor twijfels ze ook hebben geuit – daar moet je je niets van aantrekken. Daar mag je je niet door laten beïnvloeden. Je moet een beetje meedogenloos zijn, denk ik, om een biografie te schrijven.'

'Ik wil niet meedogenloos zijn. Ik geef het geld van de beurs terug. Ik ga niet promoveren.'

'Hoe wil je het geld teruggeven? Je hebt een deel al uitgegeven.'

'Ik vind er wel iets op. Ik leen het van iemand. Of misschien hoef ik niet alles terug te betalen. Ik weet het niet. Daar gaat het niet om. Het gaat erom dat ik hiermee ophoud.'

'Waarmee?'

Omar ging rechtop zitten en keek de bar rond. Zij waren de enige aanwezigen. Hij gebaarde vaag om zich heen. 'Ik moet hiermee ophouden,' zei hij. 'Ik moet ophouden met het leven dat ik leid. Het is niet goed voor me. Het is niet mijn leven.'

'Wat bedoel je, niet jouw leven? Natuurlijk is het jouw leven. Waar heb je het over? Heb je de dokter gebeld? Heb je een afspraak gemaakt?'

Omar keek haar aan. 'Het is niet mijn leven,' zei hij. 'Ik weet niet waar ik mee bezig ben geweest. Het spijt me, Deirdre.'

'En wij dan?' vroeg Deirdre. 'Denk je ook zo over ons? Over mij?'

'Ik vind dat het tussen ons ook niet goed zit. Het spijt me. Ik vind dat ik mezelf niet ben bij jou.'

'Natuurlijk ben je jezelf! Omar! Ik hou van je!'

'Ik denk niet dat je van me kunt houden,' zei Omar. 'Ik denk niet dat je me erg goed kent.'

Deirdre keek naar haar bier. Het had een heel dikke schuimkraag. Ze zag het schuim inzakken, de luchtbelletjes met zachte kreten uit elkaar spatten. Toen keek ze Omar weer aan. 'Het doet me zo'n pijn dat je dat zegt, Omar. Ik hou van je! En natuurlijk ken ik je. Na alles wat we hebben doorgemaakt. Ik bedoel, ik weet natuurlijk niet alles over je, ik ken je niet door en door, maar niemand kent een ander op die manier. Ik ken je beter dan wie dan ook, denk ik.'

Omar dacht aan Arden, die hem had gezoend. Die hij had gezoend. Kende zij hem? Het leek van wel, op een rare manier. Vanaf het moment dat hij haar ontmoette had hij zich wezenlijk op zijn gemak gevoeld: het was geen kwestie van kennen, natuurlijk, want Arden kende hem niet. Maar wat dan? Als het niet om kennen ging, waar ging het dan om?

'Misschien ken je me wel,' zei Omar. 'Maar dat is waarschijnlijk het punt niet. Ik denk dat je me niet snapt.'

'Snapt? Hoezo? Wat bedoel je?'

'Het lijkt wel of je me altijd wilt veranderen,' zei Omar.

'Ik wil je niet veranderen! Als je dat denkt, begrijp je het niet. O, Omar, ik hou van je. Ik wil je niet veranderen. Maar ik wil wel dat je dingen doet waar je goed in bent, dingen die in jouw belang zijn. Ja, dat wil ik inderdaad. En als ik je stimuleer om die dingen te doen, probeer ik je niet te veranderen! Dan stimuleer ik je! Dan help ik je.'

'Misschien zijn we het oneens over wat in mijn belang is,' zei Omar.

'O,' zei Deirdre. 'Nou, wat vind jij dan dat in jouw belang is? Is het in jouw belang om de biografie niet te schrijven en het geld van de beurs terug te geven en te stoppen met lesgeven?'

'Ja,' zei Omar. 'Ik vind van wel.'

'En waarom – ik ben gewoon nieuwsgierig, ik vraag het me gewoon af – waarom vind je dat?'

'Het spijt me, Deirdre. Je weet dat mijn vader wilde dat ik medicijnen ging studeren. En dat zag ik echt niet zitten. Ik hield van boeken, ik houd van lezen, dus ik dacht, ik ga promoveren in de letterkunde, maar het is niets voor mij. Ik houd van boeken en ik houd van lezen, maar dat is het. Ik houd niet van lesgeven of schrijven of al die andere dingen die erbij horen. Ik ben er niet goed in en ik vind het niet leuk. Ik ben niet zoals jij. Het spijt me, maar ik ben niet zoals jij.'

Deirdre zei niets. Ze dronk van haar bier. Na een poosje keek ze Omar aan. Er lagen tranen op haar wangen. 'En wat dan?' vroeg ze. 'Wat wil je dan gaan doen?'

'Ik weet het niet,' zei Omar. 'Ik ben achtentwintig jaar en ik weet niet wat ik wil. Ik weet niet wat ik kan. Ik weet helemaal niets.'

'Ik wil hier niet huilen,' zei Deirdre. 'Ik ga hier niet zitten huilen, in dat stomme Kiplings.'

'Het spijt me, Deirdre.'

'Het spijt je! O, ik haat je! Nee, ik haat je niet, maar o, Omar, ik wilde zo graag, zo heel erg graag, dat het allemaal zou lukken. Ik denk uit egoïsme, ik denk dat het allemaal om mij draaide, om mij en jou, maar toch, ik wilde dat het zou lukken. Ik was zo trots op je: helemaal in je eentje naar Uruguay – Uruguay! – om toestemming te vragen, ik zag een hele toekomst voor je in het verschiet, een mooie toekomst, en het leek me goed, maar misschien heb je gelijk, misschien ken ik je niet of snap ik je niet, misschien is het niets voor jou, maar ik wilde alleen maar dat je gelukkig zou worden, dat je succes zou hebben en gelukkig zou worden.'

'Zonder jou zou ik nooit gegaan zijn,' zei Omar.

'Nee. En wat heeft het je opgeleverd? Een bijensteek. Een coma. Een ellendige terugreis.'

Ze zwegen even, en toen zei Omar: 'Ik denk dat ik nu maar naar huis ga. Ik ben moe. Ik ben nog steeds gauw

moe. We kunnen hier later wel verder over praten. Haal je tai chi nog?'

Deirdre keek op haar haar horloge. 'Nee,' zei ze.

'Het spijt me,' zei Omar.

'Dat hoeft niet.'

'Maar het spijt me toch.' Omar stond op. Hij bukte zich en zoende Deirdres natte wang. 'Ik ben je erg dankbaar,' zei hij.

'Waarom? Omdat ik je niet snap?'

'Nee,' zei Omar. 'Omdat je van me houdt.'

Het was net een droom: de koplampen boorden een tunnel door het donker en aan het eind van de tunnel zat Mitzie op de veranda. Ze keek verbaasd naar de auto, en toen hij uitstapte rende ze blaffend op hem af en sprong tegen hem op: ze kende hem nog, ze was teruggekomen, en ze was blij, gewoon blij, om hem weer te zien.

Omar lag al een tijdje in bed toen de telefoon ging. Hij wist niet precies hoe laat het was. Hij kwam uit bed en nam op.

'Hallo,' zei hij.

'Ik bel over die zoekgeraakte hond,' zei een vrouw. 'Een kleine witharige hond. Die heb ik hier bij me.'

Even vergat Omar, met zijn slaperige hoofd, dat Mitzie al terug was. Of misschien had hij dat gedroomd. 'Echt waar?' zei hij.

'Ja,' zei de vrouw. 'Is er een beloning?'

Omar was in de war. 'Wacht even,' zei hij. Hij legde de telefoon neer en ging naar de keuken. Mitzie lag in haar mand te slapen. Ze keek hem nieuwsgierig aan. Hij ging terug naar de telefoon. 'Ik ben bang dat u zich vergist,' zei hij. 'Ik heb mijn hond al gevonden.'

'Ben je te gierig om een beloning te betalen?' zei de vrouw.

'Nee,' zei Omar. 'Dat is het niet. Mijn hond is hier. Ze is teruggekomen.'

'Krijg de tering,' zei de vrouw. Ze hing op.

Omar ging terug naar de keuken. Hij aaide Mitzie en dronk een glas water. Hij at een onsmakelijk suikervrij koekje dat Gwendolyn Pierce had achtergelaten. Daarna kleedde hij zich aan en reed naar de stad. Hij parkeerde bij de bank en liep rond om alle aanplakbiljetten met HOND VERMIST weg te halen. Hij deed er lang over, want hij moest zich alle plekken herinneren waar hij ze had opgehangen. Hij wilde zeker weten dat hij ze allemaal had. Het waren er twintig geweest, maar hij kon er maar zeventien vinden. Misschien had iemand de ontbrekende drie meegenomen, of misschien hingen ze nog ergens.

HOOFDSTUK EENENTWINTIG

7 februari 1996

Geachte meneer Gund, mevrouw Gund en mevrouw Langdon,

Ik schrijf u om te bedanken voor de ongelooflijk gulle en gastvrije wijze waarop u me hebt ontvangen toen ik in Uruguay was. Mijn excuses dat ik u zo heb overvallen, ik zie nu wel in hoe onbeleefd en onnadenkend dat was. Mijn onbeleefdheid maakt uw gastvrijheid des te opmerkelijker.

Ik voel me al een stuk beter. Ik ben nog wel een beetje moe, maar ik heb elke dag meer kracht en energie. Ik ben u, en dokter Peni, erg erkentelijk voor alle goede zorgen. Hartelijk dank.

Behalve u bedanken wilde ik u ook meedelen dat ik geen biografie van Jules Gund ga schrijven. Ik zou wel willen dat ik gemakkelijk kon uitleggen waarom ik van het schrijven van de biografie heb afgezien, maar dat kan ik helaas niet. Laat ik volstaan met te zeggen dat ik besloten heb de academische wereld vaarwel te zeggen en andere wegen in te slaan. Het spijt me dat ik u heb lastiggevallen met mijn verzoek en waardeer het dat u het zo zorgvuldig in overweging hebt genomen.

Ik zal me mijn verblijf in Ochos Rios (ondanks mijn ziekte) altijd herinneren als een heerlijke tijd. Ik heb van u allen veel geleerd waarvoor ik dankbaar ben.

Nogmaals mijn excuses voor de last die ik u heb bezorgd.

Ik wens u, en ook Pete en Portia, het allerbeste.

Met vriendelijke groeten,
Omar Razaghi

HOOFDSTUK TWEEËNTWINTIG

Lucy Greene-Kessler hield aan het eind van het semester een barbecue in haar achtertuin. Omar zat aan een picknicktafel toen hij twee handen op zijn schouders voelde, die hem zachtjes door elkaar schudden en daarna masseerden. Deirdre kwam naast hem zitten. Ze had heel wat op haar bordje liggen: geroosterde kip, aardappelsalade, fruitsalade en pastasalade. 'Lang niet gezien,' zei ze.

'Hallo,' zei Omar.

'Hoe gaat het ermee?'

'Goed,' zei Omar. 'En met jou?'

'Prima,' zei Deirdre. 'Niet te geloven dat je hier bent. Je was min of meer verdwenen.'

'Ik hield me gedeisd.'

'Zeg dat wel,' zei Deirdre. 'Goddank dat Lucy Greene-Kessler promotie heeft gemaakt. Al verbaast het me jou hier te zien.'

'Ik was niet van plan om te komen,' zei Omar. 'Maar toen bedacht ik dat ik afscheid wilde nemen van mensen.'

'Waar ga je heen?'

'Terug naar Toronto. Ik ga een tijdje bij mijn ouders wonen.'

'En wat ga je doen?'

'Mijn vader heeft een baan voor me geregeld in het ziekenhuis. Ik word assistent bij fysiotherapie.'

'Wat houdt dat in?'

'Mensen vasthouden terwijl ze gemarteld worden, denk ik,' zei Omar.

'Wanneer ga je naar Toronto?'

'Zodra Yvonne terug is. De eerste week van juni.'

'Ga je echt bij je ouders wonen en in een ziekenhuis werken?'

'Ja,' zei Omar. 'In elk geval voorlopig.'

'Moet je een uniform aan?'

'Dat zal wel,' zei Omar.

'Zie je het wel zitten?'

'Ja hoor. Je gaat er niet dood van als je een uniform draagt en bij je ouders in Toronto woont.'

Deirdre wilde zeggen: Jawel, op een bepaalde manier wel, zonder dat je het zelf merkt. Maar we gaan allemaal dood, dacht ze, zonder dat we het zelf merken. Ze schoof haar volgeladen bord weg.

'Heb je zin om een eindje te wandelen?'

'Waarheen?'

'Ik weet niet. Zomaar. Een blokje om.'

'Nu?' vroeg Omar.

'Nee,' zei Deirdre, 'over een paar jaar.'

Lucy woonde in een mooie oude buurt: huizen met keurig gesnoeide heesters, veranda's en feestelijke kransen of vlaggen aan de voordeur. Ze liepen de oprit af en slenterden over het trottoir, waar de stoeptegels waren gebarsten en ontzet door de wortels van de grote oude bomen in de straat. Ze zeiden niets tot ze de hoek om waren.

'Ik heb die baan bij Bucknell,' zei Deirdre.

'Ja? Gefeliciteerd! Geweldig.'

'Nou ja, het is maar een aanstelling voor één jaar. Complete uitbuiting. Maar dat zal me een zorg zijn.'

'Het is een goede universiteit om les te geven,' zei Omar. 'In Ohio, hè?'

'Pennsylvania. Midden tussen de weilanden. Geen bruisende grote stad *pour moi.*'

'Wanneer ga je?'

'Pas in augustus. Ik geef hier zomercursussen. O, Omar. Ga je echt naar Toronto?'

'Ja,' zei Omar. 'In elk geval een tijdje. Tot ik bedacht heb wat ik wil doen. Of wat ik kan doen.'

'Wat wil je doen?'

'Dat weet ik niet,' zei Omar. 'Daarom ga ik naar Toronto, om dat uit te zoeken. Het heeft geen zin om hier te blijven.'

'Je zou hier een baan kunnen nemen,' zei Deirdre.

'Ja,' zei Omar, 'als schoenverkoper in het winkelcentrum.'

'Ik zie jou gewoon niet in een ziekenhuis werken.'

'Het is maar tijdelijk. Ik moet geld verdienen. En – dingen uitzoeken.'

Deirdre trok een nieuw blad van een boom, een dik, groen, jong blaadje, en scheurde het aan flarden.

'Heb je nog iets van ze gehoord?'

'Van wie?'

'Dat weet je best. Die lui daarbeneden.' Ze knikte naar de ontwrichte stoeptegels.

'Nee,' zei Omar.

'Zou je willen – vind je nog steeds dat je de juiste beslissing hebt genomen?'

'Ja,' zei Omar.

'Je wilt er niet over praten, hè?'

'Nee,' zei Omar.

'Wil je er niet over praten of wil je er niet met mij over praten?'

Omar haalde zijn schouders op. Ze stapten opzij, om ruimte te maken voor een klein meisje dat als een bezetene op een driewieler reed. Toen ze voorbij was, zei Deirdre: 'Het is zo raar. Ik weet dat we geen stel meer zijn, we zijn niet intiem, we spreken elkaar niet meer elke dag zoals vroeger, maar het lijkt zo vreemd, zo raar, dat mijn betrokkenheid bij jou gewoon moet ophouden. Eindigen. Want zo voel ik het niet.'

'Betrokkenheid?' zei Omar.

'Ik weet geen beter woord,' zei Deirdre. 'Liefde misschien. Ik weet het niet. Ik vind het zo akelig om geen contact met je te hebben. Ik word er niet goed van.' Ze gooide de verpulverde snippers van het blad op de grond.

'Ik wil het gewoon allemaal vergeten,' zei Omar.

'Over ons?'

'Nee, dat niet. Dat natuurlijk niet. Ik bedoelde het eind, de reis, het boek, al die dingen. Dat wil ik vergeten.'

'Waarom?' vroeg Deirdre.

'Nee,' zei Omar. 'Niet vergeten. Maar gewoon laten rusten. Niet aan denken of over praten.'

'Ik denk er wel aan,' zei Deirdre. 'Ik verbaas me erover.'

Omar zei niets.

'Omar?' vroeg Deirdre.

Omar zei niets.

'Omar,' zei Deirdre weer, 'mag ik je iets vragen?'

Ze keek hem aan, maar hij keek recht voor zich uit, langs het trottoir, dat rees en daalde als geologische platen. Hij knikte.

'Ben je – ik heb erover nagedacht, geprobeerd het te verklaren. Je was zo vreemd. Het was allemaal zo vreemd. Ben je verliefd geworden op Arden? Is dat wat er gebeurd is? Ik bedoel, behalve die bij –'

Ze liepen langs een huis dat op een helling was gebouwd; het gazon liep schuin af en het pad naar de voordeur begon met een reeks traptreden. Omar ging op de onderste tree zitten en bedekte zijn gezicht met zijn handen; hij ging op een heel natuurlijke manier zitten, alsof dit zijn huis was, alsof hij hier woonde en nu thuis was en het volste recht had om zijn leven, of een deel van zijn leven, zittend op de tree door te brengen. Deirdre keek rond, maar er was niemand op straat, het meisje met de driewieler was verdwenen. Ze ging naast Omar zitten.

Omar haalde zijn handen weg. Zijn ogen leken een beetje wazig en verkleurd, alsof hij zijn vuisten in zijn oogkassen had geduwd. Hij was magerder geworden, besefte ze; ze had nooit eerder gemerkt dat hij oogkassen had. Hij zei: 'Ik moet me er gewoon overheen zetten.'

Deirdre zweeg. Ze was zich bewust van het moment: zij en Omar naast elkaar op de trap van een of ander huis. Hier eindigt het, dacht ze. En we zullen nooit weten wie er in het huis woont, wat voor mensen het zijn, welk drama zich afspeelt aan het eind van het pad, achter de groene voordeur, voorbij de rododendrons. Nee, dat zullen we nooit weten.

'Of niet,' zei ze.

'Wat?' zei Omar.

'Je kunt je eroverheen zetten,' zei ze, 'of niet.'

'Ik moet me eroverheen zetten,' zei Omar. 'Ik moet bedenken wat ik ga doen, of nee: wat ik kan doen, en dat dan doen.'

'Ja,' zei Deirdre. 'Mensen vasthouden terwijl ze gemarteld worden in een ziekenhuis in Toronto lijkt me een uitstekende manier om daar achter te komen.'

'Wat kan ik anders doen?' vroeg Omar.

'Je kunt alles doen wat je wilt,' zei Deirdre.

'Ja,' zei Omar, 'en morgen is de eerste dag van de rest van mijn leven.'

Deirdre zei een tijdje niets, en daarna zei ze: 'Je kunt van Arden gaan houden. Of het in elk geval proberen. Ik denk dat het je gemakkelijker zou afgaan dan mensen vasthouden terwijl ze gemarteld worden.'

'Ze houdt niet van mij,' zei Omar.

'Hoe weet je dat?'

'Dat heeft ze gezegd.'

'Misschien vergiste ze zich. Mensen vergissen zich vaak in zulke dingen, hoor.' Ze zweeg even. 'Behalve ik, natuurlijk. Ik vergiste me niet: ik hield echt van je, weet je.'

'Ja, ik weet het,' zei Omar.

'Goed zo,' zei Deirdre. 'Daar zat ik over in.' Ze zweeg even, en zei toen: 'Ik mis je.'

'Ik mis jou ook,' zei Omar.

'Goed zo,' zei Deirdre. Ze raakte hem aan. 'Goed zo.'

Ze stond op. 'Ik wil me er niet mee bemoeien, maar ik zou niet naar Toronto gaan. Ik zou naar Uruguay gaan als ik jou was.'

Omar lachte.

'Wat is er?' vroeg Deirdre.

'Je spoort me altijd aan om naar Uruguay te gaan,' zei Omar.

'Niet altijd,' zei Deirdre. 'Twee keer maar.' Ze stak haar hand uit. 'Kom,' zei ze. 'We moeten terug.'

HOOFDSTUK DRIEËNTWINTIG

Ze was laat; ze had in Miami haar aansluitende vlucht gemist, dus in plaats van vroeg op de avond kwam ze pas na middernacht in New York aan. Tegen de tijd dat ze met haar bagage was herenigd en door de douane was, was het half twee. Ze viel in de taxi in slaap en werd wakker toen ze langs Yankee Stadium reden; ze wist, of meende te weten op grond van haar beperkte kennis van de geografie van New York, dat dit niet klopte, dat ze niet langs Yankee Stadium hoorden te komen, een kolos die wit oplichtte in het donker als een gebouw in een droom. Misschien was dit een droom. Ze ging naar voren zitten en tikte op het glas – nou ja, plexiglas – van de scheidingswand. Even moest ze nadenken welke taal ze moest spreken.

'Waar zijn we?' vroeg ze. 'Waarom rijden we langs Yankee Stadium? Ik wil naar Manhattan. Jane Street, in Greenwich Village.'

'Dit is een kortere weg,' zei de chauffeur. Hij had een mooi gezicht: droevige, donkere ogen die haar vermoeid aankeken in de achteruitkijkspiegel. 'Er is veel verkeer als je de andere route neemt.'

'Het is midden in de nacht!' zei ze. 'Er is geen verkeer!'

'Dit gaat vlug,' zei hij. 'Ik breng u snel naar Greenwich Village. Maak u niet druk, mevrouw, dan komt het allemaal goed.'

Ze leunde weer achterover en keek naar de donkere, verlaten stad. Ze zou hem geen fooi geven.

Hij zette de auto langs de stoeprand. 'Zo, mevrouw. We zijn er.'

Ze leunde voorover en keek naar het gebouw. Het zag er niet hetzelfde uit, het zag er niet uit zoals ze het zich herinnerde, maar ja, ze had het ruim dertig jaar niet gezien. Ooit had ze hier een paar jaar gewoond, eind jaren vijftig. Was

dat hier geweest? Het zag er zo anders uit. Maar het nummer klopte. 'Is dit Jane Street?' vroeg ze.

'Ja, mevrouw,' zei hij.

Ze betaalde, en gaf toch een fooi. Hij had haar tenslotte hier gebracht, en wist zij veel? Misschien lag Yankee Stadium wel op de route. Misschien was het verplaatst. Hij tilde haar koffer uit de achterbak en zette hem op de stoep. Het was een prachtige nacht, koel, de bomen vol sappig jong groen.

'Dit is toch het goede gebouw?' vroeg hij.

'Ja,' zei ze. 'Bedankt. Welterusten.'

Hij stapte weer in. Even zat hij nog naar haar te kijken. Toen reed hij weg. Er hing een geur van New York die ze zich herinnerde. Ze bleef op het trottoir staan, naast haar koffer, en snoof de geur op.

Na een moment beklom ze de treden naar de verlichte hal. Ze moest de sleutels ophalen bij de conciërge, maar ze had 's avonds om zes uur zullen aankomen. Toch zat er niets anders op. Ze wist geen hotel in de buurt. Ze kon natuurlijk ook tot het ochtendkrieken op de stoep gaan zitten, maar haar vermoeidheid gaf haar moed. Ze drukte op de bel waarbij CONCIËRGE stond. Er gebeurde niets, dus ze drukte nog eens, en nog eens, langer. Ze hield de bel ingedrukt. Ten slotte snerpte er een schelle stem uit de intercom. 'Hallo!' riep ze. 'Ik ben Caroline Gund.'

De deur zoemde en ze duwde hem met haar voet open. Ze schoof haar koffer de lobby in en volgde zelf. Ze stond even te hijgen, alsof ze een berg had beklommen. Ze kon zich niet herinneren waar de flat van de conciërge was. Ze herinnerde zich geen conciërge. Ze kon zich hun appartement voorstellen, achterin, op de bovenste verdieping. Ze stond naast de brievenbussen. Ze zag de brievenbus met het bordje M. DESCOURTIEUX. Ze raakte het aan.

De lift ging open en er stapte een man uit die nog bezig was zijn overhemd in zijn broek te stoppen. Even verwarde ze hem met de taxichauffeur: hij had dezelfde ogen, dezelfde droevige, vermoeide ogen.

'Mevrouw Gund?' zei hij.

'Ja,' zei ze.

Hij hield een bos sleutels aan een ring omhoog. 'Hier zijn de sleutels.'

'Het spijt me dat ik zo laat ben,' zei ze. 'Het spijt me dat ik u wakker heb gemaakt.'

'Dat geeft niet,' zei hij. Hij overhandigde haar de sleutels. 'Hebt u hulp nodig?' Hij knikte naar haar koffer.

'Nee,' zei ze. 'Dank u.'

'Gecondoleerd met uw zuster,' zei hij. 'Een erg aardige vrouw. Een echte dame.'

'Ja,' zei ze.

'Ze heeft hier lang gewoond,' zei hij.

'Ja,' zei ze. 'Veertig jaar.'

'Jemig,' zei hij. 'Meneer Perth, op 6B, die heeft Hugo.'

Ze begreep niet wat hij bedoelde, dus ze knikte maar. 'Ik ben erg moe,' zei ze.

Hij bekeek haar even. 'Waar komt u vandaan?' vroeg hij. 'Rusland?'

'Nee,' zei ze. 'Uruguay. Bedankt voor de sleutels. Welterusten.'

Hij zei welterusten en verdween in de lift. Ze wachtte even en drukte toen op het knopje, en na een moment kwam de lift leeg terug en stapte ze erin met haar koffer.

Ze had moeite met de sloten en de sleutels, maar ten slotte zwaaide de deur open. Binnen was het donker. Ze herinnerde zich de lange gang. Ze herinnerde zich waar het lichtknopje zat en tastte ernaar, vond het, draaide het om. Ze sloot de deur achter zich en deed de grendel erop. Langs een muur stond een lage boekenkast met daarop een rij aardewerken kommen waarin munten, luciferdoosjes, kerstversieringen en oude sleutels lagen. Boven de kast hing een ingelijste reproductie van Paul Klee. Ze zette haar koffer op de versleten houten vloer en liep de gang in. Ze passeerde de keuken en ging de woonkamer in. Natuurlijk was het interieur veranderd, maar ook de kamer zelf was anders dan ze zich herinnerde. In haar herinnering waren

er aan twee kanten ramen. Ze knipte een lamp op een tafeltje aan en keek om zich heen. De kamer was erg vol: overal boeken, schilderijen, meubels en planten, maar toch zag het er heel netjes en ordelijk uit. Alles had een plaats. Ze deed het raam open en leunde naar buiten. Achter alle ramen was het donker. Iedereen sliep. Het was stil. Zelfs voor New York was het erg stil. Ze liep langzaam de kamer rond, raakte de bank aan, de stoelen, de houten tafels. Stof.

Ze liep terug door de gang, haalde haar koffer en bracht hem naar de slaapkamer. In de deuropening bleef ze even staan. Hier had ze geslapen met haar zus, op matrassen op de vloer. Margot had een baan bij Bergdorf Goodman's. Zij werkte als garderobejuffrouw in een restaurant dat Périgord heette. Overdag volgde ze teken- en schilderlessen bij de Art Students League. In sommige opzichten was het er allemaal nog, de gelukkige jaren in New York, de jaren die waren opgehouden te bestaan, waarover niet meer was gesproken. Volledig veronachtzaamd waren ze versteend tot fossielen; ze waren niet vertroebeld of vertekend door herinneringen. Ze deed het grote licht aan, maar er gebeurde niets. Ze keek omhoog en zag dat er geen lamp aan het plafond hing, alleen draden die uit de fitting bungelden. Werd de lamp ergens gerepareerd? Had hij vervangen zullen worden? Ze knipte de lamp op het nachtkastje aan. De matrassen waren natuurlijk verdwenen, en vervangen door een antiek houten sledebed; de sprei was er haastig overheen getrokken. Margot had geen tijd gehad om het bed netjes op te maken voor ze naar het ziekenhuis werd gebracht. Caroline vroeg zich af of ze met een ambulance was gegaan. Hoe verlaat je voor de laatste keer je eigen huis? Wist ze dat ze nooit meer terug zou komen? Drie weken lang, terwijl zij in het ziekenhuis op sterven lag, had haar bed hier op haar gewacht. Caroline ging op het bed zitten. Na een poosje legde ze haar gezicht op het kussen en haalde diep adem: misschien kon ze haar zus ruiken, misschien was dat er tenminste nog.

Ze sliep een gat in de dag en werd gedesoriënteerd wakker in het sledebed. Ze keek de vreemde kamer rond en liet de situatie langzaam tot zich doordringen: Margot was dood. Zij was naar New York gekomen om haar zaken af te handelen, haar appartement, haar bedrijf.

Ze stond op en douchte, en bedacht dat de naar seringen geurende zeep de huid van haar zus had aangeraakt. Ze bekeek alle toiletspullen in het medicijnkastje: de flesjes lotion en parfum, de potjes make-up, het assortiment geneesmiddelen. *Descourtieux, Margot. Naar behoefte driemaal daags één capsule om de pijn te verlichten.*

Ze besloot te beginnen met de keuken. Ze vond een plastic boodschappentas en vulde die met spullen uit de koelkast. Ze had al snel een tas vol en begon net aan een tweede toen er op de deur werd geklopt. Ze wachtte even. Wie kon dat zijn? Niemand wist dat ze hier was.

Er werd nog een keer geklopt.

Ze liep de gang in en deed open. Voor de deur stond een jonge man, misschien begin dertig. Hij was nonchalant gekleed in een spijkerbroek en was op blote voeten. 'Hoi,' zei hij. 'Ik ben Tom Perth. Ik woon hiernaast, op nummer 6B. Bent u de zus van Margot?'

'Ja,' zei Caroline. 'Ik ben Caroline Gund.'

Ze gaven elkaar een hand.

'Antonio, de conciërge, vertelde dat u was aangekomen. Ik wilde alleen even zeggen dat ik Hugo heb.'

'Wie is Hugo?' vroeg Caroline.

'O,' zei Tom Perth. 'Hugo is Margots hond. Wist u niet dat ze een hond had?'

'Nee,' zei Caroline.

'Het is een Franse buldog. Ik heb voor hem gezorgd sinds Margot in het ziekenhuis lag.'

'Bedankt,' zei Caroline.

'Ik ga morgen naar LA. Nee, niet morgen: donderdag. Dus ik moet hem terugbrengen.'

'O,' zei Caroline. Een hond! Wat moest ze met een hond? 'Misschien wil jij hem houden?'

'Ik ben dol op Hugo, maar dat kan niet. Ik reis veel.'

'O,' zei Caroline.

'Kunt u hem niet nemen?' vroeg hij.

'Nee. Ik ben hier alleen op bezoek. Ik woon in Uruguay.'

'Ik dacht dat Margot een Française was.'

'Dat is ook zo. Ik woon maar toevallig in Uruguay.'

'Nou, moet u horen, ik kom Hugo straks brengen. Bent u hier vanmiddag?'

'Ja,' zei Caroline. 'Of wacht – nee. Ik heb om twee uur een afspraak met Margots notaris.'

'Oké. Dan kom ik later. Een uur of zes?'

'Ja, natuurlijk,' zei Caroline. 'Dan ben ik hier. Is er iets wat ik moet kopen, om voor de hond te zorgen?'

'Ik heb al zijn spullen. Ik zal ze meebrengen. Tot later dan.' Hij wilde al weglopen.

'Wacht,' zei Caroline.

Hij draaide zich weer om.

'Neem me niet kwalijk – ik ben gewoon nieuwsgierig – heb je mijn zus goed gekend?'

'Vrij goed, voor buren in New York. We gingen af en toe uit eten, en ik zorgde voor Hugo als ze op reis was.'

'Reisde ze veel?'

'Ja, voor haar bedrijf, een paar keer per jaar.'

'Ik kende haar niet goed,' zei Caroline. 'We hadden geen contact met elkaar.'

'Ze heeft het nooit over u gehad,' zei hij.

'Nee,' zei Caroline. 'Dat verbaast me niet.'

'U lijkt op haar,' zei Tom Perth.

'O ja?' zei Caroline.

'Ja,' zei hij. 'Hoor eens, ik moet weg. Ik heb om elf uur een afspraak voor een massage. Tot vanavond.'

'Natuurlijk,' zei Caroline. 'Bedankt.' Ze stapte weer naar binnen en sloot de deur. Een hond, dacht ze. Hugo. Wat moet ik met haar hond beginnen?

Tamara Shelley, de notaris, legde Caroline uit dat Margots boedel bij testament overzichtelijk in drieën was verdeeld:

haar bedrijf, haar spaargeld, en haar appartement. Haar bedrijf, Descourtieux Textiles & Fabrics, Inc., dat stoffen ontwierp en importeerde, had ze nagelaten aan haar compagnon, een zekere Anna Powell. Haar spaar- en pensioengeld, dat Tamara schatte op een bedrag van 400.000 dollar, moest gelijkelijk worden verdeeld tussen de American Cancer Society, Planned Parenthood en het Fresh Air Fund. Haar appartement, dat in de jaren zeventig deel was gaan uitmaken van een coöperatie en dat nu Margots eigendom was, ging naar Caroline, met de complete inboedel: kunst, meubilair, kleding, boeken, sieraden.

Het was een heel verstandig en duidelijk testament, besloot Tamara, en ze verwachtte geen problemen bij de afwikkeling.

Caroline vroeg hoe gauw ze het appartement kon verkopen. Tamara zei dat ze het niet kon verkopen voordat het testament was bekrachtigd en ze officieel eigenaar was geworden, wat zes tot acht maanden kon duren, maar ze raadde Caroline hoe dan ook niet aan om het te verkopen, want de onroerendgoedmarkt zat in de lift en het appartement zou de komende jaren ongetwijfeld in waarde stijgen. Ze adviseerde om het te verhuren, wat wettelijk was toegestaan gedurende drie perioden van vijf jaar. Haal alle waardevolle en persoonlijke bezittingen uit het pand, raadde ze aan, en verhuur het gemeubileerd. Ze gaf Caroline de namen van diverse bureaus die gespecialiseerd waren in dergelijke zaken, verzocht haar een stel formulieren te tekenen, en wenste haar toen nog een prettige dag.

Caroline herinnerde zich de hond. Wat moest ze daarmee? Werd hij genoemd in het testament? Van wie was hij nu?

Het testament vermeldde geen hond. Vermoedelijk hoorde hij bij de inboedel. Caroline mocht hem naar eigen goeddunken houden, verkopen of wegdoen. Tamara dacht dat zowel de Dierenbescherming als de North Shore Animal League ongewenste huisdieren aannam.

Verbluft liep Caroline door de drukke straten van het

centrum. Waarom had Margot het appartement aan haar nagelaten? En al haar spullen? Waarom wilde ze dat Caroline die kreeg?

Ze bevond zich op Fifth Avenue; ze stond even stil en liet de zwerm voetgangers voorbijtrekken. Het was een prachtige dag, eind voorjaar, met al iets zomers in de lucht. Ze liep in de richting van het park en ging bij Bergdorf's naar binnen. Margot had op de parterre gewerkt, achter een toonbank waar zijden sjaals en zakdoeken werden verkocht. Grace Kelly was op een dag in de winkel gekomen en had bij Margot een witte linnen sjaal met kralen van Oostenrijks kristal gekocht. Grace Kelly was dood. Margot was dood.

Een meisje achter de toonbank van Lancôme vroeg aan Caroline of ze opgemaakt wilde worden. Nee, zei Caroline, en ze duwde zich via de draaideur een weg naar buiten. Ze ging op een bankje in het park zitten, naast een klein meisje en haar moeder. Het kind at mistroostig een soort roze ijs op een stokje. Caroline sloot haar ogen en liet de zon op zich neervallen. Ze kon rondom de stad voelen, het gedruis horen. Ze had gedacht dat ze hier nooit terug zou komen. Zij had Jules gekregen en Margot had New York gekregen. Dat leek niet meer dan redelijk. En nu had ze hier plotseling een appartement. Ze kon teruggaan en de deur vergrendelen en in de kamer gaan staan en niemand zou weten dat ze er was of wat ze deed. Ze kon de muren verven. Ze kon bloemen kopen bij de winkel op de hoek: ze had ze gezien, emmers vol pioenrozen, cosmos, floxen.

Ze had het warm gekregen toen ze terugkwam in het appartement, dus ze douchte nog een keer met de seringenzeep en stak haar vochtige haar hoog op. Ze had de pioenrozen gekocht, een prijzige armvol, die nu in de woonkamer hun prachtige roomwitte vuisten knikkend ontvouwden in een vaas van Waterford-kristal. Ze had ook een fles Gavi gekocht en kersen en pistachenootjes.

Hij klopte even na zessen aan. Ze deed open. Hij droeg een wit overhemd en een lichtblauwe linnen broek en had

de hond aan een riem. Zijn blonde haar was naar achteren gekamd.

'Hallo,' zei ze. 'Kom binnen.'

Ze deed een stap opzij en hij en de hond liepen het appartement in.

'Dus dit is Hugo,' zei ze, terwijl ze de deur sloot. Het was een middelgrote hond, lichtbruin van kleur, met een lelijke platgeslagen snuit en vleermuisoren. Hij keek naar haar op met zijn smekende hondenogen. Ze bukte zich en raakte zijn kop aan. Hij kwijlde.

'Ja,' zei Tom. 'Dit is Hugo. Arme Hugo. Hij houdt niet erg van de warmte.'

'Ik zal hem een bak water geven,' zei ze. 'Kom!' zei ze, tegen zowel man als hond, en liep naar de keuken. Ze vulde een glazen bak met koud water en zette die op de grond. Tom maakte de riem los. Hugo ging zitten en hijgde.

'Zo, ik wil ook wel iets drinken,' zei Caroline. 'Doe je mee?'

'Reken maar,' zei Tom.

'Ik vrees dat ik alleen witte wijn heb,' zei ze. 'Is dat goed?'

'Dat is prima,' zei hij.

Ze haalde de wijn uit de nu lege koelkast en maakte hem open. Margot had erg mooie wijnglazen; ze vulde er twee en gaf er een aan Tom. 'Laten we in de woonkamer gaan zitten,' zei ze. 'Daar is het koeler, denk ik.'

Hugo was op de keukenvloer gaan liggen. Ze lieten hem daar en gingen naar de kamer. Tom ging op een stoel zitten die met oud chintz was bekleed; zij ging op de bank zitten. Ze schoof de schaal nootjes naar hem toe. 'Hoe lang woon je hier al?' vroeg ze.

'Bijna tien jaar,' zei hij. 'Sinds ik naar New York ben verhuisd.'

'En daarvoor?'

'Ik ben opgegroeid in Maine,' zei hij.

Hij stond op en keek rond. Hij liep naar het raam en keek naar buiten. Daarna ging hij weer zitten. 'Het voelt zo raar,' zei hij. 'Om hier te zijn, zonder Margot.'

Caroline zei niets. Ze nam een slokje wijn.

'Hoe bent u in Uruguay terechtgekomen?' vroeg hij na een korte stilte.

'Ik ben met een Uruguayaan getrouwd,' zei ze.

'O,' zei hij. 'Bevalt het u daar?'

'Ja,' zei ze. 'Uitstekend. Het is er mooi en rustig. Ik heb vroeger hier gewoond, weet je, met Margot. In dit appartement. Jaren en jaren geleden. In 1959.'

'Goh,' zei hij.

'Je zei dat je haar vrij goed kende?'

'Ik mocht Margot graag. We konden goed met elkaar opschieten. Maar we waren niet echt bevriend.'

'Was ze gelukkig, denk je?'

Hij dacht even na en bestudeerde zijn glas. Toen keek hij haar aan. 'Soms zag ik haar 's avonds, als ze de gordijnen niet dichtdeed – mijn appartement ligt hier recht tegenover.' Hij wees uit het raam. 'Soms kwam ik 's avonds laat thuis, en dan zag ik haar hier op de bank zitten lezen, waar u nu zit. Ze droeg een bril als ze las. Ik heb haar in het openbaar nooit met een bril gezien. Soms ging ik even langs. Dan praatten we een tijdje. Ze zette thee, en dan zaten we hier te praten. Ze had heerlijke thee; die nam ze mee uit Parijs. Ze heeft mij ook wat gegeven. Die heb ik nog steeds.'

'Denk je dat ze gelukkig was?' vroeg Caroline.

'Ja,' zei hij. 'Op een bepaalde manier wel. Ze maakte altijd een rustige, vriendelijke, tevreden indruk. Ik denk wel dat ze het naar haar zin had. Dat gevoel kreeg je.'

'Fijn,' zei Caroline. 'Was ze – weet je of ze vrienden had? Romances?'

'Natuurlijk had ze vrienden,' zei Tom. 'Ze had veel vrienden. Ze gaf vaak etentjes – ze kon geweldig goed koken – en elk jaar met kerst gaf ze een groot feest. Dan gebruikte ze mijn koelkast.'

Caroline streek met haar vinger langs de dunne rand van haar wijnglas.

'Elke keer als ze wegging, als ik voor Hugo zorgde, bracht ze iets voor me mee. Geen flutdingen, zoals de meeste men-

sen zouden doen. Iets moois. Een mooie stropdas, of een schaal, of antieke manchetknopen. Ze heeft ooit een overhemd voor me laten maken, in Italië, van stof die ze op een vlooienmarkt had gevonden. Ze was erg gul. Sommige van de mooiste dingen die ik heb zijn van Margot.'

Caroline zette haar glas op tafel. Ze veegde de tranen van haar wangen.

'Het spijt me,' zei hij. 'Ik wilde u niet verdrietig maken.'

'Nee,' zei ze. 'Alsjeblieft – ik wil het graag horen, ik weet zo weinig over haar.'

'Hoe komt dat?' vroeg hij. 'U lijkt zo op haar. Ik zou gedacht hebben dat jullie vriendinnen waren.'

'Dat waren we ook,' zei ze. 'We woonden hier samen, zoals ik al zei –'

'Wat is er dan gebeurd?'

Ze pakte haar glas op en nam een slokje wijn. Hij reikte naar voren en pakte een nootje uit de schaal. 'Ik werd verliefd op haar vriendje,' zei Caroline. 'Ik ben met hem getrouwd.'

'De Uruguayaan?'

'Ja,' zei ze, met een klein lachje: Jules de Uruguayaan.

'O,' zei hij.

'Het was vreselijk wat ik gedaan heb,' zei ze. 'Het ergste wat een zus kan doen, denk ik.'

'Maar u deed het – u deed het vast niet met boos opzet,' zei hij.

'Nee,' zei ze. 'Ik was heel jong, en het ging zo snel. We trouwden in het geheim, op het stadhuis, en vertrokken nog dezelfde avond naar Uruguay. We schreven Margot brieven, waarin we haar smeekten ons te vergeven. Dat deed ze natuurlijk niet. Dat kon ze niet. Ik heb nooit meer iets van haar gehoord.'

'Tjee,' zei Tom. 'En hebt u sindsdien altijd in Uruguay gewoond?'

'Ja,' zei Caroline. 'Ik ben een paar keer terug geweest naar Parijs, om mijn moeder te bezoeken. Maar nooit meer hier. Tot nu toe.'

Hugo verscheen in de deuropening. Hij jankte zachtjes, en keek van de een naar de ander.

'Ben je toe aan je wandeling, Hugo?' vroeg Tom. 'Hij wordt nu meestal uitgelaten,' zei hij tegen Caroline.

'Hoe vaak wordt hij uitgelaten op een dag?'

'Meestal drie keer. 's Ochtends, rond deze tijd, en voor het slapengaan. Zullen we naar buiten gaan? Dan kan ik u laten zien waar hij graag heen gaat.'

Op de hoek overhandigde Tom de riem aan Caroline. 'Hier,' zei hij. 'Neemt u hem maar, hij moet aan u gewend raken. We gaan nu een eind met hem lopen, naar de rivier. 's Ochtends en 's avonds kunt u gewoon een blokje om gaan. Hij heeft niet veel lichaamsbeweging nodig.'

Caroline pakte de riem en ze staken de straat over.

'Houdt u van honden?' vroeg Tom.

'Ik weet het niet,' zei Caroline. 'Ik heb nooit een hond gehad.'

'Hugo is een hele lieve hond. Heel braaf, goed afgericht.'

'Weet je zeker dat jij hem niet kunt nemen? Het zou zo fijn zijn als dat kon.'

Tom schudde zijn hoofd. 'Onmogelijk,' zei hij. 'Ik ga bijna elke maand naar LA.'

'Wat doe je voor werk?' vroeg Caroline.

'Ik schrijf scenario's. Of liever gezegd, ik herschrijf scenario's.'

'Voor films, bedoel je?'

'Ja,' zei Tom.

'Ik heb in geen tijden een film gezien,' zei Caroline.

'Je mist niet veel,' zei Tom.

'Ik herinner me niet dat we zo dicht bij de rivier woonden,' zei Caroline. Ze waren blijven staan om de West Side Highway over te steken.

'Waarschijnlijk kwam u hier vroeger niet,' zei Tom. 'Dit was niet zo'n beste buurt.'

Ze staken over en begonnen langs de rivier naar het zui-

den te lopen. 'Dit is heerlijk,' zei Caroline. 'Hoe ver kun je lopen?'

'Helemaal tot het eind.' Tom wees recht vooruit. 'Tot aan Battery Park.'

Caroline keek uit over de rivier. 'Mag ik je nog iets vragen over Margot?'

'Natuurlijk,' zei Tom.

'Was ze – had ze een relatie?'

'De laatste tijd niet,' zei Tom. 'Toen ik haar leerde kennen ging ze met iemand om. Een advocaat. Hij woonde in San Francisco. Hij was getrouwd, denk ik. Maar hij was dikwijls in New York, dan logeerde hij bij haar. En ik denk dat ze samen op reis gingen.'

'Wat ging er mis?'

'Dat weet ik eigenlijk niet. Het hield gewoon op. Ze praatte er niet over. Ik zag haar daarna soms uitgaan met andere mannen. Ze ging veel uit – naar de opera, naar ballet. Ze had voor allebei een abonnement. Soms nam ze mij mee. Ze maakte geen eenzame indruk. Ze was erg onafhankelijk. Ik denk dat ze graag alleen was. Vóór Hugo had ze een andere hond, een tekkel. Fritz. Dat was een rotbeest.'

'Ik wil dat jij iets van haar krijgt,' zei Caroline. 'Een paar dingen uit het appartement die je mooi vindt. Is er iets wat je zou willen hebben?'

Plotseling hield Hugo op met lopen. Hij drukte zich als een anker tegen de grond aan het eind van de riem.

'Hugo laat zelf weten als hij genoeg gewandeld heeft,' zei Tom.

'Dus nu moeten we omkeren?'

'Soms laat hij zich verleiden. Maar ik moet onderhand eens terug.'

'Natuurlijk,' zei Caroline. Ze keerden om en liepen terug. 'Is er iets uit het appartement dat je zou willen hebben?' vroeg Caroline. 'Het maakt niet uit wat.'

'Echt waar?' zei Tom.

'Ja,' zei Caroline.

'Er zijn een paar dingen die ik dolgraag zou willen hebben.'

'Wat?'

'Ze zijn wel waardevol.'

'Goed zo,' zei Caroline.

'De klok in de woonkamer. Daar ben ik altijd weg van geweest. En de foto's van Rudy Burkhardt in de hal. Daar ben ik ook weg van.'

'Goed,' zei Caroline. 'Dan wil ik dat jij die krijgt.'

'Wat gaat u doen met alles?' vroeg Tom.

'Geen idee. Verkopen, denk ik.'

'Kijk heel goed uit,' zei Tom. 'Het is geen rommel. Margot had alleen maar mooie dingen.'

'Maak je geen zorgen,' zei Caroline. 'Ik zal heel goed uitkijken.'

Op de terugweg kwamen ze langs een klein restaurant dat Chez Stadium heette. Op straat stonden twee tafeltjes, gedekt met linnen en zilveren bestek, maar er zat niemand. De zon hing laag boven de rivier en scheen recht de straat in. 'Is dit een goed restaurant?' vroeg Caroline.

'Het is niet slecht,' zei Tom.

Ze namen afscheid in de gang bij de lift. In het appartement scheen Hugo zich thuis te voelen, te weten wat hij moest doen. Caroline niet. Ze bekeek de foto's die Tom wilde hebben, en de klok. Hij had er kijk op: ze waren erg mooi. Maar ja, er waren zoveel mooie dingen in het appartement.

Ze dineerde in haar eentje in het restaurant waar ze langs waren gekomen, aan een tafeltje buiten. Ze was uitgeput, zowel emotioneel als fysiek, maar het was prettig om aan het tafeltje op straat te zitten. Mensen liepen langs en lachten tegen haar. Ze dronk twee glazen wijn bij het eten en nam na afloop koffie, gewoon om nog wat langer te genieten van het zitten daar, in de rustige straat, onder de bomen, in het lamplicht. Ochos Rios leek heel ver weg. Ze had gedacht dat dat haar leven was, maar misschien was dat

niet zo. Het was moeilijk te zeggen, en ze was te moe om het nu allemaal op een rijtje te zetten. Ze rekende af en ging terug naar het appartement.

Ze zat in de woonkamer, bladerend in de tijdschriften die Margot had achtergelaten, toen Hugo in de deuropening verscheen. Hij keek haar aan.

'Is het tijd voor je wandeling?' vroeg ze.

Hij hield zijn kop een beetje schuin.

Ze keek op haar horloge: het was precies elf uur. 'Kom maar,' zei ze. Ze liepen een blokje om. Ze vroeg zich af of hij Margot miste. Hij maakte een uiterst rustige indruk. Ze begon hem aardig te vinden. Twee vrij jonge vrouwen, een stel dacht Caroline, kwamen het gebouw in en namen te gelijk met haar de lift naar boven.

De vrouwen hadden allebei een of ander programma in hun hand. Een van de twee bukte zich en aaide Hugo. 'Dag Hugo,' zei ze. Ze kwam overeind. 'Bent u een vriendin van Margot?' vroeg ze aan Caroline.

'Ik ben haar zus,' zei Caroline.

'We hoorden dat ze overleden is,' zei de vrouw. 'Gecondoleerd.'

'Bedankt,' zei Caroline, die niet wist wat ze anders moest zeggen. 'Waar zijn jullie geweest?' Ze knikte naar hun programma's.

'O,' zei de vrouw. 'Ballet.'

'Hoe was het?' vroeg Caroline.

'Het was prachtig,' zei de vrouw.

De lift stond stil. De andere vrouw duwde de deur open. 'Welterusten,' zei ze.

'Welterusten,' zei Caroline.

In het appartement maakte ze de riem los. Hugo draafde de woonkamer in en ging op het kleed liggen. Caroline maakte aanstalten om naar bed te gaan. Ze liep de woonkamer in en deed de lichten uit. 'Welterusten, Hugo,' zei ze. Hij keek haar aan.

Ze deed de slaapkamerdeur dicht en stapte in bed. Even later hoorde ze hem janken bij de deur. Daarna krabbelde

hij eraan. Ze kwam uit bed en deed de deur open. 'Wat is er?' zei ze. 'Wat wil je?'

Hij keek haar aan.

Ze kroop weer in bed maar liet de deur open. Ze sliep al bijna toen ze hem op het bed voelde springen. Hij draaide een paar keer rond en nestelde zich daarna aan haar voeten.

HOOFDSTUK VIERENTWINTIG

Het was juni, de een na laatste schooldag voor de wintervakantie. Portia stapte in de bus en ging voorin zitten, naast Ana Luz, maar van achter uit de bus hoorde ze haar naam roepen. Ze draaide zich om en knielde op de bank.

Hij zat alleen op de achterste bank; geen van de meisjes was naast hem gaan zitten. Hij lachte, maar hij zag er erg onnozel uit zoals hij daar zat, in de schoolbus, en even dacht ze erover om net te doen of ze hem niet kende.

Ana Luz had zich ook omgedraaid. 'Wie is dat?' vroeg ze.

'De man die het boek kwam schrijven,' zei Portia. 'Die uit de boom viel.'

'Wat wil hij?' vroeg Ana Luz.

'Ik weet het niet,' zei Portia. 'Ik ga wel even kijken. Hou mijn plaats bezet.'

Ze liep door het gangpad. Giselle en Claudia en Seraphina en Teresa, meisjes uit groep acht die meestal achterin sigaretten zaten te roken, waren door Omar naar de een na laatste rij verdreven. Ze keken haar dreigend aan toen ze naderde. Alleen meisjes uit de hoogste klassen mochten achter in de bus komen. Maar Portia liep fier langs hen heen; haar band met de geheimzinnige vreemdeling gaf haar op de een of andere manier moed. Ze ging naast Omar zitten.

'Wat doe je hier?' vroeg ze.

'Ik neem de bus naar Ochos Rios,' zei Omar.

'Dat snap ik,' zei Portia. 'Maar waarom?'

Omar gaf geen antwoord. De bus startte. Teresa draaide zich om en keek naar hen.

'Je mag wel teruggaan naar je vriendin,' zei Omar. 'Ik wilde je alleen gedag zeggen.'

'Blijf je weer bij ons logeren?' vroeg Portia.

'Dat weet ik nog niet,' zei Omar.

'Weet mijn moeder dat je komt?'

'Nee,' zei Omar.

Portia keek hem aan. Hij zag er anders uit dan ze zich hem herinnerde, maar ze wist niet waar het aan lag.

'Hoe gaat het met iedereen?' vroeg Omar.

'Caroline is weg,' zei Portia. 'En Pete ook.'

'Waar zijn ze naartoe?'

'Caroline is naar New York verhuisd. Pete is in Montevideo. Hij gaat daar een winkel openen. In plaats van zijn meubels aan die Amerikaanse vrouw te verkopen, verkoopt hij ze zelf. Hij komt soms terug, als hij op zoek is naar nieuwe spullen.'

'En Adam?'

'Die is er nog.'

'En je moeder?'

'Natuurlijk is die er nog. Hé, ik heb je schoen gevonden. Die je kwijt bent geraakt toen de bij je had gestoken. Ik vond hem toen we het gras in de wei maaiden. Er zaten mieren in. Ik heb hem bewaard, ook al zei mijn moeder dat ik hem weg moest gooien. Ze zei dat hij niet meer te gebruiken was.'

Omar groette Teresa, die nog steeds naar hen zat te kijken. Ze draaide zich om.

'Ik was vergeten dat ik mijn schoenen kwijt was geraakt,' zei Omar.

'Eentje maar,' zei Portia. 'We hadden ze uitgedaan omdat je voeten opzwollen, en je schopte er een heel ver weg. We konden hem niet vinden. Je ziet er nu beter uit. Je bent helemaal niet meer opgezwollen.'

'Ja,' zei Omar. 'Ik ben weer helemaal beter.'

'We hebben nu een medicijn. Voor als iemand anders ook gestoken wordt. Een naald. We bewaren hem in de ijskast. Je steekt hem in je bips.' Ze zweeg even en vroeg toen: 'Waarom ben je teruggekomen?'

'Omdat ik dat graag wilde,' zei Omar.

De bus liet hen er bij het hek uit. Ze liepen de lange oprijlaan af en de hal in. 'Wacht hier maar,' zei Portia. 'Dan ga ik mijn moeder zoeken.' Ze verdween door de deur naar de keuken.

Omar stond in de hal. De grote ronde tafel, waar in zijn herinnering altijd bloemen op stonden, was nu leeg: er lagen alleen wat stapels post en kranten en tijdschriften. En stof: er moest nodig gestoft worden. Hij liep om de tafel heen en keek door de terrasdeuren naar de binnenplaats. De tafel waaraan ze hadden gegeten was afgedekt met een lelijk zwart zeil. Het is hier winter, dacht hij, en minder mooi: de zwarte lijkwade, de dorre bladeren die over de stenen schaatsten. Het was bewolkt geworden, dikke, donkere wolken die hij niet met deze plek associeerde. Het zag ernaar uit dat het zou gaan regenen.

Hij hoorde de deur opengaan op de galerij boven hem, en daarna hoorde hij Arden zeggen: 'Portia?'

Hij wist dat hij een stap naar voren moest doen zodat ze hem kon zien, maar hij durfde niet. Hij was opeens in paniek, want hij had het allemaal heel snel gedaan, zonder na te denken: met zijn creditcard het ticket kopen, zijn koffertje inpakken, meteen dezelfde middag dat Yvonne terugkwam vertrekken. Hij had aan niemand verteld wat hij ging doen, waar hij heen ging, hij had alleen gedacht – want hij had natuurlijk wel nagedacht, maar het was een ander soort denken, een denken dat niet uit zijn hoofd kwam – *ga erheen ga erheen ga erheen*, en zolang hij onderweg was had het een goed idee geleken, had het onvermijdelijk geleken, en had hij gedacht: Niet nadenken voor je er bent, het zal vanzelf duidelijk worden als je er bent, maar nu was hij er, hij kon niet verder tenzij hij de deuren opendeed en vluchtte, maar hij kon de deuren niet opendoen, hij kon niet denken, hij kon zich niet verroeren, hij was tot het uiterste gegaan en het enige wat hij nog kon doen was staan luisteren hoe Arden de trap af kwam.

Hij hoorde dat ze stil bleef staan. Het leek heel lang te duren, of misschien ook niet, het was een bizar moment dat op de een of andere manier tijdloos was, en het kwam door de stilte dat hij zich ten slotte omdraaide. Arden stond halverwege de trap aan de andere kant van de hal op hem neer te kijken, met beide handen op de leuning. Hij schrok er-

van dat ze zo mooi was. Even dacht hij: Ze wist dat ik zou komen en heeft zich mooi gemaakt, maar hij besefte meteen dat dat onzin was. Misschien was het de manier waarop ze op de trap stond, als een vrouw op een schilderij, maar haar schoonheid gaf hem een schok. Of misschien was het gewoon haar aanwezigheid. Hij had gedacht dat hij haar nooit meer zou zien, zelfs hierheen gaan was geen garantie: ze had wel verhuisd kunnen zijn, zoals Caroline, zoals Pete. Ze had wel dood kunnen zijn.

'Omar?' zei ze.

Hij knikte, maar bleef staan waar hij stond.

Zij ook. 'Ik dacht dat het Portia was…' zei ze vaag.

'Die was er ook,' zei hij. 'Die is er ook. Ze is jou gaan zoeken. In de keuken.'

'Ik was boven –' Ze maakte een gebaar. Toen schudde ze haar hoofd. 'Ik begrijp het niet,' zei ze. 'Hoe ben je hier gekomen? Wat doe je hier? Ik dacht – we hebben je brief gekregen, ik dacht dat het allemaal voorbij was…'

'Dat is het ook,' zei hij. 'Het boek, bedoel ik.'

'Dus waarom? – dus wat – wat brengt je hier?'

'Ik moest je iets vragen,' zei Omar.

'Iets vragen? Ben je dat hele eind gekomen om me iets te vragen?'

'Ja,' zei hij. Hij deed een stap in haar richting, maar de deur naar de keuken ging open en Portia zei: 'Daar is ze niet. Ze zal wel boven zijn.'

'Ik ben hier,' zei Arden. Ze liep de trap verder af.

'Omar zat bij mij in de schoolbus,' zei Portia.

'O,' zei Arden.

'Mag ik mijn tussendoortje?'

'Ja,' zei Arden. 'Als je nu eens – pak het zelf maar, liefje. Neem een peer en een koekje als je zin hebt.'

'Er zijn geen peren,' zei Portia.

'Neem dan een banaan. Of een appel.'

Portia bleef staan.

'Hup,' zei Arden. 'Ga je tussendoortje pakken.'

Portia ging terug naar de keuken.

'Ik begrijp niet waarom je hier bent,' zei Arden. 'Is er iets mis?'

'Nee,' zei Omar.

'Waarom ben je dan gekomen?'

'Dat zei ik,' zei Omar. 'Ik moet je iets vragen.'

'Wat dan?' zei Arden.

Omar kon geen woord uitbrengen.

Arden liep in zijn richting; ze stonden aan weerskanten van de ronde tafel. 'Wat dan?' vroeg ze nogmaals, ongeduldig, bijna fel.

Het ging allemaal te vlug, hij had niet verwacht dat het zo snel zou gaan. Hij wist niet wat hij precies had verwacht, maar hij had gedacht dat het dagen zou duren voor ze dit punt zouden bereiken. Hij had gedacht dat ze wel zou begrijpen waarom hij gekomen was, zodat ze er niet over hoefden te praten, tot het op de een of andere manier vanzelf duidelijk werd, een erkend feit, en dan zouden ze erover praten, bijna achteraf. Ze stond hem fel aan te kijken en hij besefte ten volle zijn dwaasheid.

Maar nu hij zo ver gekomen was, kon hij niet meer terug. Daarom was hij gekomen, daarom had hij het op deze manier gedaan, daar ging het allemaal om: daar zijn – hier zijn. Hier. Hij raakte de tafel aan. Hij boog zijn hoofd maar keek toch weer naar haar, en haar felle blik was verdwenen, haar gezicht had een zachtere uitdrukking gekregen; het stond nieuwsgierig en geduldig. Het was gaan regenen: door de ramen achter haar zag hij de druppels vallen.

Hij zweeg even. Hij wierp een blik op de tafel en keek toen naar haar, maar zij staarde naar de tafel. Hij zei tegen haar gebogen hoofd: 'Ik denk dat ik je zoende omdat ik van je hou.'

Ze keek hem aan. 'Is dat zo?' vroeg ze, en daarna verbeterde ze zichzelf: 'Was dat zo? Dacht je dat?'

'Ja,' zei hij.

'Aha,' zei ze.

'Waarom,' vroeg hij, 'waarom zoende jij mij?'

Ze schudde haar hoofd. Ze bloosde en liet haar hoofd

weer zakken, wendde haar ogen af. 'Ik weet het niet,' zei ze. 'Het was allemaal erg verwarrend, het boek en jij en alles.'

'Maar hield je niet van me?'

Ze keek hem aan, half boos en half droevig. 'Ik dacht misschien van wel,' zei ze.

'Maar waarom zei je dan naderhand dat je niet van me hield?'

'Omdat – o, Omar, je begrijpt het niet. Zo simpel is het niet, zo gemakkelijk. Daar gaat het eigenlijk niet eens om. Het verleden is er ook nog. En – je kunt dit niet doen.' Haar felheid laaide plotseling weer op. 'Ben je van plan om zo door te gaan? Hier telkens te komen opduiken, op zulke bizarre manieren? Ik vind dat je niet zomaar had moeten komen. Ik vind dat je beter kunt vertrekken, Omar.'

'Je begrijpt het niet,' zei Omar.

'Wat begrijp ik niet?'

'Misschien heb ik het helemaal verkeerd gedaan,' zei Omar. 'Ik weet wel zeker dat ik het helemaal verkeerd heb gedaan. Het spijt me dat ik het verkeerd heb gedaan. Ik wou dat ik het goed had kunnen doen. Als ik je iets zou kunnen geven zou dat het zijn, dat ik het goed doe, maar ik weet niet hoe je dingen op de goede manier moet doen, op de manier waarop het hoort, maar – kan ik dan maar beter niets doen?'

'Ik weet niet waar je het over hebt,' zei Arden. 'Je staat hier ineens voor mijn neus –'

'Ik heb het erover dat ik van je hou!' zei Omar. 'Ik heb het erover dat ik verliefd op je ben geworden. En ik dacht, ik dacht te merken, ik dacht me te herinneren – al is het maar vaag, misschien vergis ik me – ik dacht te merken dat jij ook van mij hield. Niet alleen toen we zoenden. Toen natuurlijk ook, maar niet alleen toen. De hele tijd. Ieder moment. Ieder moment.'

Na een moment zei hij het nog eens: 'Ieder moment.'

Arden ging op de bank naast de deur zitten. Ze leunde voorover en sloot haar ogen. Zo bleef ze lange tijd zitten. Het was heel stil en ze konden allebei de regen horen vallen. Toen stond ze abrupt op. 'Het spijt me,' zei ze. Ze

sprak op luide toon, alsof ze daarmee kon verhinderen dat ze in tranen uitbarstte. 'Maar ik hou niet van jou. En je hebt gelijk: het was verkeerd van je om zomaar te komen. Om ineens op te duiken, zonder te bellen of zelfs maar te schrijven. Het spijt me, maar dat deugt niet. Je had nooit zomaar moeten komen. Je moet gaan.'

Omar zei niets. Hij stond daar maar. Hij had geen idee wat hij moest zeggen. Hij wist dat hij heel voorzichtig moest zijn en de juiste dingen moest zeggen. Hij mocht geen verkeerde dingen zeggen. Niet nu, vooral niet nu. Na een poosje zei hij: 'Ik hou van je.'

Arden schudde haar hoofd. 'Ga weg,' kreunde ze. 'Ga alsjeblieft weg.'

Omar tilde zijn koffer op, die hij op de vloer had gezet. Hij wachtte nog even bij de deur, maar Arden maakte geen beweging: ze stond daar roerloos, lijkbleek. Ze keek langs hem heen, door de terrasdeuren, naar de regen die op de ingepakte tafel viel.

Omar deed de deur open en stapte de regen in.

Arden wist niet hoe lang ze in de hal stond. Op een gegeven moment ging de deur naar de keuken open en verscheen Portia weer. 'Wat is er aan de hand?' vroeg ze. 'Waarom huil je?'

Arden veegde met haar handen over haar gezicht. Ze schudde haar hoofd. 'Heb je je tussendoortje op?' vroeg ze.

'Ja,' zei Portia.

Ze bleven even staan, wezenloos, sprakeloos.

'Waar is Omar?' vroeg Portia toen.

'Die is weg,' zei Arden.

'Maar ik wilde hem zijn schoen geven.'

'Wat voor schoen?'

'Zijn schoen! Die ik in de wei had gevonden! Ik had hem speciaal bewaard! Dat zei ik tegen hem!'

'Het is maar één schoen,' zei Arden. 'Hij heeft niets aan één schoen.'

Portia zweeg. Toen zei ze: 'Je huilde.'

'Ja,' zei Arden.

'Waarom?'

Arden zei: 'Soms huilen mensen als ze – als ze te veel voelen.'

'Voel jij dat nu?' vroeg Portia.

'Ja,' zei Arden.

Omar was geheel doorweekt tegen de tijd dat hij bij het molenhuis arriveerde. Hij klopte aan, maar er kwam geen antwoord. Hij probeerde de deur open te doen, maar het leek wel of die op slot zat. Toen herinnerde hij zich dat de deur klemde, dus hij duwde hard en de deur ging open. Binnen was het donker. Als er niemand is kan ik op de bank slapen, dacht hij, en morgenochtend loop ik naar Tranqueras. Ik denk dat ik de weg wel weet.

Hij stond druipend op de stenen halvloer. Hij hoorde hoog boven hem een deur opengaan en zag licht op de overloop van de bovenste verdieping. Adam stond in zijn kamerjas op hem neer te kijken.

'Wie is daar?' riep hij.

'Ik ben het,' riep Omar omhoog. 'Omar Razaghi.'

'Omar! Wat doe jij hier?'

'Dat weet ik niet,' zei Omar. 'Ik kwam voor Arden, en – het is een lang verhaal. Ik vroeg me af of ik hier vannacht kon blijven. Of misschien kunt u me naar Tranqueras brengen.'

'Ik rijd niet meer,' zei Adam. 'Trouwens, Pete heeft de auto. Hij is in Montevideo. Kom boven, kom boven en vertel me je lange verhaal. Ik zou wel naar beneden willen komen, maar ik lig in bed met een griepje. Er staat een fles whisky in de keuken, neem die maar mee naar boven. Ik snak er al de hele dag naar.'

'Waar is de keuken?' vroeg Omar.

'Gewoon rechtdoor, achter de woonkamer,' zei Adam. 'Je moet misschien een paar glazen afwassen die in de gootsteen staan als je geen schone kunt vinden. Ik vrees dat ik niet zo huishoudelijk ben aangelegd als Pete. Ik ga terug naar bed. Schiet een beetje op.'

Hij verdween weer. Omar vond de keuken, en de whisky, waste twee glazen af en nam ze mee naar boven. Adam zat in een heel breed bed. Hij zag er niet goed uit. Op een nachtkastje brandde één lamp, die een kleine gouden poel van licht verspreidde. De rest van de kamer was helemaal donker.

'Sleep die stoel hierheen en ga zitten. Lieve hemel! Je bent doorweekt. Ben je nat tot op je huid?'

'Ja,' zei Omar.

'Nou, kleed je dan uit en droog je af. Achter de deur hangt een lekker warme kamerjas van Pete. Trek die maar aan. Maar schenk me eerst een whisky in.'

Omar schonk whisky in een glas en gaf het aan Adam. Daarna liep hij naar de deur, kleedde zich in het donker uit en trok de wollen kamerjas aan die van Pete was.

'Je moet iets aan je voeten doen. In de bovenste la liggen sokken.'

Omar vond een paar sokken en trok ze aan.

'Kom nu zitten,' zei Adam. 'Pak die stoel. Nee, de andere. Zet hem hier neer, bij het bed. En schenk jezelf een whisky in, en vertel me je lange verhaal.'

Omar volgde al Adams instructies op behalve de laatste. Hij wist niet waar hij moest beginnen, of hoe hij het verhaal moest vertellen. Hij nam een slokje whisky en bekeek het glas.

Na een moment zei Adam: 'Ik begrijp dat je een zetje nodig hebt.'

'Ja,' zei Omar. 'Ik denk het wel. Ik weet niet waar ik moet beginnen.'

'Ik ben, zoals je inmiddels wel gemerkt zult hebben, een traditionalist. Begin maar bij het begin.'

'Dat moet geweest zijn toen ik hier de vorige keer was,' zei Omar. 'In januari.'

'Het kan geen erg lang verhaal zijn,' zei Adam, 'als het toen pas begonnen is.'

'Nou ja, er zijn daarvoor natuurlijk ook dingen gebeurd, maar toen veranderde er iets.'

'Wat veranderde er?'

'Ik denk dat ik veranderde,' zei Omar.

'Hoe?' vroeg Adam. 'Waarom?'

'Ik veranderde – in allerlei opzichten. Om te beginnen denk ik dat ik verliefd werd op Arden.'

'Ja?' zei Adam. 'Wat onnozel. En je lieftallige vriendin dan? Doris?'

'Deirdre. We hebben het uitgemaakt. Het zat niet goed tussen ons.'

'En nu ben je teruggekomen om Arden je liefde te verklaren?'

'Ja,' zei Omar. 'We hadden gezoend, ziet u. Op de dag dat ik door de bij werd gestoken en uit de boom viel. We waren naar de gondel gaan kijken. En bij het botenhuis hebben we gezoend.'

'Wat romantisch. En daarna werd je door een bij gestoken, en zwol je op, en raakte je in coma.'

'Ja, en toen ik bijkwam was Deirdre er. En ik wist niet wat er met Arden was gebeurd, ik voelde dat er iets gebeurd was, maar Arden deed zo vreemd en afstandelijk en toen ben ik teruggegaan naar huis.'

'En heb je ons die fraaie brief geschreven waarin je vertelde dat je van gedachten was veranderd over het boek.'

'Ja,' zei Omar. 'Dat spijt me. Ik bedoel, het spijt me dat ik iedereen zoveel last heb bezorgd. Hoe dan ook, ik ben teruggekomen om met Arden te praten, om te vragen of ze van me houdt, om te zeggen dat ik van haar hou, maar ze – ze zei dat ik niet had moeten komen. Ze deed afschuwelijk tegen me. Ik denk dat ik haar op de een of andere manier gekwetst heb. Ze stuurde me weg. Dus ik ben vertrokken. En het regende en ik kon geen andere plek bedenken waar ik heen kon dan hier.'

'En nu ben je hier,' zei Adam.

'Ja,' zei Omar. 'Ik ben bang dat ik er een puinhoop van heb gemaakt. Van bijna alles.'

'Drink je whisky op,' zei Adam, 'en schenk mij nog eens in.'

Omar schonk whisky in voor Adam en nipte aan zijn eigen glas. 'Wat vindt u dat ik moet doen?' vroeg hij. 'Wat kan ik doen?'

'Je moet morgen teruggaan naar Arden. Natuurlijk heeft ze je vandaag de deur uit gezet, daar had ze gelijk in. Je kunt mensen niet zomaar overvallen en ze je liefde verklaren en verwachten dat zij je gevoelens beantwoorden. Een traditionalist zoals ik weet dat.'

'Wat moet je dan doen?' vroeg Omar. 'Wat moet ik doen?'

'Je moet morgen teruggaan en je excuses aanbieden. Je bent gewoon over haar heen gelopen –'

'Maar dat is niet zo! Dat is echt niet zo!'

'Maar het lijkt wel zo en daar gaat het om. Je moet teruggaan en je excuses aanbieden. Misschien stuurt ze je weer weg. Als ze dat doet moet je weggaan, maar je moet het niet opgeven. Arden houdt van je.'

'Echt waar?' zei Omar. 'Hoe weet u dat?'

'Het was me duidelijk vanaf het moment dat je hier aankwam. Misschien al daarvoor: misschien hield ze al van je toen je die brief stuurde. Het is bespottelijk hoe, en hoe gemakkelijk, mensen verliefd worden. Vooral Arden: ze was rijp om geplukt te worden; als er een baviaan op haar deur had geklopt was ze daar misschien ook wel verliefd op geworden.'

'Dus u denkt niet echt dat ze van me houdt? Het zijn gewoon de omstan–'

'Natuurlijk houdt ze van je. Ze houdt nu waarschijnlijk meer van je dan ze ooit zal doen, omdat ze je nauwelijks kent.'

'Het voelt alsof we elkaar wel kennen,' zei Omar. 'Meteen vanaf het begin, vanaf de allereerste avond, was er iets, een soort klik.'

'Ik ben blij dat ik daar geen getuige van heb hoeven zijn. Geen wonder dat Caroline is gevlucht. Heb je het al gehoord? Ze is naar New York verhuisd. Ze heeft ons in de steek gelaten.'

'Portia vertelde het. Wat doet ze daar?'

'Haar zuster is gestorven en heeft haar appartement aan

Caroline nagelaten. Ik zou je niet kunnen vertellen wat ze daar doet. Wat deed ze hier? Niets. Wat doet iedereen overal? Niets.'

'Misschien schildert ze,' zei Omar.

'Precies wat ik zeg,' zei Adam: 'Niets.'

'En is Pete ook weg?'

'Ja. Ik had je uiteindelijk toch niet nodig voor het smokkelen van de schilderijen. Pete heeft zelf een uitweg gevonden. De vrouw in New York aan wie hij zijn spullen verkocht, heeft hem een leuk pandje bezorgd in Montevideo. Hij komt af en toe terug, als hij hier in de buurt op zoek is naar oude rommel.'

'Mist u hem?' vroeg Omar.

'Wat ben je bot! Je bent toch echt een biograaf. Zulke botte vragen stellen.'

'Sorry,' zei Omar.

'Natuurlijk mis ik hem,' zei Adam. 'Maar het is beter zo. Is dat niet wat mensen zeggen, het is beter zo? En dat betekent: ik kan het niet verdragen, maar ik moet wel. Ik sluit mijn ogen en strompel voorwaarts, de duisternis in.'

'Sorry,' zei Omar weer.

Adam zei niets. Hij stak zijn lege glas uit, en Omar schonk er nog wat whisky in.

'Merkwaardig toch,' zei Adam na een tijdje. 'Ik geloof in God: ik lag hier in bed te denken aan de fles whisky helemaal beneden in de keuken, en ik wist dat ik te zwak was om de trap af te lopen en hem te halen – of beter gezegd, te zwak om de trap weer op te lopen nadat ik hem had gehaald – maar ik smachtte ernaar, o, wat ik smachtte ik ernaar, een klein beetje whisky maar, een drupje om me te verwarmen, om me te verdoven, om me een rond, warm, tevreden, slaperig gevoel te bezorgen, en toen kwam jij. Is dat geen bewijs dat God bestaat? Ik weet geen betere reden om te geloven.'

'Wilt u nog iets anders? Van beneden? Hebt u gegeten?'

'Ik weet niet wat je beneden zou kunnen vinden dat eetbaar is. Ga maar eens kijken. Misschien zijn er nog ergens blikken soep.'

'Goed,' zei Omar.

'En zou ik je mogen verzoeken – het is echt vreselijk gênant, maar ik denk toch dat je het niet erg zult vinden – onder het bed staat een kamerpot vol met mijn water. Zou je die kunnen legen in het toilet beneden?'

'Natuurlijk,' zei Omar.

Hij stond op en vond de po: een grote aardewerken kom, onder het bed. 'Ik ben zo terug,' zei hij.

Hij droeg de kom met urine voorzichtig de twee trappen af en leegde hem in het toilet. Daarna ging hij naar de keuken. Hij kon geen blikken soep vinden. Er waren een paar appels, een brood en een pot honing. Omar legde alles op een zilveren dienblad en bracht het naar boven.

Adam sliep. Omar stond naast het bed en keek naar de slapende Adam. Hij had een waardigheid, een schoonheid, die opviel – die meer opviel – wanneer hij sliep. Omar wekte hem niet. Hij pakte een appel en een stuk brood en liet de rest op het blad liggen, deed het licht uit en ging de trap weer af.

Hij at de appel en het brood staande in de woonkamer. Er hing een opgevouwen plaid over de rugleuning van de bank. Hij deed het licht uit, ging liggen en trok de plaid over zich heen. Hij voelde zich heel ver van alles verwijderd. Maar, dacht hij, Arden had ongelijk: het was niet verkeerd om hier te komen. Niet als je het begreep. Zij begreep het niet, ze begreep hem niet. Niemand begreep hem. Hij werd er verdrietig van. Hij voelde zich verdrietig en alleen en geïsoleerd en verloren. En hij had het ook koud: ondanks Petes wollen kamerjas en de plaid had hij het koud.

De volgende ochtend wachtte Arden samen met Portia bij het hek op de schoolbus, en nadat de bus was weggereden bleef ze nog even staan. Ze wilde niet terug naar huis. Ik ga kijken hoe Adam het maakt, dacht ze, en ze ging op weg naar het molenhuis. Het had de hele nacht geregend en de weg was nat. Een afgeleide versie van de regen ging nog door in het bos: een aanhoudend, luid gedruppel.

Toen ze de bocht om was en Omar aan zag komen, raakte ze in paniek. Ze overwoog het bos in te rennen, zich in het bos te verstoppen, maar dat kon niet. Hij had haar al gezien. Even bleven ze allebei staan, een meter of vijftig uit elkaar, op de natte, verlaten weg, en keken elkaar aan. Toen liep ze naar hem toe, en hij liep naar haar toe.

Ze stopten op een meter afstand van elkaar. 'Goedemorgen,' zei ze.

'Goedemorgen,' zei hij. Hij sloeg vlug zijn ogen neer, en keek toen weer op. 'Ik was op weg naar jou,' zei hij. 'Ik hoop dat je het niet erg vindt. Ik kwam mijn excuses aanbieden. Het spijt me. Het spijt me vreselijk.'

'Nee,' zei ze. Ze stak haar hand uit, met de palm omhoog, alsof ze het verkeer tegenhield. Ze zei nogmaals: 'Nee.'

Hij zei niets.

'Het spijt mij,' zei ze. 'Ik was gewoon bang.' Ze stak haar hand nog een klein eindje verder uit en raakte hem aan. Ze pakte de kraag van zijn jasje en streek de revers glad, en legde toen haar handpalm tegen zijn borst. Daarna haalde ze haar hand weg. 'Ik kan het niet echt uitleggen – na Jules, na wat er met Jules is gebeurd – had ik het gevoel dat ik mijn recht om verliefd te zijn, om bemind te worden, had verspeeld. En dat vond ik onverdraaglijk. Ik ben bang. Ik weet niet hoe ik het kan verdragen.'

'Wat?' vroeg Omar.

'De – de onmogelijkheid. Dat jij kwam. En dat je toen weer terugkwam. Hoe kon dat gebeuren? Het lijkt allemaal zo willekeurig, zo broos. Als glas dat elk moment kan breken.'

Ze huilde. Omar pakte haar hand. Hij trok haar dicht tegen zich aan en hield haar vast. 'Ik zie het juist omgekeerd,' zei hij.

HOOFDSTUK VIJFENTWINTIG

Deirdre schreef Omar en stuurde de brieven naar het adres van zijn ouders in Toronto, maar ze kreeg nooit antwoord. Haar eenjarige aanstelling bij Bucknell werd voor twee jaar verlengd, en daarna nog eens voor een vierde en laatste jaar. Ze begon zodoende uit te kijken naar een andere baan, en omdat een hoofdstuk van haar dissertatie ('Rose Macaulay, Penelope Mortimer, Nina Bawden: De fictie van gender, de gender van fictie') in het tijdschrift *PMLA* was gepubliceerd, kreeg ze talloze uitnodigingen voor een sollicitatiegesprek. In januari ging ze naar New York om te solliciteren bij Barnard College. Na het gesprek lunchte ze met twee professoren, die op de hoek van de straat afscheid van haar namen. Ze had nog een uur of twee voor haar trein vertrok en vroeg hun of er een goede boekwinkel in de buurt was.

Ze stuurden haar naar Labyrinth, waar hoofdzakelijk wetenschappelijke uitgaven werden verkocht, en ze bracht een heerlijk uurtje door met snuffelen in de kasten. Ze wilde net vertrekken toen de titel van een boek op een tafel met restanten haar aandacht trok: *Tot hier en niet verder: Elizabeth Bishops jaren in Brazilië* van Omar Razaghi. Het was een kleine, lelijke paperback: zwarte letters op een effen mosterdgeel omslag, uitgegeven door de Universiteit van New Mexico. Ze pakte een exemplaar van de stapel en las de flaptekst:

Dit boek, nummer 13 in onze reeks over twintigste-eeuwse Zuid-Amerikaanse schrijvers, behandelt de jaren die Elizabeth Bishop in Brazilië doorbracht en het werk dat ze daar produceerde. Door middel van een knappe literaire analyse van haar poëzie en vertalingen en een beeldende beschrijving van haar leven in Brazilië, toont Razaghi overtuigend aan dat Bishop als

een schrijver van het zuidelijk halfrond moet worden beschouwd. Hier is een nieuwe kijk op Bishop, als een auteur die ver van haar geboortegrond een thuis en een stem vond.

De reeks Twintigste-eeuwse Zuid-Amerikaanse Schrijvers staat onder redactie van Diogenes González-Barahona en Susan Shreve Shepard en maakt deel uit van het programma Zuid-Amerikaanse Letterkunde van de Universiteit van New Mexico.

OMAR RAZAGHI werd in 1969 in de Iraanse hoofdstad Teheran geboren en emigreerde in 1979 naar Canada. Hij heeft een BA in geschiedenis van York University in Toronto en een MA in literatuur van de Universiteit van Kansas, waar hem de Dolores Faye en Bertram Siebert Petrie-prijs voor biografische studies werd toegekend voor zijn werk over Jules Gund. Razaghi woont in Uruguay met zijn vrouw en twee dochters, Portia en Adela.

Deirdre bekeek de opdracht: *Voor Arden*. Ze kocht vijf exemplaren – ze kostten maar $1,98 per stuk.

Deirdre kreeg de baan bij Barnard en verhuisde naar New York. De volgende winter nodigde een man die ze op een cursus tai chi had ontmoet haar uit voor de opera (*Les contes d'Hoffmann*). Tijdens de tweede pauze leunden ze tegen de balustrade van het balkon en keken neer op de drukke wandelgang, terwijl ze discussieerden over de vraag of er sprake was van seksuele discriminatie wanneer een mannenrol door een vrouw werd vertolkt. Beneden was een gedeelte afgescheiden met een rij potplanten, waarachter mensen opvallend te kijk zaten terwijl ze, volkomen idioot, aan kleine tafeltjes een dessert aten. Deirdre wilde net commentaar leveren op deze absurde vertoning toen ze een vrouw aan een van de tafeltjes meende te herkennen.

'Ik denk dat ik die vrouw daar ken,' zei ze. 'Ik wil haar even gedag gaan zeggen. Is dat goed?'

'Natuurlijk,' zei haar metgezel. 'Ik ga toch naar het toilet. Ik zie je straks weer op onze plaatsen.'

'Oké,' zei Deirdre. Ze haastte zich via de karmijnrode gebogen trap naar beneden en baande zich een weg naar het geïmproviseerde restaurant. Tegen de tijd dat ze zich door de menigte had geworsteld zag ze de vrouw opstaan van tafel, waaraan een man achterbleef, en haar kant op komen. Even dacht Deirdre dat de vrouw haar had herkend, maar dat bleek niet zo te zijn. Deirdre deed een stap naar voren toen de vrouw haar passeerde en zei: 'Neem me niet kwalijk, maar bent u Caroline Gund?'

De vrouw bleef staan en keek naar Deirdre. Ze droeg een lange zwarte rok en een lila blouse van gevlamde zijde die met een enorme strik op haar ene heup sloot. Haar haar was inmiddels grijs, maar nog lang en elegant gekapt. Ze droeg een halssnoer van gedreven zilveren blaadjes en bijpassende oorhangers. 'Ja,' zei ze, 'dat ben ik.'

'Ik ben Deirdre MacArthur,' zei Deirdre. 'Kent u me nog? Ik heb u een aantal jaren geleden ontmoet, in Ochos Rios. Ik was daar met Omar Razaghi.'

Caroline glimlachte en stak haar hand uit. 'Deirdre, ja, natuurlijk. Hoe maak je het?'

'Heel goed,' zei Deirdre. 'Ik zag u van bovenaf' – ze draaide zich om en wees naar het balkon – 'en ik wilde even gedag zeggen.'

'Geniet je van de opera?' vroeg Caroline.

'Ja,' zei Deirdre, 'heel erg. Hoe gaat het in Ochos Rios?' Het klonk net als dat liedje: 'Hoe gaat het in Glocca Morra?'

'Ik zou het niet weten,' zei Caroline. 'Ik woon tegenwoordig hier. Ik ben een aantal jaren geleden verhuisd. Kort nadat jij ons had bezocht, in feite.' Caroline had een tasje bij zich, bestikt met zwarte gitten kralen. Ze draaide het rond in haar handen.

'Heeft u Omars boek gelezen?'

'Heeft Omar een boek geschreven?'

'Ja,' zei Deirdre. 'Over Elizabeth Bishop in Brazilië.'

'Ik heb het niet gezien,' zei Caroline.

'Het is best goed,' zei Deirdre.

Caroline zei niets. Ze stond naar haar tasje te kijken.

'En blijkbaar woont hij daar nu. Hij is met Arden getrouwd.'

'Ja, ik had zoiets gehoord,' zei Caroline.

'Heeft u geen contact met ze?'

Caroline keek op en glimlachte. 'Nee,' zei ze. 'Ik heb geen contact met ze. En hoe maak jij het? Geef jij nog steeds les in – waar was het? Nebraska?'

'Kansas,' zei Deirdre. 'Nee, ik werk hier in New York. Bij Barnard. Dus u gaat niet terug naar Ochos Rios?'

'Nee,' zei Caroline. 'Ik ben hertrouwd. Mijn leven is nu hier.'

'Schildert u nog?' vroeg Deirdre.

'Nee,' zei Caroline. 'Nee, ik schilder niet meer.' Ze maakte een handgebaar alsof ze rook wegwuifde. 'Ik moet me nu helaas excuseren. Ik was op weg naar het toilet en je weet hoe ellenlang de rijen zijn, en ik wil de barcarolle niet missen –'

'Natuurlijk,' zei Deirdre. 'Ik wilde alleen even gedag zeggen. Leuk om u weer te zien.'

'Fijn om je te zien,' zei Caroline, 'en geniet nog van de opera.' Ze drukte Deirdres hand en verdween in de menigte.

Deirdre liep door de balkondeuren naar buiten, waar mensen rillend stonden te roken. Ondanks de vrieskou stond de fontein in het midden van de plaza plichtmatig te spuiten, omringd door een lichtende cirkel van damp. Ze zag de damp omhoogbuitelen en in het donker verdwijnen.

Carolines echtgenoot stond op toen ze voor hem langs liep. Nadat ze was gaan zitten boog hij zich opzij en schikte haar stola om haar schouders. Ze had parfum opgedaan; hij kon het ruiken. Hij boog zich dichter naar haar toe en

snoof de geur op, kuste haar wang. Ze glimlachte, maar ze keek recht voor zich uit, onvermurwbaar, naar het goudkleurige gordijn.

'Wie was dat? Dat meisje met wie je stond te praten?'

'O,' zei Caroline. 'Niemand. Ze zag me voor een ander aan.'

Deirdre ging terug naar haar plaats. Ze vond een papieren zakdoekje in haar jaszak en snoot haar neus. Haar metgezel pakte haar hand. 'Je bent steenkoud,' zei hij.

'Ik was even buiten,' zei Deirdre. 'Het vriest.'

'Hier,' zei hij. Hij nam haar beide handen in de zijne. Hij had grote, warme handen. Hij drukte haar handen samen tussen de zijne. 'Wie was die vrouw?'

'Dat was een vrouw die ik heb ontmoet toen ik in Uruguay was,' zei Deirdre.

'Uruguay? Wanneer was je in Uruguay?'

'Een paar jaar geleden,' zei Deirdre. 'Nou ja, vijf jaar. Bijna op de dag af.'

'Wat deed je in Uruguay?'

Deirdre schudde haar hoofd.

'Vertel,' zei hij.

'O,' zei Deirdre, 'dat is een lang verhaal.'

'Vertel,' zei hij weer.

Ze deed haar mond open om iets te zeggen, maar zweeg toen de lichten langzaam doofden. De dirigent verscheen en kreeg applaus. Hij hief zijn armen, en de muziek begon.

DE STAD WAAR JE TEN SLOTTE